D0528649

ANDERS DAN JIJ

d-nils

Per Nilsson

Anders dan jij

Lemniscaat Rotterdam

Omslag: Bas Sebus
Nederlandse rechten Lemniscaat b.v. Rotterdam 2001
ISBN 90 5637 372 2

Oorspronkelijke titel: *Ett annat sätt att vara ung*
First published by Rabén & Sjögren Bokförlag, Sweden, in 2000.

Druk: Drukkerij Haasbeek b.v., Alphen aan den Rijn
Bindwerk: Spiegelenberg b.v., Zoetermeer

Dit boek is gedrukt op milieuvriendelijk, chloorvrij gebleekt en verouderingsbestendig papier en geproduceerd in de Benelux waardoor onnodig milieuverontreinigend transport is vermeden.

Eighteen is a terrible age, and while I walked around with the conviction that I was somehow more grown-up than my classmates, the truth was that I had merely found a different way of being young.

Paul Auster,
uit Moon Palace

EEN NACHT IN APRIL

Daar komt de een.
Daar komt de ander.
Ze komen het beeld inlopen, van opzij.
Ze zullen elkaar tegenkomen.
Een van hen zal sterven.
Het regent, een beetje.

Daar komt de een.
Hij komt uit de schaduw en loopt het licht binnen.
Hij komt de hoek om; nu is hij in de goede straat.
Hier zullen ze elkaar tegenkomen. Verderop. Snel.
Iemand zal sterven.

Daar komt de ander.
Hij loopt de straat op; hij komt uit het huis waar zij woont.
De voordeur valt achter hem dicht.
Hij blijft staan en kijkt rond.
Iemand zal sterven.

Het is nacht in de stad, en donker.
De straat ligt in het duister gehuld; de meeste straatlantaarns zijn uit of kapot, alleen het licht van twee lantaarns weerspiegelt in het natte asfalt. Geen sterren aan de hemel en geen maan, zwarte slapende ramen in slapende huizen, er is maar één raam waarachter licht brandt, boven de voordeur, waar de ander staat. Langs de

stoeprand staan auto's dicht op elkaar geparkeerd. Aan de andere kant van de straat rusten de zware, oude fabrieksgebouwen van rode baksteen met hun kapotte ruitjes als gapende wonden.
Het is nacht in de stad en stil.
Hoewel het de nacht van vrijdag op zaterdag is, hoewel het centrum van de stad maar een paar wijken verder is, wordt de stilte slechts af en toe onderbroken door een geluid; het geluid van remmende autobanden op het wegdek, een verre roep, rustige muziek uit een huis. Ja, en het geluid van voetstappen op het trottoir. En het geluid van een zware deur die dichtvalt. De een hoort zijn eigen ademhaling. De ander hoort zijn eigen hartslag.
Het is nacht in de stad en het ruikt naar chocola.
De productie van snoepgoed in de grote fabriek is stopgezet in 1992; toch dringt in sommige nachten nog de bitterzoete geur van chocola en cacao door de dikke muren van de gebouwen heen. Als zweet, als een herinnering. De geur van chocola vermengt zich met alle andere geuren van de stad; zeewater en rottend zeewier en hondenpoep en benzine en bierpis en de vriendelijke geur van versgebakken brood uit de bakkerij.
Het is nacht in de stad en de regen smaakt naar voorjaar.
Dat merkt de persoon die daar over het trottoir loopt als hij zijn gezicht naar boven richt, zijn tong uitsteekt en de druppels proeft die hij opvangt.
Het is nacht in de stad en de wind is een beetje warm.
Dat merkt de persoon die bij de voordeur staat, hij voelt aan zijn wangen en zijn kaalgeschoren hoofd dat die wind een voorjaarswind is en dat die regen een voorjaarsregen is.

Het is nacht in de stad en daar komt de een.
Het is Eldin die daar aankomt.
Ja, de persoon die over het trottoir komt aanlopen, heet Eldin. Hij heeft een wit jack aan met een capuchon. Hij is lang en slank. Als

je hem ziet, denk je aan een sportman; je denkt aan een hoogspringer of een langeafstandsloper.
Misschien komt het door de platte, steile pony dat zijn gezicht er een beetje kinderlijk uitziet. Als je hem hebt ontmoet, blijven zijn ogen je bij. En zijn lach.
Maar nu is hij ernstig.

Het is nacht in de stad en daar komt de ander.
Het is Andreas die daar aankomt.
Ja, de persoon die nog even blijft staan bij de voordeur, heet Andreas. Hij heeft een zwart leren jack aan. Hij is groot. Dat is wat je denkt als je hem ziet: groot. En daarna denk je natuurlijk: kaal. Precies. Een jongeman met een kaalgeschoren hoofd. En je draait je om, angstig of vol haat of verachting. Je kijkt niet lang genoeg naar hem om nog iets anders te zien.

Het is nacht in de stad.
Een straat. Aprilregen.
Twee jonge mannen zullen elkaar tegenkomen.
Het zijn Eldin en Andreas die elkaar zullen tegenkomen. Ze zullen elkaar in de ogen kijken. Ze zullen elkaar tegenkomen aan de overkant van straat, waar Eldin loopt. Andreas zal oversteken naar die kant, maar nu staat hij nog bij de voordeur. Hij houdt zijn rechterhand omhoog, alsof hij aan zijn eigen vingers ruikt. Nu legt hij die vingers op zijn lippen. Nu lacht hij. Nu denkt hij: De smaak van het leven.
Nu knikt hij nadenkend, nu wordt hij ernstig, nu begint hij te lopen, nu steekt hij de straat over.

Het is nacht in de stad en iemand zal sterven.
Eldin en Andreas lopen nu recht op elkaar af. Ze hebben elkaar gezien. Als je de lijn volgt die de randen van de stoeptegels vor-

men, zie je dat ze over dezelfde rij lopen. Ze zullen elkaar tegenkomen, elkaar in de ogen kijken.
Ze komen dichter bij elkaar en ze weten dat ze elkaar zullen tegenkomen.
In de zak van Eldins jack zit een mes. Degene van wie het mes is, heet Mirsad. Mirsad weet niet dat zijn mes in Eldins jaszak zit.
In de zak van Andreas' jack zit een mes. Dat mes hoort bij het jack.

Het is nacht in de stad en niemand is bang.
In elk geval Eldin en Andreas niet.
Eldin is niet bang. Hij denkt aan zijn zusje.
Andreas is niet bang. Hij denkt aan de jonge vrouw van wie hij houdt.
Niet bang, maar wel ernstig allebei.
Een van hen zal sterven.

Het is nacht in de stad en twee jonge mannen zullen elkaar tegenkomen.
Degene die zal sterven, weet het nog niet.
Hij weet niet dat het pijn zal doen. Een pijn waarvan hij tijdens zijn leven nooit heeft kunnen vermoeden dat die bestaat. Hij weet niet dat zijn bloed zich daar op het trottoir zal vermengen met het regenwater.
Het zou een scène uit een film kunnen zijn, ja.
Een jongerenfilm. Of hedendaags realisme. De grote stad. Een nachtelijke ontmoeting tussen een buitenlander en een skinhead. Thema racisme en vreemdelingenhaat. Thema jongerengeweld. Typisch.
Laat je niet misleiden.
Er is nog zoveel meer dan wat je ziet. Onder de oppervlakte. Onder de huid. Achter het toneel. Zo is het altijd.

Je hebt niet genoeg aan je vijf zintuigen, zelfs niet aan je zesde zintuig... Je moet meer weten.
En het is ook geen platte filmscène; het is de echte, pikzwarte werkelijkheid. Het is het einde.

Het is nacht in de stad en nu komen Eldin en Andreas elkaar tegen.
Ze zijn nog tien meter van elkaar vandaan. Bij iedere stap die ze zetten, wordt de afstand tussen hen verkleind met twee meter.
Wees maar niet bang, Milena, denkt Eldin. Jij hoeft nooit bang te zijn.
Acht meter.
Mijn liefste, denkt Andreas. Mijn allerliefste.
Zes meter.
Hij moet dood, denkt Eldin. Hij moet sterven, voor jou.
Vier meter.
Hij is het, denkt Andreas. Ja, hij moet het zijn.
Twee meter.
Stop. Wacht.
Blijf staan, sta stil. Wacht.
Hier kunnen we niet beginnen.
We kunnen niet met het einde beginnen.
Ik wil dat je het zult begrijpen.
We moeten teruggaan, we moeten een begin vinden.
Maar waar is het begin?
Hoe ver moeten we teruggaan om alle draden te vinden waaruit dit weefsel is ontstaan? Hoe ver moeten we teruggaan om ervoor te zorgen dat jij het zult begrijpen?
Kunnen we ver genoeg teruggaan?
Nee. We moeten een begin kiezen.
Je moet proberen het te begrijpen, ook al is niet alles uit te leggen.

Nu beginnen we. Nu ruilen we van plaats, nu draaien we honderdtachtig graden.
Nu ben ik aan de beurt, ik, Hannah.

NOVEMBER

Ja, we beginnen in november.
We eindigen bij een nacht in april.
Een ontmoeting in november was het begin. De eerste ontmoeting.

1

Daar zat ik en daar zat hij,
ik natuurlijk verzonken in mijn eigen gedachtenwereld en hij in een boek,
het was een tafeltje bij het raam en het was druk in het café, en
ik had zijn tafeltje juist gekozen omdat hij zat te lezen,
het is prettig om bij iemand te zitten die leest, dacht ik,
dan hoef je niet te praten, dacht ik,
niet dat mensen vaak met elkaar praten
als ze toevallig aan hetzelfde tafeltje zitten,
nee, niet in dit land, ook niet als je in de bus
naast elkaar komt te zitten,
in dit land praten we niet met elkaar,
we zijn vergeten hoe dat moet,
maar je weet het ook niet zeker, als je zeventien bent
zoals ik was, en een meisje zoals ik ben,
en als je tegenover een man
van een jaar of dertig, veertig gaat zitten, zoals ik deed,
dan weet je het niet zeker
bij mannen weet je het nooit zeker
mannen kunnen zich dingen in het hoofd halen

dus daarom was het prettig dat hij zat te lezen en ik ging daar zitten met mijn koffie en keek rond en mijn gedachten
begonnen weg te dwalen...
'Goh.'
Dat was het eerste dat hij zei. Ik keek op.
'Jij hebt twee kleuren ogen.'
Dat was het eerste dat ik zei, dat was het eerste dat ik zag. Zijn ogen. Bosogen had hij. Bruin met groen.
In dat bos kun je wandelen zonder bang te hoeven zijn, dacht ik, in dat bos liggen geen gevaren op de loer, daar zal ik niet worden gevangen door harige trollen, daar zal geen watergeest proberen mij met zijn verleidelijke fluitspel de beek in te lokken. In dat bruin met groene bos zou ik veilig kunnen wandelen, dacht ik.
Ja, dat dacht ik.
Ik was een engel toen, ik dacht dat alle mensen goed waren. Nee, dat is niet waar. Maar ik vertrouwde in elk geval mooie ogen. Mooie ogen en mooie handen. Hij had dat allebei. Lange, dunne pianovingers.
'Sorry,' zei hij toen en daarna zei hij zoiets als dat ik zo diep in gedachten verzonken was geweest dat hij nieuwsgierig was geworden waaraan ik zat te denken, en toen zei hij nog een keer sorry, en hij had daar natuurlijk niets mee te maken, zei hij.
'Ik zat te bedenken wat mensen mooi maakt,' zei ik.
En toen knikte ik naar een van de hoeken waar een oud wijf een broodje met garnalen zat te eten, ja, het was een oud wijf, een lelijk oud wijf; niet omdat ze oud was en probeerde haar rimpels te verbergen onder een veel te dikke laag make-up, niet omdat ze probeerde te doen alsof ze tot een betere klasse behoorde, niet omdat ze haar pink in de lucht stak als ze haar kopje pakte, of omdat ze mayonaise op haar ene wang had. Nee. Haar starre, vreugdeloze ogen maakten haar lelijk. En haar mond maakte haar lelijk. Haar mondhoeken stonden omlaag,

zoals een kind een boze mevrouw tekent. Je kon je niet eens voorstellen dat haar gezicht vrolijk kon staan. Daarom was ze lelijk.
'Maar het heeft ook weer niets te maken met vrolijkheid of ernst,' zei ik toen.
En ik vertelde over een andere persoon die ik een broodje had zien eten, toen ik de afgelopen zomer aan het interrailen was. Dat was in Italië, op weg naar Florence. We zaten in een bomvolle trein; recht tegenover mij in de coupé zat een ernstige oudere heer. Uit zijn versleten aktetas haalde hij een pakje brood en hij pakte de sandwich, die in aluminiumfolie was verpakt, uit en begon te eten, hij deed alles zo ernstig en omzichtig, zijn kaken kauwden en werkten, hij dronk melk uit een glazen fles en de maaltijd nam hem volkomen in beslag, het was heel wonderlijk, maar je had het gevoel alsof je een kijkje in andermans leven mocht nemen. Iets echts, je kunt het niet uitleggen, maar het was zo ontroerend.
'En hij was zo mooi. Mooi in zijn ernst.'

Ernstig was de man die recht tegenover mij zat in het café ook,
zijn ogen nodigden mij uit voor een boswandeling,
buiten, aan de andere kant van het raam, was de wereld
koud en grijs,
hierbinnen was de wereld groen, hierbinnen rook de wereld
naar koffie
en het eerste waarover wij praatten waren mooie mensen.

'Wat maakt mensen dan mooi?' vroeg hij.
Zijn boek lag op de tafel, dicht, met een bonnetje ertussen als bladwijzer.
'Ik denk dit,' zei ik. 'Ik denk dit: ik denk dat ieder mens twee levens leidt, een vanbinnen en een vanbuiten. Subject en object. Het leven vanbinnen is het ware, het echte. Ik denk dat mensen mooi wor-

den als hun binnenleven doorschijnt naar buiten, als ze niet nadenken over hoe ze door andere mensen worden gezien, als ze vergeten toneel te spelen. Dat denk ik. Er zijn ook mensen bij wie het precies andersom is, die alleen maar buitenkant zijn, die alleen een leeg omhulsel zijn, die voortdurend moeten weten wat voor indruk ze maken, die leven om gezien te worden. Mensen die een houding aannemen. Triest. Dat soort mensen zijn net pingpongballetjes, een harde buitenkant en leeg van binnen. Niets te vinden. Totaal oninteressant.'
'Er zijn ook mensen die op klitten lijken,' zei de man.
'Er zijn mensen die op slagroomgebakjes lijken,' zei ik.
'Er zijn ook mensen die op tere figuurtjes van glas lijken,' zei hij, 'je durft niet in de buurt te komen omdat je bang bent dat ze zullen breken.'

Toen zei hij dat ik eruitzag alsof ik veel nadacht,
en ik zei dat dat ook iets was waarover ik had nagedacht,
namelijk in hoeverre het normaal is dat je nadenkt over het leven,
welk deel van je leven besteed je aan erover nadenken,
normaal gesproken dus,
en hij zei dat het er waarschijnlijk van afhangt hoeveel tijd je hebt om na te denken en dat hangt er waarschijnlijk weer van af hoe eenzaam je bent,
en toen wilde ik eerst zoiets zeggen als dat ik er zelf voor heb gekozen om eenzaam te zijn,
maar toen bedacht ik dat eenzaamheid toch geen schandelijke ziekte is waarvoor je je als het ware moet verontschuldigen
toen zei ik helemaal niets.

De eerste ontmoeting. Ons eerste gesprek.
Gedachten werden woorden, woorden ontmoetten woorden en woorden werden gedachten en nieuwe woorden. We hadden een

gesprek, we speelden de woorden als ballen heen en weer over de tafel. Woorden en gedachten gingen tussen ons heen en weer als in een badmintonspel op een zonnige, windstille zomerdag. Zo voelde het. Dat kwam denk ik doordat ik er niet aan gewend was.
Iets waaraan ik niet gewend was. Waarschijnlijk kwam het daardoor.
En wij vertelden elkaar wie we waren.
Ik zei: Hannah Andersen, zeventien jaar, vijf vwo, profiel cultuur en maatschappij, maar vandaag heb ik vrij genomen omdat... omdat ik daar zin in had.
Hij zei: Per Nosslin, leraar maatschappijleer en geschiedenis. Gescheiden. Twee dochters; om de week vader.
'Andersen? Ben je Deense?' vroeg hij.
'Half Deens,' zei ik. 'En drie achtste Zweeds en één achtste Russisch joods.'
'Dat klinkt spannend,' zei hij.
'Ach, het is helemaal niet spannend,' zei ik. 'Mijn vader is Deens. Het leuke daarvan is dat mijn oma van vaderskant een mooie grote flat heeft in Kopenhagen. Vlak bij de dierentuin. En ik houd van Kopenhagen.'
'Ik ook,' zei hij.
'Dan houden we allebei van Kopenhagen,' zei ik.
'Precies,' zei hij.
'En er was ook een joodse tapijthandelaar die vanuit St. Petersburg naar Malmö kwam,' zei ik. 'Die maakte zijn secretaresse zwanger en toen liet hij zich dopen om met haar te kunnen trouwen. Het kind dat daaruit voortkwam, was mijn oma van moederskant.'
'Nou, nou,' zei hij.
'Maar je ziet het niet aan mij, toch?' zei ik.
En ik draaide mijn profiel naar hem toe om te laten zien dat ik geen kromme neus had, maar ik voelde me meteen een beetje belachelijk. Ik wilde me al bijna verontschuldigen, maar zijn ogen zeiden dat dat niet nodig was.

Daarna zei hij ongeveer het volgende:
'Ik moet naar school nu, mijn les begint om halftwaalf, maar ik vond het leuk om met je te praten, ik zou graag nog eens met je praten, misschien kunnen we elkaar nog eens zien, ik zit hier meestal op maandagochtend, ik begin de week meestal hier, dus als je wilt... dan kun je... maar je zit op school... eigenlijk... hoe dan ook, eh... dag... tot ziens... misschien...'
Hij stopte zijn boek in een rugzak en ging.
Mijn blik volgde hem naar buiten.

Ik heb een sterk ontwikkeld waarschuwingssysteem wat seks betreft. Het kleine belletje is heel gevoelig; zodra er gevaar dreigt, begint het te rinkelen: tingelingelingelingeling, en ik weet het, ik weet het, ik weet het, maar toch vergeet ik het soms, ik weet toch dat ze hun pik achternalopen, dat binnen in elke aardige leraar een bronstige gorilla op de loer ligt, dat als een man een vrouw tegenkomt, hij haar vroeg of laat uit haar broek zal proberen te praten, misschien niet serieus, misschien is het alleen maar een spel, maar hij zal proberen om haar uit haar broek te praten, dat weet ik toch, zo zijn ze, die lieve mannen, die trotse en speelse mannen, dat weet ik toch, maar soms vergeet ik het.
Mooie ogen kunnen ervoor zorgen dat ik het vergeet.
Mooie handen kunnen ervoor zorgen dat ik het vergeet.
Mooie woorden kunnen ervoor zorgen dat ik het vergeet,
dat ik het tingelingelingelingeling niet hoor.

2

Ik was een engel toen.
Maar dat mocht niemand weten, niemand mocht ooit mijn vleu-

gels zien, ik vouwde ze voorzichtig op en droeg ze onder mijn hemd, dicht tegen mijn huid aan.
Vaak was ik een engel die Liv heette, vaak was het meisje dat Hannah heette er niet, vaak kwam zij niet op school, vaak was haar plaats leeg.
Ik was een engel, maar niemand mocht het weten. Toen ik in de derde zat, was ik een heks, dat kon iedereen zien.
Bleek, zwarte make-up, zwarte kleren, net als sommige anderen.
Er was zoveel dat ik wilde proberen toen.
Ik speelde een jaar of twee voor tiener.
Maar ik kreeg genoeg van dat spelletje.
Te veel buitenkant, te veel toneelspel,
te veel goed en fout.
Ik was die kinderachtige spelletjes ontgroeid, ik was langzaam in een ernst en een eenzaamheid gegroeid die ik zelf had gekozen. En ik had de engelenvleugels laten groeien.
Er was een engel op aarde geland, en dat was ik.
Een zuivere, witte engel liep rond op aarde en bekeek de mensen met grote verwondering.

Die maandag in november, toen alles begon, toen ik hem voor het eerst ontmoette, was ik een engel. Ik denk dat ik die dag ophield een engel te zijn. Nee, misschien niet precies die dag, niet zo snel als een metamorfose, niet abracadabra simsalabim, niet zoals de metamorfose die ik later onderging, nee, langzaam, bijna onmerkbaar, begon ik uit mijn vleugels te groeien.
Ik wist dat toen niet natuurlijk.
Ik wist niet dat er iets begon.
Ik wist niet dat er iets bijna afgelopen was.
Nu weet ik het. Nu ben ik iemand anders.
Toen was ik een engel.

3

Kou en regendruppels raakten mijn wangen toen ik de straat opging.
De winter moet wit en mooi zijn, de winterse hemel hoog en blauw, je wangen moeten rood zijn en gloeien als je naar binnen gaat, de warmte in, de winter moet naar sinaasappels en warme chocolademelk smaken.
Zo moet het zijn. Maar in dit deel van het land bestaat de winter uit vijf lange maanden van grijze lucht, grijze regen, grijze wind en grijze mist. Koud, druipend vocht dat zich vasthecht, dat zich een weg baant tot in alle hoeken en gaten. En de mensen worden sloom en dom en verkouden, ze zitten binnen in hun huizen te snotteren en te hoesten en pillen in te nemen en te staren naar het slaapverwekkende schijnsel van televisieschermen en beeldschermen. Leven dat lijkt op dood.
En november is een maand die God ertussen heeft gestopt alleen omdat Kerstmis anders te vroeg komt en omdat het eerste semester anders te kort zou zijn. Een volkomen onnodige maand die nergens anders voor dient dan voor het bewijzen van de zielige oude leugen waarmee ze onschuldige kinderen voor de gek houden:

> Eerst moet het saaie saai zijn,
> dan pas kan het leuke leuk worden.

Dus ik ging naar huis. Of: ik ging naar het huis waar ik woon.
Ik liep de trappen op,
ik bleef voor mijn deur staan.
Ik deed de eerste sleutel in het eerste slot
en draaide hem om.
Ik deed de tweede sleutel in het tweede slot
en draaide hem om.

Ik deed de deur open, stapte naar binnen en dacht:
Wanneer zal deze flat voor mij thuis zijn,
wanneer zullen mijn gedachten door deze deur naar binnen gaan
als ik denk aan het woord 'thuis'?
Na anderhalf jaar betekent 'thuis' nog steeds
thuis bij mijn vader en moeder,
thuis in mijn meisjeskamer in het grote huis in Höllviken,
deze muren wachten nog steeds,
vierentwintig vierkante meter vloeroppervlak wacht nog steeds
op het moment dat wij met elkaar zullen vergroeien.

Nee, mijn flat was nog niet mijn thuis geworden. Er huisde onrust onder het behang, er trok kou over de vloer, er klonk een vals nootje en het maakte niet uit dat ik mijn mooiste muziek draaide, het maakte niet uit dat ik de flat vulde met onpraktische tweedehands meubelen, het maakte niet uit dat ik er schattige decoratieve prulletjes neerzette, het maakte niet uit dat ik de muren bedekte met velletjes papier, dat ik mijn eigen gedichten en teksten erop vastprikte in de hoop dat mijn woorden en gedachten de flat zouden vullen en de lucht daarbinnen dicht en warm en zacht zouden maken; het hielp niets, het hielp niet echt.
Er ontbrak nog steeds iets, er wachtte iets.

4

Maar ik lachte toch toen ik midden in de woonkamer stond en rondkeek; ja, de muren waren nu bijna helemaal bedekt met velletjes papier, het behang met de grote bloemen was bijna helemaal verscholen onder mijn woorden, sommige geschreven met potlood op kreukelige velletjes papier, sommige geschreven met mijn

lievelingspen op mijn lievelingsblocnote en sommige keurig netjes geprint met de computer.
Niet zoals vlinders, nee, ze zaten niet zoals de met ether gedode vlinders van een vlinderverzamelaar opgeprikt op de muren, nee, ze wachtten, als poppen, ze hingen daar als poppen te wachten tot ze levend zouden worden, tot ze de wereld in zouden fladderen.
Ik was een engel die woorden verspreidde.
Ik was een engel die woorden achterliet.

Ja, ik verspreidde mijn woorden, mijn teksten. Heimelijk en ongemerkt verspreidde ik velletjes papier vol woorden.
Ik legde mijn gedichten tussen alle achtergebleven kassabonnen in de supermarkten. Ik stopte mijn gedichten in de kastjes van de leerlingen op school. Ik prikte mijn gedichten op de mededelingenborden. Ik stopte mijn gedichten ook in onbekende brievenbussen. Ik schoof mijn gedichten ongemerkt in openstaande tassen. Ik liet mijn gedichten achter op tafeltjes in café's. Ik stuurde mijn gedichten als flessenpost het water op, liet ze de zee op dobberen. Ik plakte mijn gedichten op elektriciteitskastjes, lantaarnpalen en bushokjes.
Een anonieme engel was ik. Altijd in het geheim. Nooit mijn naam erop.

Ik lachte en liep langzaam een rondje door de kamer. Letters op papier, woorden op papier, dacht ik. Dode woorden, dacht ik. Worden levend als ze gelezen worden, dacht ik. Zo is het, zo mooi en goed is het: een tekst gaat pas leven als iemand hem leest.
Jullie zullen gaan leven, mijn vrienden. Mijn woorden zullen gaan leven. Ik kan vele duizenden dode woorden schrijven, maar ik zal jullie tot leven wekken, jullie zullen gelezen worden en gaan leven.
Ik lachte en trok een velletje papier van de muur.

Binnen in mij is een wereld
Binnen in mij is een wereld
die groter is dan de wereld buiten
Binnen in mij is een wereld
die groter en spannender is dan de wereld buiten
Binnen in mij is een wereld
die oneindig is

Ik ben een wereld
Jij bent ook een wereld

Waarom word ik soms zo blij van woorden?
Een paar woorden achter elkaar op een velletje papier kunnen mij laten trillen van blijdschap, woorden kunnen mij laten blozen, woorden kunnen mij laten zweten, woorden kunnen mij een gelukkige glimlach schenken, woorden kunnen mij hardop laten lachen.
Niets anders dan letters op papier. Zwart op wit. Alsof dat iets is, alsof dat de werkelijkheid is.
Ik weet trouwens niet of het gedichten zijn die ik schrijf.
Gedichten. Poëzie. Ik weet het niet. Gedachten misschien. Overpeinzingen. Teksten.
Het maakt niet uit wat het is, of er een naam voor bestaat, ik weet alleen dat ik er bijna gelukkig van word als ik woorden op papier schrijf.
Woord na woord opschrijven. Alleen dat.
Die avond, de avond na die eerste ontmoeting, schreef ik een novembergedicht. Of een november-iets.

5

Het is heerlijk om niet op te staan. Om het niet te doen. Om de wekker uit te zetten als hij even na zeven uur afgaat, om de rolgordijnen met een klap omhoog te laten schieten en dan gauw weer in je warme bed te kruipen, om te blijven liggen, om je in je dekbed te wikkelen en het tot over je oren op te trekken, om op je zij te gaan liggen en een beetje te doezelen, om weer wakker te schrikken en te constateren dat het nu toch te laat is, nu is het tien voor acht, nu mis ik Engels, en omdat Engels het enige belangrijke vak is vandaag, kan ik net zo goed helemaal niet naar school gaan. Vandaag ook weer.

Maandagochtend en ik bleef in bed liggen.

Waarom juist op maandag? Mijn weekends zijn net zo rustig als mijn doordeweekse avonden. Waarom is het dan juist extra lekker om maandagochtend niet op te staan?

Dat heeft te maken met macht. Om te voelen dat ik zelf kan bepalen wat ik met mijn leven doe. Je moet keuzes maken. Ik kies. Ik ben volwassen. Maar ik ben niet vastgegroeid in al die trieste routines van volwassenen. Ik bepaal zelf of de maandag een doordeweekse dag betekent, of de maandag het begin zal betekenen van een nieuwe, trieste werkweek.

Misschien is het juist dat wat je volwassen maakt. Geen schoolmeisje meer dat elke morgen wordt opgejaagd door haar moeder. Volwassen genoeg om de verantwoordelijkheid te nemen.

En ik neem de verantwoordelijkheid door ervoor te kiezen om niet op te staan. Ik gaap uitgebreid en moet grinniken om mijn eigen gedachte. Over een laag ambitieniveau gesproken. In bed liggen en winden laten, is dat mijn hoogste doel?

Ik doe in elk geval niemand kwaad, constateerde ik terwijl ik me weer op mijn zij draaide.

Dat dacht ik. Toen, voordat al die dingen begonnen te gebeuren, voordat ik in een draaimolen terechtkwam die steeds sneller begon te draaien. Het gaat erom dat je macht over je eigen leven hebt, dacht ik. Dat je de macht niet door iemand anders laat overnemen, dat je jezelf niet opgeeft.
Zo dacht ik toen. Ik was zoveel ouder toen.

Toen ik voor de derde keer die ochtend wakker werd, vertelden de gifgroene cijfers van de wekker mij dat het 09.36 was.
Nu koos ik ervoor om op te staan.
Nu koos ik ervoor om niet te douchen, nu koos ik ervoor om me aan te kleden, nu koos ik welke kleren ik aan wilde trekken.
Nu koos ik ervoor om te ontbijten, maar er waren niet zoveel keuzemogelijkheden in de ijskast. Het werd hetzelfde als gisteren en eergisteren: een glas sojamelk en twee boterhammen met vegetarische paté en komkommer.
Het leven bestaat uit keuzes. Rechts of links, ja of nee, uit het open raam springen en te pletter vallen op de grond, of het niet doen en verder leven. Je moet voortdurend keuzes maken.
Waarom koos ik ervoor om daar weer naartoe te gaan? Waarom wilde ik hem weer ontmoeten? Ik wilde het gewoon. Ik had niet de hele week lopen denken: O, het is bijna weer maandag, dan zie ik hem weer, o, ik verlang ernaar om te verdwalen in zijn vriendelijke blikken. Nee. Helemaal niet. Eerlijk waar, helemaal niet. Ik wilde het gewoon. Ik kwam erachter dat ik het wilde. Ik had niets beters te doen die maandagochtend. Zo was het.

6

Die ochtend ging het radiojournaal alleen maar over seks. Het eerste nieuwsitem was dat de president van Amerika zou worden aangeklaagd omdat hij had gelogen over zijn ontrouw, het tweede item ging over protesten die waren gehouden tegen een tentoonstelling waar iemand, verkleed als Jezus, was gefotografeerd met homoseksuelen en travestieten, en het derde item ging over vijf jongens van een jaar of vijftien, zestien, die waren vrijgesproken van een aanklacht wegens groepsverkrachting van een veertienjarig meisje. Daarna kwam het weer met een lagedrukgebied boven Zuid-Zweden, regen en harde wind, oplopend tot stormachtig langs de kust.

Ik zette de radio uit.

Te veel seks tegenwoordig. Niet alleen op het nieuws, maar in de wereld. Alsof seks de spil is waar alles om draait. Film, televisie, muziek, mode, alles lijkt wel over seks te gaan. Je kunt de radio niet aanzetten of je hoort wel een paar vlotte, hippe meiden praten over anale seks of g-plekken of geslachtsziekten. Triest.

Te veel seks tegenwoordig. Maar niet in mijn leven, dacht ik en ik glimlachte in mezelf. In mijn leven is er precies genoeg seks. Helemaal geen. Ik leef het leven van een engel. Ik ben seksvrij. Bevrijd van seks. Het is een jaar van onthouding geweest. Bijna.

Een mens kan kiezen; ik heb gekozen om te wachten. Moe van al die meisjes die zich gedragen als krolse katten, moe van alle meisjes die hun achterste in de lucht steken.

Een beetje trots, dames. De waarde van een meisje wordt niet bepaald door de vraag of ze een vriend heeft of niet. Of ze een vriend heeft gehad. In zich.

Ik lachte om mijn eigen gedachten terwijl ik de ontbijtspullen afruimde. Hier loopt een trotse maagd, dacht ik, en ik lachte. De verwaande maagd. Alsof het iets voorstelt. En trouwens, waar zou

ik verwaand over moeten zijn? Ook al ben ik onschuldig, ik ben niet onschuldiger dan Bill Clinton of Monica Lewinsky. Ik ben net als de president, ik heb alles gedaan behalve dat. Het.
De jongens mochten mij strelen en vingeren. Toen, toen nog ik dacht dat het zo hoorde. Verward tienermeisje en verwarde tienerdronkenschap. Maar nooit iemand in mij. En ik weet niet hoe sperma smaakt.

7 (Een velletje papier aan de muur)

Als zout snot
zo smaakt sperma
De pornofilms liegen, jongen
De meisjes vinden het niet lekker
Eet maar eens snot, jongen, als je dat gelooft
Eet maar eens een bord snot, jongen
zei Camilla
de vrolijkste en fierste feministe
Camilla,
waar ben je nu?

8

'Hallo!'
Hij klonk blij en hij zag er blij uit, ja, hij had daar zitten wachten tot ik kwam. Ja. En ik geef het toe, het was best een goed gevoel om dat te merken, ik voelde me een beetje tevreden toen ik me op de stoel tegenover Per Nosslin de leraar liet vallen.

Hij zat aan hetzelfde tafeltje als vorige week. Ook vandaag las hij een boek. Hij klonk erg tevreden en zei:
'Ik had niet gedacht dat je zou komen. Ik dacht dat je had besloten om een brave, oplettende leerlinge te zijn.'
'Weinig kans,' lachte ik.
Toen zei hij iets als 'even serieus' en dat hij zich afvroeg 'hoe het eigenlijk ging op school' en niet dat dat hem iets aanging natuurlijk, maar je moest toch je middelbare school afmaken om 'goed terecht te komen'.
Hij klonk als een bezorgde vader. Die heb ik al, dacht ik. Eén daarvan is wel genoeg.
Maar ik vertelde hem wel dat ik het profiel cultuur en maatschappij had gekozen omdat ik zo genoeg had van school in de derde,
of genoeg, genoeg,
ik had er niet echt genoeg van,
ik verveelde me eerder dood,
het was zo stom en saai, school
en de leraren waren stom
en moe en sarcastisch en moedeloos
en de belangrijke dingen die gebeurden,
de beslissende dingen,
gebeurden nooit tijdens de lessen,
die gebeurden nooit in de klaslokalen.
Toen vertelde ik hoe het was om het profiel cultuur en maatschappij te doen.
Sloom. Slome leerlingen die dromen van iets anders. Slome leraren die het nauwelijks interesseert of de leerlingen op school komen of niet.
Soms best leuk, nooit meer dan dat. Nooit meer dan vier op een schaal van tien.
'Maar dat komt misschien ook wel door mijzelf,' zei ik. 'Dat komt

misschien doordat ik school geen prioriteit geef op dit moment. In mijn leven.'
De leraar aan de andere kant van de tafel wilde bijna iets zeggen, ik kon zien hoe hij zijn woorden koos, hoe ze op weg waren om over zijn lippen te komen, maar hoe hij er spijt van kreeg en ze op het laatste moment inslikte. Terwijl hij zijn onuitgesproken woorden weer opat, bekeek hij mij en er ontwaakte een nadenkend glimlachje in zijn ogen.
Tingelingelingelingeling.
Ja, ik weet het. En ik dacht: Wat zie jij nu, wat zie jij als je naar mij kijkt, wat ben ik in jouw ogen?
Strak vel, een jong vrouwenlichaam. Is dat zo?
'En waar denken we vandaag over na?' vroeg hij tenslotte.
'Vandaag denken we na over seks,' antwoordde ik met een lachje.

Ik liet even een plagerige stilte vallen aan het tafeltje en uiteindelijk moest hij natuurlijk wel zeggen:
'En wat denken we dan?'
Dat 'we' irriteerde mij. Behandel mij als een volwassene, dacht ik. Ik ben geen klein meisje, ik ben geen seniele patiënt in een verpleeghuis.
Maar oké, ik kan een koppig klein kind zijn, dacht ik en ik kneep mijn lippen op elkaar. Dit keer hoefde ik niet lang te wachten.
'Sorry,' zei hij.
En hij zag eruit alsof het hem oprecht iets kon schelen.
'Ik moet niet steeds maar in jouw leven graven,' ging hij verder. 'Sorry. Ik zal je niet meer uithoren. Ik zal me niet meer gedragen als een leraar. Of alsof ik je vader ben. Sorry. Ik wil alleen maar... ik vind alleen... ik wil alleen maar met je praten... Ik...'
Tingelingelingelingeling.
Ja. Maar ik vind het ook leuk om met jou te praten, dacht ik. Daarom ben ik hiernaartoe gekomen. En het is goed dat je zelfkennis hebt:

Je kunt geen leraar zijn als je iemand goed wilt leren kennen.
Je kunt geen leraar zijn als je eerlijk wilt zijn.
Je kunt geen leraar zijn als je iets wilt vertellen.
Ja, ik vergaf het hem.
'Seks wordt overschat als vrijetijdsbesteding,' zei ik en ik keek recht in een paar tweekleurige ogen. 'Er zijn zoveel andere leuke dingen om te doen.'

Ja, ook vandaag konden we een gesprek voeren. Een beetje lachen en een beetje serieus zijn. Voorzichtig snuffelen aan het gevoel dat we dicht bij elkaar zouden kunnen komen, dat we onze maskers af zouden kunnen zetten.
Zo kan het zijn. Mensen kunnen elkaar ontmoeten, dacht ik.
We praatten over seks. Alleen omdat hij had gevraagd waar ik aan dacht, alleen omdat ik eerlijk had geantwoord. Geen achterliggende gedachten, geen onrust.
Ik vertrouwde mooie handen en mooie ogen.
Na een tijdje viel het gesprek stil.
'Het klinkt bijna alsof je in het klooster zou moeten gaan,' zei Per Nosslin toen met een lachje.
Ja, daar heb ik inderdaad over nagedacht. Serieus. Eenvoudige linnen kleding dragen, in een eenvoudige cel wonen met alleen een bed, een tafel en een stoel, helemaal stil zijn of rustige gesprekken voeren, eenvoudige en zuivere gedachten denken, overdag in de kloostertuin werken of iets met je handen doen en 's avonds schrijven en schilderen. Vroeg gaan slapen en vroeg wakker worden. Zo zou ik kunnen leven. Dat is een aanlokkelijk leven.
'Als het niet met God te maken had,' zei ik. 'Je moet toch in God geloven als je in het klooster gaat. Dat vind ik heel erg moeilijk.'
'Ja, dat moet je waarschijnlijk wel,' zei hij.
'En het is ook een beetje te simpel,' ging ik verder. 'Een beetje te luxe. Een beetje te veel ego. Net als 's morgens in bed blijven lig-

gen. Alsof het voldoende is als je niets verkeerds doet. Alsof we zelf geen verantwoordelijkheid hebben. Alsof we niet ook moeten proberen om goed te doen. Wat dat dan ook is. Beïnvloeden. Veranderen. En uit bed komen. Leven in de wereld.'
Eerst zei Per Nosslin niets. Hij liet als het ware mijn woorden en mijn gedachten tot zich doordringen, toen zei hij weer zoiets als dat ik veel nadacht en toen stond hij op om nog wat koffie te halen.
'Nee dank je,' zei ik.

Zijn boek lag nog op tafel. Ik boog me naar voren en las het omslag:
Doodgewone mannen van Christopher Browning.
Iets over nazi's in Polen tijdens de Tweede Wereldoorlog. Ja, dat soort boeken leest een geschiedenisleraar natuurlijk.
Ik keek even naar de toonbank en zag dat hij met zijn rug naar mij toe stond en koffie inschonk. Vlug viste ik een velletje papier uit mijn jaszak en schoof het tussen twee pagina's van het boek.
De volgende keer dat hij het boek zou opendoen, zou hij het vinden en dan zou hij mijn novembergedicht kunnen lezen:

Meeuwen tegen een grijze lucht
Het leven kun je hebben of verliezen
Zweefmeeuwen en fladdermeeuwen
tegen een grijze lucht
De dood is niet prettig
Regenspatten uit de meeuwenlucht
De dood baart mij geen zorgen
Motregendruppels en kleine spatjes
uit de meeuwenlucht
Er is toch nog meer in het leven

DECEMBER

Nu heeft zij hem ontmoet.
Twee anderen zullen elkaar ontmoeten, op een nacht in april.
Een van hen zal sterven.

1

De kerstspullen waren tevoorschijn gehaald uit de kast. De zevenarmige elektrische kaarsenstandaards brandden achter ieder raam. Alle kersttsterren en kerstengelen waren opgehangen. Het adventsprogramma op televisie was begonnen en de eerste adventskaars had gebrand.

Sta op, lieve mensen, eet en drinkt,
terwijl uw Lucia haar liederen zingt
over de glans van het naderend feest
en over God, die in de duistere nacht
Zijn kinderen in het licht heeft gebracht.

Een meisje las met trillende stem het versje voor waarop ze de hele week had geoefend, dat ze elke avond, tot vervelens toe, voor haar vader en moeder had herhaald, een meisje slaagde er met trillende handen in om een lucifer af te strijken, bang voor het geluid van de zwavel tegen de zijkant van het doosje, bang voor het felle vlammetje, bang om zich te branden, bang om de hele school in de fik te steken, bang voor alle blikken.
Dat bange meisje was ik natuurlijk en we vierden het Luciafeest met onze klas, misschien was het in groep drie, misschien in groep vier; het was op school, in de kantine en alle ouders en broertjes

en zusjes waren erbij. We hielden een Lucia-optocht. Sara was natuurlijk de Lucia, zij was altijd Lucia. Alle jongens waren sterrenknapen, hun puntmutsen staken alle kanten op, het zag eruit als een bos in de storm.
Ik herinner me dat ik dat dacht: het ziet eruit als een bos in de storm. Dat dacht ik toen de sterrenknapen langsliepen. Dat dacht zij. Dat kleine bange meisje in het gevolg van de Lucia, dat meisje dat ik was, met haar zwetende vingertjes. Hoewel, als ik er nu over nadenk: als het stormt in een bos, hellen alle bomen dezelfde kant op...
Markus was ook een sterrenknaap. Markus van de meisjes; toen al, in groep drie, was hij Markus van de meisjes. Of was het in groep vier? De held van de meisjes en de plaag van de juffen. Ik zie hem nog voor me, zoals hij daar helemaal achter in de rij stond, met zijn puntmuts scheef, ik kan hem ook nog horen, hoe hij expres vals zong. En de meisjes keken elkaar stiekem aan en giechelden.
Markus van de meisjes. Toen we in groep zeven en acht zaten stormde hij nooit de meisjeskleedkamer binnen om tussen de onderbroeken te neuzen en vervolgens aan de andere jongens te kunnen rapporteren wie er ongesteld waren. Hij gaf nooit een klap op de rug van meisjes om te voelen wie er een bh aanhad. En hij deed nooit mee als een van de meisjes in een hoek werd gedreven en vastgehouden zodat de anderen in haar konden knijpen om kleine meisjesborstjes te voelen.
Markus van de meisjes. Hij deed nooit mee, maar hij was er wel altijd, ergens op de achtergrond. Alsof hij het onderzoek leidde dat de jongens instelden naar de meisjes. De machtsovername van de jongens. En hij was de populairste van allemaal. De meest begerenswaardige. De enige die rijp genoeg was toen de meisjes veranderden in jonge vrouwen, terwijl de jongens nog steeds kleine jongetjes waren.

Hij was degene die mij, toen we in de brugklas zaten, op het klassenfeest bij Carola voorover op de keukentafel duwde, zijn stijve piemel tegen mijn billen drukte en in mijn oor fluisterde: 'Geef toe dat je het wilt. Geef toe dat je het lekker zou vinden.' Ik zat vast in zijn ijzeren greep, een grote schaal bowl was alles wat ik zag. Maar toen kwam er iemand anders de keuken binnen en hij liet mij los en ik rende weg. Naar huis. Ik schaamde me.
Meisjes leren al vroeg wat schaamte is.
Markus van de meisjes. Nu ligt hij op de bodem van de zee. Nee, niet meer. De vissen en palingen hebben zijn lichaam al opgegeten. Een paar botten op de bodem van de zee, dat is alles wat er over is van Markus van de meisjes.
Waarschijnlijk. Maar echt zeker weet niemand het. Soms komt hij mij 's nachts opzoeken, in mijn dromen. Hij is mijn ergste nachtmerrie. Telkens als hij in mijn droomwereld op bezoek is geweest, word ik zwetend en trillend wakker en dan denk ik: Hij leeft nog. Hij is niet verdronken. Nu komt hij terug om wraak te nemen.
Ja, ik had hem misschien kunnen redden. Maar ik heb hem niet gedood.

O dennenboom, o dennenboom,
wat zijn je takken wonderschoon...

2

De kersttijd is de tijd van herinneringen.
Ik liep door de winteravond terwijl de sterren en zevenarmige kaarsenstandaards achter alle ramen brandden en mijn herinneringen maakten van mij weer een kind van zeven en een tiener. Je kunt alles weer terughalen, alle gevoelens, fijne en nare, alles is er

nog, alles dragen we bij ons. We vergeten niets. Diep vanbinnen vergeten we niets.
Ik liep alleen door de winteravond, ik liep buiten en keek naar binnen. Ik was door de wijk met de vrijstaande huizen gelopen, nu was ik in de wijk van de laagbouw. Ik keek door alle ramen naar binnen. Daar achter de ruiten was het thuis van mensen. Het Zweedse thuis. Daar woonden gezinnen. Daar was licht en warmte. Daar aten ze, daar zaten ze verzameld rond de eettafel, daar spraken ouders en kinderen met elkaar, daar spraken mannen en vrouwen met elkaar, daar ontmoetten vrienden elkaar.
Het dagelijks leven. Het kleine leven.
Het zag er zo mooi uit als je er vanbuiten naar keek, het zag er zo geweldig uit. Een deel van mij verlangde naar het licht en de warmte en de saamhorigheid daarbinnen. Een deel van mij wilde roepen: Doe de deur open, laat mij erin, het is eenzaam en koud hierbuiten. Maar een deel van mij wist: het is ook benauwd daarbinnen, daarbinnen in die huizen, benauwd en muf. Een deel van mij wist: ik hoor daar niet, ik ben iemand die buiten staat en naar binnen kijkt. Een deel van mij wist: ergens is het ook aanlokkelijk en prettig om je eenzaam en buitengesloten te voelen, om te weten dat je anders bent dan de anderen.
Dat je nooit zult worden zoals de anderen.
Een hopeloze vloek en een trotse strijdkreet: Nooit zoals de anderen.

3

De voetpaden en de fietspaden waren leeg, de speelplaatsen waren verlaten, de autobandschommels bewogen zachtjes heen en weer in de wind, een eenzame man met een wapperende jas haastte zich langs mij heen, hij kwam laat thuis van zijn werk vandaag, nu had hij haast om thuis te komen, om bij het avondeten en de warmte te komen. Verder was alles leeg en verlaten. Het was tijd voor huiswerk en televisie. Thuistijd. Maar daar komen twee jongens uit een van de benedenwoningen, ze dragen elk een grote tas. Op weg naar de training natuurlijk. Jongens onder elkaar. Het team. De club. De training en de wedstrijden.

'We maken ze in, mannen!' 'Naar achteren, mannen!'

Ik was er bijna. Nummer vijftien. Nummer dertien. Nummer elf. Hier.

Ik had het adres opgezocht in het telefoonboek. Het was niet moeilijk. Er stond maar één Nosslin in het telefoonboek. Per Nosslin, mijn leraarkennis, mijn koffievriend, mijn maandaggezelschap, stond niet in het telefoonboek. Waarom niet? Geheim nummer. Waarom? Misschien willen leraren dat, misschien willen leraren niet 's avonds worden opgebeld door leerlingen of zaterdagnacht worden wakker gebeld door pesterige telefoontjes. Wat weet ik daarvan.

In het telefoonboek vond ik wel: Nosslin, Anna, Ellenborgsw. 91
En een telefoonnummer. Maar verder niets.

Nu was ik daar. Ellenborgsweg nummer 91. Er stond Anna Nosslin op de brievenbus. Er stond ook Moa en Elin. Een ex-vrouw en twee om-de-week-dochters. Het leek te kloppen, hij had niet gelogen. En daarbinnen in de keuken, in het licht en de warmte, zag ik een vrouw. Ze was de schone vaat aan het opruimen, nu bleef ze staan, nu nam ze een telefoon op die naast de ijskast aan de muur hing, nu stond ze met de telefoon tegen haar oor en leunde tegen de aanrecht, ze praatte en luisterde.

Ze was mooi. Een mooie vrouw. Een jaar of dertig, vijfendertig, misschien iets ouder, het is moeilijk om de leeftijd van mooie moeder-vrouwen te schatten. Ze was mooi op een ouderwetse

manier. Lang, steil haar, een pony, een zelfverzekerde houding, zachte kleren in zachte kleuren. Ik raadde: Leidster in een kinderdagverblijf. Maatschappelijk werkster. Bibl... Nee. Nee, geen bibliothecaresse. Beslist niet. Nu wist ik het: lerares ritmiek. De manier waarop ze zich door de keuken bewoog. Ja.
Ik stond maar vijf meter van haar af, we werden gescheiden door een bloembed en een ruit. Ik probeerde niet me te verbergen, ik vertrouwde erop dat het donker hierbuiten en het licht daarbinnen mij onzichtbaar zouden maken voor haar.
Maar waarom was ik daar? Waarom had ik het adres van Per Nosslins ex-vrouw opgezocht in het telefoonboek, waarom stond ik daar nu als een of andere onfatsoenlijke gluurder?
Nieuwsgierigheid? Had ik zin om te puzzelen? Had ik zin om buiten te staan en naar binnen te kijken? Had ik te weinig te doen? Ik wist het niet. Wij maken keuzes, maar we weten niet altijd waarom. We weten ook niet altijd waartussen we kunnen kiezen.
Nu kwam er een meisje de keuken binnen en de moeder haalde de telefoon van haar oor, zei iets tegen de dochter en glimlachte vrolijk naar haar. Elin of Moa. Laat me raden: het kleine zusje Elin. Zoet als een bosaardbeitje.

4

'Hallo!'
Ik schrok. Eerst bang, daarna beschaamd. Toen ik me omdraaide, was ik blij dat het donker mijn rood wordende wangen verborg.
Daar stond een meisje met lang, donker haar en ze keek naar mij. Tien jaar misschien. Of negen, of elf. Een schoolrugzak hing om haar smalle schouders.
'Hallo...'

Ze bleef staan en zei niets, ze wachtte op mijn verklaring.
'Ik... Ik kijk alleen maar... naar die engel daarbinnen, die engel die daar voor het raam hangt, ik vond hem zo mooi...'
Het meisje hoorde dat ik loog, maar ze keek toch ernstig naar de kerstengel die voor het keukenraam hing en knikte.
Haar ernst maakte dat er een golf van warmte door mij heen ging.
'Woon jij daar?' vroeg ik en ik wist dat ze nee zou zeggen.
Dat deed ze ook, en ze vertelde dat ze bij Moa in de klas zat en dat Moa ziek was en nu ging het meisje schoolboeken bij Moa brengen en ze hadden volgende week een aardrijkskundeproefwerk.
'Ik heet Hannah,' zei ik.
'Ik heet Milena,' zei het meisje.

Toen Milena naar de deur liep en aanklopte, deed ik vlug een paar stappen achteruit, verder het beschermende donker in. Maar ik liep niet weg, ik wachtte achter een schuurtje en na een paar minuten kwam Milena weer naar buiten.
Ik liet haar eerst een stukje lopen voordat ik haar snel inhaalde.
'Zeg... Milena...'
Ze bleef staan en draaide zich om.
'Ik kan de weg hier niet zo goed vinden,' zei ik. 'Weet jij waar de bushalte is? Van de bus naar de stad bedoel ik?'
'Daar,' zei ze en ze wees.
En ze liep met haar fiets aan de hand met mij mee naar de bushalte en we praatten wat over school en dergelijke en toen we bij de bushalte waren, bleef ze bij mij staan wachten.
Pas nu, in het schijnsel van de straatlantaarn, zag ik haar ogen. Twee zwarte zonnen. Twee grote zwarte zonnen straalden mij tegemoet.
'Heb jij een vriendje?' vroeg Milena.
Ik barstte in lachen uit, maar ze was serieus. Toen werd ik dat ook en ik schudde ernstig mijn hoofd.

‘Waarom niet?’ vroeg ze toen.
Tja. Waarom heb ik geen vriendje? Omdat ik daarvoor heb gekozen. Omdat ik heb gekozen om er geen te hebben.
Maar ik kon me niet serieus houden en moest lachen:
‘Omdat ik zo lelijk en dom ben dat niemand mijn vriendje wil zijn,’ lachte ik.
‘Ik vind jou niet lelijk,’ zei Milena. ‘Ik vind jou lief.’
Milena, Milena, in het schijnsel van jouw stralende ogen en naast jouw tengere, rechte meisjeslichaam, ben ik een winterbleke, blubberige koe. Maar jij bent mooi. Trots als een kleine boom stond jij daar voor mij.

‘Heb jij dan een vriendje?’ vroeg ik.
Het was als grapje bedoeld, ik lachte toen ik het Milena vroeg, maar zij knikte ernstig bij wijze van antwoord.
‘Ja. Ik heb David.’
Toen vertelde Milena over David en zijn hond Boef. Daarna vroeg ze:
‘Zou jij dan geen vriendje willen?’
Ik haalde mijn schouders op.
‘Je kunt mijn grote broer krijgen,’ stelde Milena voor. ‘Hij is vrij. Hij zou een vriendinnetje moeten hebben. Hij is aardig, hoewel... Ja, hij zou een vriendinnetje moeten hebben. Hij heet Eldin. Kun jij hem niet nemen?’
‘Daar komt de bus,’ zei ik.
‘Als jij je telefoonnummer hierin opschrijft, kan ik hem vragen of hij jou wil bellen,’ zei Milena terwijl ze een blocnootje en een pen uit haar rugzak viste.
Kleine koppelaarster, dacht ik, en met stijve vingers krabbelde ik mijn naam en telefoonnummer op een blaadje in haar blocnote.
Toen ik de bus instapte, stond ze te bestuderen wat ik had opgeschreven.
‘Hé!’ riep ze mij achterna.

'Wat is er?'
'Jouw naam blijft hetzelfde als je hem omdraait,' riep Milena.
'Weet ik,' zei ik.
De deuren van de bus gingen dicht achter mijn rug. Dag Milena.

Gebeurtenissen haken in elkaar. Ontmoetingen leiden tot ontmoetingen.
Komt het door mij? Verzamelt iedereen zich om mij heen? Gebeurt alles rondom mij?
Sommige mensen zijn net klitten, zei jij.
Sommige mensen zijn ook net als wollen truien. Wollen truien waar klitten zich aan vast kunnen hechten.
Wat was mijn rol? Ik kan het nog steeds niet begrijpen. Ik weet alleen dat ik vrolijk was die decemberavond toen ik in de bus naar huis hobbelde, ik ben alweer vergeten waarom ik op weg was gegaan, waarom ik de Ellenborgsweg nummer 91 zocht, wat ik wilde zien en wat ik wilde weten, nu dacht ik alleen maar aan een klein meisje met grote zwarte ogen en die gedachten maakten mij vrolijk.

5 (Een velletje papier aan de muur)

Milena, Milena
ogen als zwarte zonnen
haar als een glinsterende waterval
recht en trots als een boom aan de waterkant
zo dichtbij en toch zo ver weg
als een lied in de wind
als een zacht diertje
Milena

6

Ik ging vroeg naar bed en ik was bijna in slaap gevallen, toen de telefoon ging.
'Ja, hallo.'
Stilte in mijn oor.
'Hallo! Met Hannah. Is daar iemand?'
Stilte in de hoorn.
Toen hing ik op. Verkeerd nummer gekozen, dacht ik, en wijdde er verder geen gedachte meer aan. Ik viel snel in slaap. Maar om 03.28 uur werd ik wakker uit een droom waardoor ik helemaal bezweet was. Een sterke, behaarde arm hield mij vast, iemand kwam dichterbij, iemand wilde mij kwaad doen, heel erg kwaad doen, iemand wilde mij iets ergs aandoen, ik kon me niet bewegen, ik kon niet vluchten. Toen werd ik wakker.
Brrr. Ik rilde. Mijn lakens waren nat van het angstzweet. Ik verschoonde mijn bed en liep in mijn blootje naar de keuken om een glas water te drinken.
Denk aan iets moois, denk aan iets fijns, zei ik tegen mezelf toen ik weer in bed lag, maar dat hielp niet; toen ik mijn ogen dichtdeed, kwam de nachtmerrie terug.

Ik moet tenslotte toch in slaap zijn gevallen, maar toen ik wakker werd van de wekker, had ik het gevoel dat ik maar een paar minuten had geslapen. Vandaag zou het makkelijk zijn om in bed te blijven, om te blijven liggen, maar nee, ik had een beslissing genomen, niet meer spijbelen tot aan de kerstvakantie, ik zou een braaf schoolmeisje zijn.
Ik bleef zitten op de rand van het bed. Ik wilde niet. Mijn ogen wilden niet opengaan voor het daglicht. Mijn benen wilden mij niet dragen. Mijn hersenen wilden geen wakkere gedachten denken. Wil niet, wil niet, wil niet. Maar moet.

Ik wankelde naar de badkamer. Stond lang onder de douche. Brrr, ik rilde toen ik op de ijskoude tegelvloer stond en me afdroogde, maar langzamerhand begon ik wakker te worden, langzamerhand verslapte de greep van een sterke, behaarde arm om mij heen. Vannacht geen Markus. Nee, iets wat nog zwaarder op mij drukte, een nog erger kwaad. Brrr.
Het kwam niet alleen doordat ik had besloten om iedere dag naar school te gaan. Het was niet alleen wilskracht. Ik moest. Want anders: onvoldoende, voor minstens drie vakken. En dan: geen geld van mamma. En dan: geen eigen flatje. En dan: terug naar huis, naar het grote huis in Höllviken, terug naar mijn meisjeskamer. Nee.
Nee, nee, nee. Wil niet, wil niet, wil niet. Ik leefde mijn eigen leven nu, ik wilde vooruit en niet achteruit. En daarom: Elke morgen opstaan. Elke dag naar school gaan. Steeds een braaf meisje zijn, ja.

7

Tijdens de lunchpauze, toen we klaar waren met eten en nog even in de kantine zaten, begonnen Anna en Cat te praten over een groot feest dat met oud en nieuw zou worden gehouden.
'Nee... Nee, ik denk het niet,' zei ik.
Toen vonden Anna en Cat dat ik saai was en dat ik tegenwoordig helemaal niks deed, ik zat alleen maar te beschimmelen in mijn flatje, wat deed ik daar eigenlijk?
'Een jongen misschien?' probeerde Anna met een listig lachje.
'Nee,' zei ik. 'Geen jongen.'
Na een korte stilte ging ik verder:
'Geen jongen. Een man.'

En toen was het weer een beetje spannend en een beetje interessant, en toen was ik niet zo vreemd en saai meer en het was ook niet meer zielig voor mij.
'Toch niet getrouwd hè?' vroeg Cat.
'Twee kinderen,' zei ik met een geheimzinnig lachje. 'Twee lieve kleine meisjes.'
Cat kreeg een strenge rimpel in haar voorhoofd.
'Daar maak je geen grappen over,' zei ze.
'Waarom denk je dat ik een grap maak?' zei ik en ik stond op van tafel voordat ze de tijd had om de een of andere bijdehante vrouwenwijsheid te zeggen over verboden dingen en gevaarlijk spel spelen.

Er waren nog twintig minuten over van de lunchpauze en ik had nog tijd om een stukje te lopen.
Ik dacht: Waarom heb ik nog steeds het gevoel dat ik me moet verdedigen, dat ik mijn leven moet verdedigen als ik met Anna en Cat praat? Ze begrijpen mij niet meer, ik ben ze ontgroeid. Waarom kan het me iets schelen wat zij denken?
Ik dacht: Ik wil saai zijn.
Ik wil eenzaam zijn.
Ik wil serieus en volwassen zijn.

Iedereen is zo bang om eenzaam te zijn,
alsof aids en eenzaamheid de ergste dingen zijn
die een mens kunnen overkomen
besmettelijke ziekten zijn het
aids door bloed en lichaamsvloeistoffen die zich met elkaar vermengen
maar eenzaamheid is toch nog erger,
daar word je mee besmet door lucht en vuur en water.
Kijk, een eenzaam mens! Pas op! Bescherm je!

Houd afstand!
Als je dichtbij komt
kun je worden zoals hij. Of zij.
Wie wil er eenzaam zijn? Eenzaamheid levert nul punten op.
Je moet veel en interessante vrienden om je heen verzamelen.
De telefoon moet vaak rinkelen. Je moet populair zijn,
je moet bij de vrolijke mensen horen.

Ja, iedereen is zo bang om serieus te zijn,
alsof je punten moet verdienen
door vaak te lachen
of door bij de grappige mensen te horen
alsof het leven een slechte Amerikaanse comedy was
vlotte replieken en witte tanden.
Al die grijnzen, al die gemaakte lachjes
al dat loze, nietszeggende gepraat
al die geintjes en grappige commentaren.
'Hij is vlot gebekt,' zei mijn oma altijd.
Dat is tegenwoordig het ideaal: vlot gebekt zijn.
Daar verdien je punten mee.
Serieus zijn levert nul punten op.
Zwijgen levert nul punten op.

En iedereen is zo bang om volwassen te worden.
Vroeger was je kind,
daarna gebeurde er iets en dan was je volwassen
je begon te menstrueren of je deed je belijdenis
dan was je volwassen
dan hoorde je bij de volwassenen
en de kinderen keken naar de volwassenen,
de kinderen wisten hoe het zou zijn om volwassen te worden,
de kinderen wilden dat.

Tegenwoordig regeren de jongeren,
kinderen willen worden zoals de jongeren,
volwassenen willen zijn zoals de jongeren,
naar dezelfde muziek luisteren, dezelfde kleren dragen,
dezelfde films zien,
dezelfde mening hebben en hetzelfde denken als de jongeren.
Kind zijn levert nul punten op.
Volwassen zijn levert nul punten op.
Jongere zijn levert de hoofdprijs op.

Wie wil er volwassen zijn? Wie kan een volwassen leven aanwijzen dat het waard is om te leven?
Ik wil volwassen zijn. Ik wil eruitzien als een volwassene, ik wil me gedragen als een volwassene. Ik speel geen basgitaar meer in een punkbandje. In plaats daarvan haal ik mijn oude dwarsfluit tevoorschijn en ga ik sonnetten spelen. Sonates bedoel ik. Jongere zijn is klote.
Yes, it does. Youth sucks. Gimme the real adult world, yeah.

Dat dacht ik en toen keek ik op mijn horloge en kwam ik erachter dat mijn Zweedse les over twee minuten zou beginnen.
Ik ben nog steeds een schoolkind. Ik moet nog steeds op tijd komen voor de lessen.
Maar ik wil volwassen zijn. En eenzaam. En serieus en saai.
Dat dacht ik.
Dat dacht ik toen. Ik bouwde aan een leven, ik had mezelf ingebouwd in een leven.
Nu ben ik jonger, na alles wat er is gebeurd.

8

Waarom zou ik denken dat het iets anders was dan toeval?
Ik was op weg naar huis van school, ik was bijna thuis, toen hij de buurtsupermarkt uit kwam lopen; hij kwam struikelend naar buiten uit onze buurtwinkel, als een Engelse komiek, en hij moest mij wel vastgrijpen om niet op de grond te belanden en ik verloor natuurlijk ook bijna mijn evenwicht, en na een paar stappen naar voren, naar achteren, hierheen en daarheen, in een zwijgende dans op het trottoir, kregen wij onze lichamen weer onder controle en liet hij mij los.
'O, sorry. Het spijt me ontz... het was echt niet... Nee maar, ben jij het? Nee maar, hallo!'
Toen pas keek ik op en zag ik zijn gezicht. Toen pas zag ik dat hij het was.
En ik zei hallo en hij zei dat het lang geleden was en ik zei dat ik een braaf schoolmeisje was geworden en hij zei dat dat goed was, maar dat hij onze ontmoetingen en onze gesprekken miste.
Toen hij dat zei, klonk het alsof wij hele goede oude vrienden waren. Maar de waarheid was dat we elkaar pas twee keer hadden ontmoet in een café.
Maar inderdaad. Ik had onze gesprekken ook gemist. Ik was nu gedwongen om mijn gesprekken weer met mezelf te voeren, gesprekken in mijn hoofd, het soort gesprekken dat sommige mensen gedachten noemen.
'Kunnen we niet wat afspreken?' vroeg hij. 'Gewoon afspreken om wat te praten. Ik zou je mee uit eten kunnen nemen. Als dank voor het mooie gedicht dat ik van je heb gekregen. Vanavond bijvoorbeeld. Als... als je geen andere plannen hebt. Als... als je wilt.'
Soms, dacht ik, gedragen leraren zich net als schooljongens. En hij gaf me het gevoel dat ik een Amerikaans schoolmeisje was dat net een date had gemaakt.

‘Oké,’ zei ik en ik probeerde te blozen en een Amerikaanse college-glimlach tevoorschijn te toveren. ‘Natuurlijk. Graag. Maar ik ben wel lastig om mee uit eten te nemen.’
‘Vegetariër?’ raadde hij.
‘Veganist,’ zei ik.
‘O jee,’ lachte hij. ‘Er zijn militante veganisten die gevaarlijk zijn, heb ik in de krant gelezen.’
‘Je moet niet alles geloven wat je in de krant leest,’ lachte ik.
We besloten dat we elkaar zouden zien in het nieuwe vegetarische fastfoodrestaurantje op Stortorget, het Grote Plein, en daarna namen we afscheid en ging hij weg.
Ik dacht niet: Was dit toeval? Was het toeval dat hij zomaar mijn armen in struikelde?
Ik dacht niet: Wat deed hij hier? In mijn straat, in mijn buurtsupermarkt. Waarom was hij hier?
Ik dacht helemaal geen achterdochtige gedachten. Ik dacht alleen dat het lekker zou zijn om vanavond in een restaurant te eten.

Ja, zo belandden wij in ‘Meaning Green Vegetarian Junk Food’, en het was er vol mensen en vol plastic tassen met kerstinkopen.
We spraken over ditjes en datjes en ik kwam er natuurlijk niet onderuit om over veganisme te praten.
‘Waarom veganist? Waarom niet gewoon vegetariër?’ vroeg hij.
‘Dat heeft te maken met het feit dat ieder individu waarde heeft en het recht om te leven in vrijheid en blablabla en de waarde van dieren en het lijden van dieren en het recht van de mens en blablabla eieren en melk en de dierindustrie en blablablabla,’ zei ik.
‘Maar hebben mensen niet altijd vlees gegeten? Door de eeuwen heen? Overal ter wereld? En hebben mensen niet altijd huisdieren en andere tamme dieren gehouden sinds we zijn opgehouden met jagen?’
‘Mensen leren en veranderen,’ zei ik. ‘Opvattingen veranderen.

Vroeger hielden wij slaven en de mannen hadden macht over de vrouwen, dat vinden wij nu verkeerd en blablabla en niemand hoeft tegenwoordig vlees te eten om te overleven en blablabla een stap in de ontwikkeling van de mens. En voor het behoud van de aarde en de rechtvaardigheid en de toekomst en blablablabla.'
Altijd dezelfde vragen en altijd dezelfde antwoorden.
Hij zei niets over nertsen, niets over dat Hitler vegetariër was en niets over dat mensen roofdiertanden hadden. Gelukkig.
Het moeilijkste van het veganist zijn is niet om eten te vinden dat zonder dierenleed is geproduceerd. Het is niet moeilijk om lekker veganistisch eten klaar te maken, het is niet moeilijk om alle vitaminen en voedingsstoffen binnen te krijgen, het is niet moeilijk om je eigen eten mee te nemen als je bent uitgenodigd bij vleeseters, het is niet moeilijk om bepaalde smaken op te geven, hoewel ik soms kan dromen van kaas, nee, het moeilijkste is al het gepraat.
Dat je het altijd moet uitleggen en dat je je altijd moet verdedigen. Veel mensen worden agressief en raken geïrriteerd als ze iemand tegenkomen die geen dode dieren wil eten. Dat is vreemd. En heel erg vermoeiend.
Dat leraar Per Nosslin een verstandige en begripvolle man was, had ik al begrepen, en toch sloot hij de veganistendiscussie af met iets te zeggen als dat ik inderdaad gelijk had als het ging om milieuvraagstukken en de kwestie van rechtvaardigheid en dat de wereldbevolking, in elk geval de bevolking in het rijke deel van de wereld, natuurlijk minder vlees moest consumeren, maar...
'... maar ik heb eens een discussie gehad met een meisje op school, zij was veganist, en ik vertelde haar over een boek dat ik had gelezen, over de uitroeiing van de joden tijdens de Tweede Wereldoorlog, over hoe men heel gewone Duitse mannen zover kreeg dat ze joden ombrachten in Polen, en toen zei zij dat dat niet erger was dan een gewone slachterij. Of een pluimveehouderij.'

Hij trok een niet-begrijpende rimpel in zijn voorhoofd.
'Zoiets maakt mij ongerust en verdrietig,' ging hij verder en hij zag er ongerust en verdrietig uit. 'En soms denk ik dat al dat gepraat over de rechten van dieren een soort upperclass-probleem is, een welvaartsprobleem; omdat de wereld zo moeilijk te begrijpen is, kun je toch op zijn minst de dieren zielig vinden...'
Hallo, hallo, hallo, dacht ik.
Maar ik zei niets.
Ik was wél een beetje teleurgesteld in mijn leraarvriend. Hallo, hallo. Slappe argumenten. Ik heb nooit joden uitgeroeid. Ik ben er zelf een. Tenminste voor een achtste deel. Maar nu wil ik niet meer over vlees en joden praten.
'Mag ik iets vragen?' zei ik.
Hij knikte.
'Jouw vrouw,' zei ik. 'Jouw ex-vrouw, wat voor werk doet die?'
Even was er een glimp van achterdocht te zien in zijn blik, een lichte aarzeling, maar toen glimlachte hij en hij antwoordde:
'Bibliothecaresse. Ze is bibliothecaresse.'
'O jee,' zei ik.
Hij wachtte even, maar hij vroeg niet waarom ik me dat afvroeg, of waarom ik 'o jee' had gezegd. Hij glimlachte alleen zo mooi.

Daarna hadden we het over eenzaamheid.
En hij begreep wat ik bedoelde. Tenminste, dat zei hij.
'Ik begrijp wat je bedoelt,' zei hij.
'Hoewel,' zei hij na een poosje, 'je eigenlijk zou kunnen zeggen dat er iets gebeurt als een mens een ander mens ontmoet. Dat dat belangrijk is. Dat je anderen ontmoet. Dat wij dan iets leren.'
'Is dat dan waar?' vroeg ik. 'In de werkelijkheid? Gebeurt dat niet vooral in films en boeken, dat het zo geweldig spannend wordt als twee mensen elkaar ontmoeten?'

Hij haalde zijn schouders op en zei niet dat wij elkaar hadden ontmoet, hij en ik, en dat dat toch goed was. Nee, dat zei hij niet.
Daarna hadden we het over volwassen worden, over volwassen willen worden.
'Ik begrijp wat je bedoelt,' zei hij.
Daarna hadden we het over serieus zijn, over serieus willen zijn.
'Ik begrijp wat je bedoelt,' zei hij.
Daarna werd het stil. Toen vroeg ik:
'Wat ga jij doen met de kerst?'

Ik had meteen spijt.
Kerst is misschien wel de ergste tijd als er niet langer een gezinsleven is. De herinnering aan stralende kinderogen en verwachtingsvolle kinderstemmen. Geen kerstman meer mogen spelen. Niet meer samen de kerstboom versieren en samen met het gezin voor de televisie zitten.
Ik had spijt van mijn vraag en hij gaf geen antwoord. Misschien heeft hij het niet gehoord, dacht ik. Mooi zo, dacht ik. En toen begon ik te praten over kerststress en hysterisch koopgedrag en dergelijke. Wij dachten daar ongeveer hetzelfde over en daarom was het niet zo boeiend om erover te praten.
Ik was moe. Mijn slechte nachtrust begon me parten te spelen. Ik herinnerde me mijn verschrikkelijke nachtmerrie en er liep een rilling over mijn rug.
'Waar denk je aan?' vroeg Per Nosslin en hij trakteerde mij op een bezorgd lachje.
Maar ik zei niets over mijn dromen van die nacht, ik gaapte alleen en zei: het was lekker en bedankt, maar nu ben ik moe en morgen moet ik weer naar school en nu is het denk ik tijd om...
'Ja natuurlijk,' zei hij.

Op straat bleven we tegenover elkaar staan.
'Bedankt,' zei ik.
'Ben je met de bus?' vroeg hij.
'Ja,' zei ik. 'Ik neem de bus tot het Gustav Adolfplein.'
'Waar woon je eigenlijk?' vroeg hij.
'Tegenover Mazetti,' zei ik. 'Precies waar we vandaag tegen elkaar opbotsten. Het eerste portiek na de supermarkt.'
'Heb je een eigen flatje?' vroeg hij.
En toen vertelde ik hem over het grote, vrijstaande huis in Höllviken en dat ik naar een andere school wilde, in de stad, in Malmö, en dat ik een flatje kon overnemen van een vriend van mijn broer die ging verhuizen en dat mijn moeder de helft van de huur betaalde.
'Höllviken, aha,' zei hij.
Ik zei niets. No comments. Iedereen weet in wat voor beschermd rijkeluismilieu jongeren uit Höllviken zijn opgegroeid.
Zijn vragen maakten mij ook niet achterdochtig. Waarom zou ik achterdochtig zijn?
Hij zei dat hij de andere kant op moest en hij nam afscheid en begon te lopen en ik zei:
'Bedankt. En...'
'Ja?' zei hij en hij bleef staan.
'Hé... Ik ben blij dat ik jou heb ontmoet...'
Ik meende het.
Ik bedoelde alleen dat.
Wat ik zei, betekende alleen dat wat ik zei.
Over ontmoetingen gesproken. Als mensen andere mensen ontmoeten en zo.
Per Nosslin gaf geen antwoord. Hij zei niet dat hij blij was dat hij mij had ontmoet. Hij zei niets. Hij keek alleen maar naar mij en hij zag eruit alsof hij zijn mooiste kerstcadeautje van dat jaar al had gekregen.

9

Toen ik thuiskwam ging ik midden in de kamer staan, deed mijn ogen dicht, draaide zeven keer rond, strekte mijn rechterarm uit en liep voorzichtig naar voren totdat mijn hand een van de velletjes papier aan de muur raakte.
Ik deed mijn ogen open en las:

> Wie wil er gewoon zijn
> Wie wil er geliefd zijn
> Wie vindt een natte oude want fijn?
>
> Wie wil op het water lopen
> Wie wil op zijn tenen staan
> Wie wil zeggen: 'in dit leven moet er meer bestaan'?
>
> Wie wil er een boterham
> Wie houdt er van klappen
> Wie zit elke avond eenzaam voor de tv te zappen?

Dat was een goede keuze.
Dat gedichtje maakt mij altijd een beetje vrolijk en een beetje triest.
Ook deze avond deed het zijn werk. Ik was een beetje vrolijk toen ik mijn tanden poetste en een beetje triest toen ik me uitkleedde.
Ik was net in bed gekropen en ik had net de lamp uitgedaan, toen de telefoon ging. Ik stapte uit bed en nam op.
'Hallo!'
Stilte. Volkomen stil. Geen ademhaling, helemaal niets.
'Hallo! Wie is daar?'
Stilte.
Toen ik ophing, merkte ik dat mijn hand trilde.

Ik ging zitten in mijn bed, vouwde mijn handen en bad zoals ik altijd deed toen ik een klein meisje was:
'Lieve God, laat mij vannacht geen boze dromen hebben.'
Of hij bestaat niet, of hij had het niet gehoord, of het kon hem niets schelen, of hij was al naar bed gegaan.
Het was 03.57 uur toen ik wakker werd van mijn eigen geschreeuw.

10

Na twee keer begint iets een gewoonte te worden. Dat zeggen ze. Als iets twee keer is gebeurd, verwachten wij dat het nog een derde keer gebeurt.
Maar twee nachtelijke telefoontjes waren genoeg voor mij. Tussen het Luciafeest, op dertien december, en kerst werd ik niet meer gebeld. Dat kwam doordat ik elke avond om negen uur de stekker van de telefoon eruit trok.
Dat hielp, maar het hielp ook niet.
De telefoon bleef natuurlijk stil. Die stond op mijn bureau. Grijs en stil en dreigend als een giftige slang stond hij naar mij te staren en ik staarde terug en dacht: Ha. Daar sta je dan. Zonder stekker ben je hulpeloos. Zonder snoer ben je impotent.
Maar mijn triomf was breekbaar, want iemand anders had de macht over mijn nachten en mijn slaap overgenomen. Iedere nacht tussen drie en vier uur werd ik nat van het zweet en trillend wakker.
Telkens weer dezelfde nachtmerrie.
Dreiging. Achtervolging. Angst.
En een behaarde onderarm.
De zwijgende telefoon won toch.

Overdag liep ik rond alsof ik aan het slaapwandelen was. Ik sliep half door themadagen en het kerstcabaret op school heen. Buiten regende het en er waaide een koude wind. Ik huiverde en rilde van de kou die van buiten kwam en de kou die binnen in mij was, en ik voelde me alsof ik rondwaadde in een poel van hopeloosheid, alsof ik steeds dieper wegzonk, en alsof dat helemaal niet belangrijk was.

En niemand kon mij helpen, er was niemand tot wie ik me kon wenden, ik verlangde naar een paar zachte armen om in weg te kruipen, een schouder om mijn vermoeide hoofd tegenaan te leggen of gewoon iemand om mee te praten. Maar wie? De maandag voor kerst ging ik naar het café, maar hij zat er niet. Het maakt niet uit, dacht ik en ik ging terug, terug de grijze winter in.

Niets maakte nog wat uit. Kerst liet mij nog onverschilliger dan anders.

Maar de dag voor de dag voor de dag voor kerstavond vermande ik me toch en kocht ik kerstcadeautjes. Een boek voor iedereen, zoals altijd. Boeken die ik zelf mooi vond. Boeken waarvan ik wist dat ze ongelezen in de boekenkasten van mijn broers zouden blijven staan. Boeken die de kinderen van mijn oudste broer snuivend opzij zouden gooien. Maar ik kon het niet laten. Ik moet boeken geven voor kerst.

De dag voor de dag voor kerstavond ging ik naar huis. Ik pakte mijn kerstcadeautjes en mijn tandenborstel in en stapte op de bus. Mijn moeder was blij verrast en mijn vader was blij verrast en ze vertroetelden mij alsof ik weer een klein meisje was en het was warm en licht en mooi en het rook naar kerstboom in mijn oude meisjeshuis en om acht uur viel ik in slaap in mijn meisjesbed op mijn meisjeskamer en ik sliep twaalf uur achter elkaar heerlijk vast, als een klein meisje.

11

Het was zo fijn dat alles voorbij was.
Ik zat op de bank en zag in dat mijn kindertijd voorbij was.
Ik was geen klein meisje meer.
De magie en de prikkelende spanning waren verdwenen,
dat was weg, voor altijd.
De kerstfilm op tv was alleen maar dom en saai,
het kerstdiner was een stinkende demonstratie
van vleesproductie, van onnodig lijden en dood,
de kerstman was een verklede, stotterende buurjongen,
zijn wangen kleurden rood onder een baard van watten,
hij kreeg honderd kronen en een doos chocola als dank
in de gang,
de kinderen van mijn broer hadden zich hebberig kwijlend op hun cadeautjes gestort; de grond in de woonkamer lag bezaaid met papier, gekrulde lintjes, glimmende verpakkingen en dozen.
Een orgie van verspilling, overvloed, zinloosheid
en gemaakte glimlachjes.
Alles was net als altijd en nu was het voorbij.
Ik was geen klein meisje meer, ik vond het fijn dat het voorbij was.
Ik ergerde me niet eens, het was fijn om daar in de warmte te zitten en de ijzige nachtmerries die ik voor de kerst had gehad te vergeten. Ik zat toe te kijken.

Ik zat op de bank en ik propte me vol met vijgen en dadels en sinaasappels. Mijn vader liep papier te verzamelen in een grote vuilniszak, mijn moeder stond samen met mijn oma in de keuken. Ze haalden het koffieservies en de zelfgebakken kerstkoekjes tevoorschijn. De kinderen van mijn broer zaten op de grond met al hun kerstcadeautjes en telden of ze er evenveel hadden gekregen; opa zat een beetje te dommelen in een leunstoel; mijn oud-

ste broer Fredrik begon in mijn vaders vuilniszak te rommelen, hij zocht een envelop met geld die hij kwijt was; mijn andere oudere broer Martin zat samen met zijn domme blondje op de bank tegenover mij, ze zaten dicht tegen elkaar aan en zij giechelde een beetje gemaakt verlegen toen hij het sexy rode ondergoed liet zien dat hij haar had gegeven. Hoe kan een volwassen man een volwassen vrouw sexy rood ondergoed geven zonder zich daarvoor te schamen? Hoe kan een volwassen vrouw dat accepteren zonder zich vernederd te voelen?
Nu zag zij mij kijken, nu zond ze een ondeugend lachje in mijn richting, en een knipoog. Dat moest waarschijnlijk iets betekenen als 'wij vrouwen onder elkaar'.
Sorry lieve schoonzus Linda, maar als ik moest kiezen tussen jou en een zwerm Afrikaanse killerbijen, dan koos ik voor de killerbijen.

Heerlijk dat het allemaal voorbij is. Heerlijk om hier te kunnen zitten zonder me te ergeren, zonder opstandige pubergedachten.
'Je mag hem ruilen. Als je hem niet mooi vindt. Of als hij niet past. Ik heb het bonnetje bewaard. Je kunt hem ruilen.'
Mijn moeder liet zich naast mij op de bank vallen. Ze knikte naar de trui die op mijn schoot lag, mijn kerstcadeau, maar ik schudde mijn hoofd. Nee, ik wilde hem niet ruilen.
'Hoe gaat het?' vroeg mijn moeder. 'Hoe is het met mijn kleine meisje?'
Mijn moeders wangen waren rood van de warme keuken en het koken.
Net toen ik had besloten om haar vraag serieus te nemen, om haar serieus te antwoorden, zag ik dat haar vermoeide blik ergens anders naartoe fladderde, ze zag mij niet meer en haar gedachten waren ook ergens anders naartoe vertrokken; dus zei ik alleen: 'Goed. Het gaat goed.'

En zij knikte en stond op en zei iets over de koffie.
Heb ik echt rondgezwommen in jouw buik? dacht ik en mijn ogen volgden mijn moeder terwijl ze weer naar de keuken liep en erin verdween. Heb jij vol liefde naar mij gekeken? Hebben wij een hechte band met elkaar gehad? Lijken wij op elkaar? Waarom zijn wij zo ver uit elkaar gegroeid? Waarom voel ik geen liefde? Waarom voel jij geen liefde? Kunnen wij weer dicht bij elkaar komen?
Soms, als ik een Italiaanse film heb gezien, denk ik wel eens: zo zou het moeten zijn. La Famiglia. De hele familie verzameld rond de tafel. Oude opa en oma, een flinke, zelfverzekerde moeder, ooms en tantes en neefjes en nichtjes en kleine kinderen in een fantastische wirwar vol liefde en respect. Zo zou het moeten zijn. Het zou een zekerheid moeten zijn. Een basis in je leven. Bloedbanden die blijven, die er altijd zullen zijn.
Maar van de andere kant, dacht ik, en ik moest bijna grinniken, dit zijn toch mijn naaste familieleden. Dit is het. Deze mensen zijn het. Ik vind het eigenlijk wel genoeg als wij één keer per jaar samen aan tafel zitten. Zelfs dat had niet gehoeven. Maar... Ja, het zou ook anders kunnen zijn.

Nu had ik bijna een overdosis familieleven gehad. Mijn tanden plakten van alle zoetigheid en de frisdrank, ik was warm en zweterig, Fredrik speelde kerstliedjes op de piano en oma zong vals. De kinderen maakten herrie en zeurden en opa lag luid te snurken in de leunstoel.
Ik doezelde weg op de bank, ik sliep half toen de telefoon ging. Met half slapende oren hoorde ik mijn moeders stem vanuit de keuken, net toen *White Christmas* wegstierf:
'Hallo! Hallo, is daar iemand?'
Toen was ik ineens klaarwakker en alles kwam terug en alles verdween.

Ik rilde en zweette, ik kon geen lucht krijgen, ik moest naar buiten. Weg.
Als in paniek stond ik op, opende de terrasdeuren, stak mijn voeten in mijn vaders pantoffels en rende de tuin in.
Ah. Lucht.
Was het voor mij, dat telefoontje? Was hij het?
Hoe weet ik dat het een hij is? dacht ik. Ja. Het is een man. Ik weet het hoewel ik zijn stem niet heb gehoord. Ik heb zijn behaarde onderarm gezien in mijn droom.
Ik rilde weer. Het voelde alsof ik was verkracht door de kerstman.

'Dag lieverd. Ben je even frisse lucht aan het halen?'
'Mm.'
Daar stond mijn vader met een vuilniszak in zijn hand.
'O, daar zijn mijn sloffen. Ik vroeg me al af...'
Hij zweeg en kwam naar mij toe lopen.
'Wat is er? Is er iets gebeurd?'
Ik haalde diep adem en toen vertelde ik het aan mijn vader.
Hij werd heel ernstig terwijl hij luisterde, maar toen ik klaar was, zei hij:
'Je zou een nummermelder moeten hebben. Zo'n ding als wij hebben. Dan kun je zien wie je gebeld heeft. Je kunt ook een antwoordapparaat nemen.'
Daar had ik niet aan gedacht. Ik ben zo slecht met apparaten.
'Je krijgt geld om er een te kopen,' ging mijn vader verder. 'Zodat je je niet ongerust hoeft te maken. Of bang. En als dat niet helpt, dan kun je aangifte doen bij de politie. Die kunnen het gesprek traceren. Je zult zien dat het allemaal in orde komt.'
Ik deed een stap naar voren en leunde met mijn voorhoofd tegen zijn schouder. Wat heerlijk dat ik een vader heb. Een vader die alles weet en kan zorgen dat alles in orde komt.
Ik ademde weer rustig en ik hief mijn hoofd op en keek naar de

hemel. Geen sterren vannacht, alleen een grijsgeel licht boven de stad. Toen bedacht ik iets.
'Hé,' zei ik ijverig, 'hebben jullie... zei je dat jullie... zo'n... zo'n nummer-wat-was-het-ook-alweer hadden?'
'Nummermelder,' glimlachte mijn vader. 'Jazeker. Hoezo?'
'Maar...'
Ik had zo'n haast dat ik over mijn woorden struikelde.
'Maar... maar dan kunnen jullie toch... dan kunnen wij toch... dan kun je toch zien wie er heeft gebeld... wie dat was die daarnet belde...'
Ik wilde al wegrennen naar de keuken, maar mijn vader pakte mijn arm en hield me tegen.
'Ja,' zei hij lachend. 'Maar dat hoeft niet. Het was mijn moeder die belde. Ik heb net met haar gesproken. Ze wenste ons een prettige kerst en vroeg of we morgen nog kwamen.'
'Maar, maar, maar... maar daarvóór... wie was het dan die daarvoor belde...?'
'Niemand,' zei mijn vader. 'Verder heeft er niemand gebeld vanavond.'
Zijn glimlach verdween toen hij mij aankeek.
'Ik regel het wel voor je. Maak je maar niet ongerust. En het was echt oma die belde, dat zweer ik.'
Oma. Het was mijn oma.
Ik dacht aan oma en al mijn onrust verdween weer. Mijn vaders moeder. Mijn favoriete familielid. Mijn stoere oma uit Kopenhagen die sigaartjes rookt en jenever drinkt en die zo'n mooie, ondeugende glimlach heeft. Morgen zal ik haar zien. We gaan immers altijd naar Kopenhagen op eerste kerstdag, hoe had ik dat kunnen vergeten?
'Zing eens iets in het Deens, pappa,' vroeg ik terwijl ik mijn hand op zijn arm legde.
'Dat wil ik wel,' zei hij lachend.

En toen stond hij daar naast mij in de tuin van ons huis en zong *Svantes gelukkige dag*, alle coupletten.

... Het leven is heus niet zo naar
en straks is de koffie klaar...

Alles werd stil, alles werd vredig en toen mijn vader klaar was met zingen, sloeg hij zijn arm om mij heen en ik kroop lekker tegen hem aan in de kerstnacht.
'Nee, het leven is heus niet zo naar,' zei mijn vader.
'Weet je,' zei ik. 'Je werkt te hard. Je zou het wat rustiger aan moeten doen. Dan kun je af en toe eens bij mij op bezoek komen in de stad.'
'Mm,' zei mijn vader.
Dat was het einde van de kerstavond. Een meisje en haar vader in een tuin. Het was een mooi einde.

JANUARI

'In januari begint het jaar
februari komt daarna
maart en april hebben bloemen in het haar...'
Dit jaar zal april ook dood met zich meebrengen.
Twee mensen zullen elkaar tegenkomen; een zal er sterven.

1

Aiaiai.
Klopte dit? Was dit goed?
Ja. Als je je aan het begin van het nieuwe jaar heel erg rot voelt, betekent dat: het kan alleen maar beter worden. Je kunt maar één kant op. Vooruit. Vanaf de bodem van de put is er maar één weg. Omhoog.
Het kan alleen maar beter worden, erger kan het niet worden.
Dus spring je bed uit en zing: Beter, beter, steeds maar beter...
Dit meisje sprong helemaal niet haar bed uit op de eerste dag van het nieuwe jaar.
Aiaiai.
Dit meisje had een kater, ze had een kloppende hoofdpijn, haar tong voelde als schuurpapier, de smaak van oude sigaretten in haar mond maakte dat ze bijna moest overgeven, ze had dorst en voelde zich vies en plakkerig. En ze had met haar kleren aan geslapen.
Dit meisje was naar een feest geweest.

Het was lang geleden.
Het was lang geleden dat ik me zo rot had gevoeld.

Ik kroop naar het raam, trok het rolgordijn op en knipperde met dikke ogen naar de eerste regendag van het jaar.
Het was lang geleden dat ik alcohol had gedronken, daarom was ik zo dronken geworden. Het was lang geleden dat ik had gerookt, daarom smaakte het nu naar asfalt in mijn mond. Het was lang geleden dat ik had gezongen en geschreeuwd en gedanst op slechte top 40-muziek.
Het zal lang duren voordat ik het weer doe.

Ik was samen met Anna en Cat naar dat feest gegaan. Ik had bedacht... ja, ik had bedacht dat het lang geleden was.
We belandden in een huis in Burlöv, even buiten de stad. Er waren al veel mensen toen wij binnenkwamen en er kwamen de hele avond steeds meer gasten. Goed gekleed en aangeschoten. Sommige kende ik van school, maar de meeste had ik nog nooit eerder gezien.
Party-time, yeah yeah yeah!
'Je moet niet door elkaar drinken,' zeggen ze. Dat is een soort wijze spreuk die je leert als je de wereld van de volwassenen binnentreedt. O, wat heb ik veel door elkaar gedronken de afgelopen nacht. Ik liet me alles inschenken wat er maar te schenken viel. Maar ik heb het wel bij alcohol gehouden. Tegen pillen, mixen en blowen heb ik nee gezegd. En dronken ben ik geworden, zo heerlijk dronken was ik heel lang niet geweest, ik wilde het gewoon uitschreeuwen. En dat deed ik ook. Ik wilde met iedereen praten en lachen en dansen en meebrullen met alle liedjes. En dat deed ik ook. En ik heb sigaretten gerookt, hoewel ik had gezworen dat ik dat nooit meer zou doen, ik stond op de trap en inhaleerde diep en ik genoot van het feest en de vrolijkheid en de dronkenschap.
Toen het twaalf uur was, stond iedereen als sardientjes op elkaar gepakt in de woonkamer en toen telden wij af tot het nieuwe jaar en riepen hoera en omhelsden elkaar en kusten elkaar en we zon-

gen allemaal samen. Zestig dronken jongens en meisjes met de armen om elkaar heen geslagen, brulden: 'Should old acquaintance be forgot...'
Eén ding vergeten ze altijd. Dat het zo leuk is om dronken te worden.
Alle themadagen die we hebben gehad op school, alle informatie die we kregen tijdens de alcohol- en drugsvoorlichting, één ding vergeten ze er altijd bij te vertellen: het is leuk. Je hebt lol. Je lacht. Al het andere is ook waar. Je hersenen sterven af. Je gaat je dom gedragen. Je wordt gewelddadig. Je wordt verkracht. Je hebt geen controle meer. Je wordt afhankelijk. Dat is ook waar. Maar er is wel een reden voor dat jongeren drinken. Het is leuk. Je hebt lol. Dat is de aanleiding. Niet dat de nuchtere werkelijkheid van alledag armzalig of ellendig is, niet dat je daarvoor wegvlucht. Nee. Je wilt gewoon lol hebben.
Zeg ik, die geen alcohol drink. Maar je moet eerlijk zijn.

Alcohol en sigaretten gisteren, ja. Maar geen seks, nee.
Ik heb echt wel geflirt met die leuke, aardige jongens, ik heb op hun schoot gezeten en ik heb hen gekust en mijn hand door hun haar gehaald. Maar daarna zei ik stop.
'Pas op, ik heb een besmettelijke ziekte,' zei ik.
En de jongens hielden op en ik ging ervandoor. Hahaha. Ik was zo vrolijk, tralala...
Er is een grens, er is een moment waarop je de controle verliest en gisteren was ik heel dicht bij dat moment. Ik ben niet over de grens gegaan, maar ik herinner me erg weinig van hoe ik ben thuisgekomen. Een taxi. Iemand heeft me geholpen. Iemand werd misselijk en de taxichauffeur schold ons uit. Wie heeft de rit betaald? Hoe ben ik mijn flat binnengekomen, en hoe ben ik in mijn bed beland?
Ja, ik was heel dicht bij de grens. Er bijna overheen.

Aiaiai.
Dat is de prijs die je ervoor moet betalen.
Aiaiai. Ik voelde me... dwaas. Dit was ik niet. Dit zeventienjarige meisje dat op de eerste dag van het nieuwe jaar wakker werd met een kater, dat was ik niet. Zij moest dood. Vernietigd. Uitgevlakt. En dan opnieuw opstaan.
Uit bed. Kleren uit. Onder de douche. Koud water. Schrobben, schrobben, schrobben. Zeep en schuim. Tanden poetsen. Wrijven, wrijven, wrijven. Nieuwe handdoek. Drogen, drogen, drogen.
Toen stond ik naakt midden in de kamer.
Nu. Nu was ik hier. Nu was ik nu.
Nu kon het nieuwe jaar beginnen. Het nieuwe leven.
Zo. Wat zou ik me voornemen?
Niet roken en geen seks. Geen vlees natuurlijk. Geen alcohol of andere verdovende middelen. Geen slechte gedachten. Schoon vanbinnen en vanbuiten.
Ik zou een heilige worden. Zo schoon dat mijn ontlasting wit zou worden en naar jasmijn zou ruiken.
Dat werd mijn doelstelling voor het jaar: dat mijn poep wit zou worden en lekker zou ruiken. Zo schoon zou ik worden.
Ik stond naakt midden in de kamer en grinnikte om mijn eigen gedachten.
Maar nu serieus, zei ik tegen mezelf. Nu serieus, Hannah. Je moet je verantwoordelijk gaan voelen dit jaar. Dat is wat je je moet voornemen. Persoonlijk verantwoordelijk. Leven in de wereld. Uit je bed komen en leven tussen de mensen in de wereld. Niet in het klooster gaan, niet verstoppen.
Serieus, Hannah. Zo moet jij leven.
En je moet niet meer ruimte innemen dan je nodig hebt op aarde.

2 (Een velletje papier aan de muur)

Hoeveel ruimte mag ik innemen op aarde?
Hoeveel lucht
hoeveel water
hoeveel energie mag ik gebruiken?
Geen druppel, geen kubieke millimeter, geen joule
meer dan dat er voor iedereen, voor ieder mens op aarde,
evenveel is.
Of niet?

Hoeveel autokilometers per dag? Nul
Hoeveel vlees per week? Nul
Hoeveel vliegreizen per jaar? Nul

Ik zal zoveel ruimte innemen op aarde
dat er genoeg ruimte is voor iedereen

3

Ik was nog maar een klein meisje toen, maar ik dacht een gedachte die goed was, dat weet ik.
Het was zomer, het was een warme, zonnige dag in augustus, een vakantiedag, en wij stapten in de auto om te gaan zwemmen. De hele familie, mijn grote broers waren ook mee, zo lang geleden is het, zo klein was ik. En toch had ik al zo'n wijze gedachte.
We reden naar ons favoriete zwemstrandje dat de toeristen nooit vonden. Het was plakkerig warm in de auto, we zaten te ruziën op de achterbank en elkaar te duwen zoals altijd. Mijn vader op de voorbank raakte geïrriteerd zoals altijd.

Toen kwamen we aan. We stortten ons uit de auto met onze zwemtassen en badlakens en renden naar het strand. Onderweg trokken we onze kleren uit en toen holden we door het hete zand en... Stop. We verstijfden, we stonden alleen maar te staren naar het water. Het was helemaal groen van de algen. Daar lag de zee voor ons, als dikke, klotsende groentesoep. Een stinkende, onsmakelijke soep. Het wateroppervlak was helemaal groen en slijmerig. Niemand zwom.
Daar stond ik samen met Fredrik en Martin, we stonden zwijgend naast elkaar en staarden naar het water alsof wij onze ogen niet geloofden. Het was de mooiste zwemdag van de hele zomer en we konden niet zwemmen in zee. Geen sprake van. Een van de jongens vloekte. Ik had tranen in mijn ogen.
Mijn vader en moeder kwamen achter ons staan. Zij stonden ook een poosje stil zonder iets te zeggen; toen zei mijn vader alleen: 'We gaan ergens anders heen.'
En toen raapten we onze spullen weer bij elkaar en gingen terug naar de auto, plakkerig van het zweet en teleurgesteld.
Op dat moment, toen we zwijgend in de auto zaten en naar een ander strand reden, dacht ik die gedachte.
Ik dacht: Het is onze schuld. Wij zijn hier deze zomer vaak heen gereden met de auto. Daarom is de zee dichtgegroeid. Het is onze fout. We hadden met de fiets kunnen gaan.
Ik weet niet hoe het kan dat ik zo'n wijze gedachte had terwijl ik nog maar een klein meisje was. Ik wist niet zoveel over verstoring van het milieu en het broeikaseffect en overbemesting, maar we hadden er waarschijnlijk wel eens over gepraat op school. Maar verantwoorde milieuruimte, de hoeveelheid ruimte die ieder mens mag innemen zodat het milieu geen schade wordt toegebracht, daar had ik natuurlijk nog nooit van gehoord.
In de auto was mijn moeder geschokt, dat herinner ik me, en mijn vader zei:

'Ja, het is verschrikkelijk.'
En ik herinner me dat ik dacht: Ik zal nooit meer in zee kunnen zwemmen. Nooit van mijn leven meer. De zee is dood. Het is afgelopen met de zee. Maar ik zei niet: Het is onze schuld. Ik zei niet: Het komt doordat wij met de auto gaan.
Ik wilde mijn vader niet verdrietig maken.
En ik weet natuurlijk wat hij geantwoord zou hebben. Hij zou iets hebben gezegd over dat de uitlaatgassen van ons autootje werden schoongemaakt door een katalysator en dat het de schuld van de boeren was dat de zee groen was geworden, dat het kwam doordat zij te veel bemestten, of dat het kwam door de grote industrieën in de rest van Europa.
Het was niet onze schuld. Het kwam echt niet door ons kleine autootje.
Zo is het. Niemand wil zich persoonlijk verantwoordelijk voelen. Niemand kan het opbrengen om zich er druk over te maken.
Zo makkelijk zijn mensen. Liever je kinderen niet in zee laten zwemmen, dan niet meer rond kunnen rijden en toeteren in je stinkende stukje blik. Vrijheid heet dat, ontwikkeling.
En al toen ik nog maar een klein meisje was, was ik zo wijs dat ik dat begreep.
Maar wij kunnen kiezen.
Wij kunnen ons leven kiezen. Wij kunnen kiezen om ons persoonlijk verantwoordelijk te voelen.
Ja. Dat dacht ik op de eerste dag van het jaar en ik beloofde mezelf dat ik dat wijze kleine meisje dat ik was geweest nooit zou vergeten. Dat ik nooit zo gemakzuchtig zou worden.

Ik was net klaar met denken, toen er werd aangebeld.
Ik was verbaasd. Er wordt niet vaak bij mij aangebeld. Ik was bijna vergeten hoe het geluid van de bel klonk.
'Hallo...'

Daar stond mijn vader. Hij hield me een bruine kartonnen doos voor.
'Die zou je toch krijgen,' zei hij en hij zag er bijna verlegen uit.
'Nog meer kerstcadeautjes,' lachte ik terwijl ik de doos aanpakte. 'Kom maar binnen...'
Maar mijn vader schudde zijn hoofd.
'Je moeder zit te wachten in de auto. We zijn op weg naar tante Lena. Maar ik wilde niet dat mamma dit zou zien, dan zou ze maar ongerust worden.'
Nu begreep ik wat ik in mijn handen hield. Een nummermelder. En mijn vader nam afscheid en beloofde dat hij me eens een keer zou komen opzoeken en ik pakte mijn nummermelder uit en schakelde hem in. Het was makkelijk, ik hoefde alleen maar te doen wat er in de gebruiksaanwijzing stond.
Daarna ging ik naast de telefoon zitten en staarde ernaar. Ik lachte triomfantelijk.
'Zo, klootzak,' zei ik met een glimlach. 'Nu mag je mij bellen, klootzak. Nu zul je jezelf verraden, klootzak. Want ik heb een nummermelder.'
Ik staarde naar de telefoon en glimlachte.
Haha, dacht ik en ik voelde me heel tevreden. Ik had een nieuw woord geleerd en ik herhaalde het steeds maar weer alsof het een heilige mantra was: Nummermelder. Nummermelder.
Toen ging de telefoon. Ik schrok er zo van dat ik van mijn stoel viel. Maar toen ik weer overeind was gekrabbeld, keek ik naar het telefoonnummer dat op de kleine display stond en ik nam op en zei:
'Hallo Cat. Ik wist dat jij het was. Weet je hoe ik dat wist?'
Maar Cat was niet erg onder de indruk. Als je haar hoorde, zou je denken dat iedereen een nummermelder had, alsof dat eigenlijk bij de basisuitrusting van ieder mens hoorde, en toen zei ze dat ze alleen maar belde om te horen hoe het met mij ging vandaag.

'Hoe gaat het met je vandaag?'
De klank van haar stem zei veel meer dan haar woorden en we praatten even over het feest van de dag ervoor en wie het ergst dronken was geweest en wie met wie had gezoend en wat voor gekke dingen er waren gebeurd en ik hoorde een aantal dingen die ik had gemist en ze klonk heel vrolijk en ze zei iets tegen iemand die wat mompelde op de achtergrond en ik begreep dat ze een jongen mee naar huis had gekregen als nieuwjaarscadeautje. Of misschien was zij het nieuwjaarscadeautje van een jongen.
'Ken ik hem?' vroeg ik.
'Nee,' giechelde ze en ze klonk gelukkig.
Daarna zeiden we dat we iets zouden afspreken voordat de school weer begon en voordat Cat afscheid nam, vroeg ze of ik nog goede voornemens had voor dit jaar.
'Ik heb besloten om me persoonlijk verantwoordelijk te voelen,' zei ik.

4

Malmö is best een grote stad. De op twee na grootste stad van Zweden. Er wonen hier veel mensen. Je kunt een anoniem leven leiden als je dat wilt. Je kunt een hele dag in het centrum doorbrengen zonder dat je iemand tegenkomt die je kent en zonder een enkele keer hallo te zeggen.
Vaak is het zo, tenminste voor mij.
Dus misschien had ik wel moeten bedenken dat het vreemd was, dat het wel heel erg toevallig was dat ik op een grauwe, ijzige dag voor Driekoningen tegen een zekere leraar opbotste.
De dag waarop iedereen zijn kerstcadeautjes ging ruilen was voorbij, de dag waarop de grote uitverkopen begonnen was voorbij, en

toch was de halve stad op de been in de straten, de warenhuizen en de winkels. Er viel een grijze, scherpe januariregen en scherpe ellebogen duwden en stootten. Ik verlangde naar huis, naar droge kleren en warmte en stilte en een goed boek en hete thee, en toen stond hij daar ineens voor me.
'Hé, hallo!'
Ik keek op en voelde een regendruppel langs mijn neus naar beneden glijden, ik ving hem op mijn tong toen hij viel.
'Gelukkig nieuwjaar!'
Zijn glimlach was licht en warm, als een smal strookje roze ochtendschemering tussen al het zware grijs door.
'Koffie?' vroeg hij en hij knikte naar een café waar wij vlakbij stonden.
'Thee,' antwoordde ik vlug.
Hij pakte me bij mijn arm,
hij legde zijn hand achter mijn elleboog
op die manier die zo irritant kan zijn
die mannelijke, ietwat ouderwetse manier
die als het ware vriendelijk maar beslist
iemands stappen wil sturen
maar zo voelde het helemaal niet nu
het voelde alleen maar fijn om binnen te komen in de warmte
het voelde alleen maar als
ja graag.

Mijn natte spijkerbroek spande zich om mijn dijen en toch voelde het fijn om daarbinnen in de warmte te zitten, om weer tegenover Per te zitten met een tafel tussen ons in en een hete kop thee om mijn handen aan te warmen.
Precies. Nu was hij Per geworden in mijn gedachten. Alleen Per, alleen zijn voornaam. Ik constateerde het met een glimlachje terwijl we praatten over de kerstvakantie en het weer en we het er-

over eens werden dat we allebei verlangden naar blauwe lucht en witte sneeuw.
Toen we klaar waren met praten over koetjes en kalfjes, zei hij: 'Ik heb ergens over nagedacht. Iets wat jij zei toen we elkaar de vorige keer spraken.'
Ik wachtte en blies in mijn handen, die nog helemaal stijf waren van de grijze kou.
'Je had het over volwassen worden, herinner je je dat? Ik heb erover nagedacht...'
Hij zweeg en ik wachtte. Hij liet mij een tijdje wachten, toen begon hij te declameren:
'Juist midden op de reistocht van ons leven zag ik mij in een donker woud verloren, daar ik van 't goede pad was afgeweken.'
Ik keek hem aan en trok mijn wenkbrauwen op in een woordeloze vraag.
'Dante,' antwoordde hij. 'Het begin van De Goddelijke Komedie.'
'Aha,' zei ik.
'Ik bedoel,' zei hij, 'dat ik daar nu sta. In het midden van mijn leven. Dante was vijfendertig toen hij dat schreef. Dat ben ik ook. Ik bedoel: Vermoedelijk... mogelijkerwijs... waarschijnlijk... misschien... ben ik op de helft van mijn leven.'
'Dat ben ik misschien ook wel,' zei ik vlug en ik haalde mijn schouders op. 'Dat weet je toch nooit. Misschien word ik onderweg naar huis wel overreden door iemand die dronken achter het stuur zit. In dat geval was ik al op de helft van mijn leven toen ik negen was.'
Per keek me aan en lachte een tweekleurige glimlach.
'Je bent wijzer dan Dante, jij,' zei hij.
Toen boog hij zich iets naar voren over het tafeltje en ging verder: 'Maar ik dacht dus na over dat volwassen worden. Ik heb zo vaak het gevoel dat ik nog zestien ben, ik heb nog zoveel van een zestienjarige in mij, alle gedachten van een zestienjarige en overpeinzingen van een zestienjarige die ik nog niet ontgroeid ben...

Ik voel me ook vaak onzeker als een zestienjarige, onzeker over hoe ik me moet gedragen waar andere mensen bij zijn, ik wil net zoals de anderen zijn en toch ook weer niet... Ik voel me ook vaak zeker als een zestienjarige, zeker dat ik iets begrepen heb wat de anderen niet begrepen hebben, zeker dat ik meer weet dan zij...'

Ik keek hem recht in de ogen. Nee. Nee, dat waren niet de ogen van een zestienjarige. Maar ook niet de ogen van een vader of een meester.

'Ik bedoel alleen...' zei hij, 'ik probeer alleen te bedenken wanneer je volwassen wordt, wat het eigenlijke moment van volwassen worden is; er zijn immers geen rituelen meer zoals vroeger, dat je volwassen bent als je belijdenis hebt gedaan bijvoorbeeld. Ik weet dat ik volwassen ben, ik moet het zijn, ik wil het zijn, maar... maar ik heb ook nog zoveel van een zestienjarige in mij, nog steeds. Moet ik misschien nog volwassener worden? Zijn andere volwassenen volwassener dan ik?'

'Jij hebt toch kinderen,' zei ik. 'Een vader moet wel volwassen zijn. Ben je niet volwassen geworden toen je vader werd?'

Hij had een verbaasde blik in zijn ogen toen hij mij aankeek. Alsof hij was vergeten dat hij kinderen had. Twee dochters om de week, dat had hij gezegd.

'Dat is waar,' zei hij met een knikje. 'Je moet in een verantwoordelijkheid groeien als je kinderen krijgt. Maar ik heb zelf ook een vader. Ik ben ook een zoon. Misschien word je pas echt volwassen als je ouders doodgaan; dat heb ik eens iemand horen zeggen.'

Ik probeerde een gaap te onderdrukken. De warmte hing als een klamme deken over het café en misschien was het gesprek ook wel een beetje sloom, ik vond het in elk geval moeilijk om me er echt betrokken bij te voelen.

Aha, dacht ik. Aha, o.

Mijn oogleden werden zwaar en ik kneep mijn ogen even dicht,

ik knipperde. Per glimlachte plagerig naar me om te laten zien dat hij het begreep, maar hij hield niet op.
'Soms word je eraan herinnerd. Vorige zomer was ik in Ierland met mijn gezin. Met het gezin dat ik had dus. Op een gegeven moment belandden we in een handwerkatelier ergens in Connemara. We zaten daar thee te drinken en muffins te eten toen er twee meisjes binnenkwamen, twee mooie, trotse Ierse meisjes met rood haar en groene ogen, iets ouder dan jij misschien, en ze waren vrolijk en ze praatten en lachten en toen ze hadden betaald bij de kassa draaiden ze zich om en keken rond of er een plekje was waar ze konden zitten en ze keken allebei precies tegelijk naar mij en ik glimlachte natuurlijk, maar... Ik kreeg niets terug. Niets. Zelfs geen schaduw van een glimlach. Hun blikken bleven geen seconde bij mij hangen. Ze zochten gewoon verder. Toen werd ik eraan herinnerd. Ik ben volwassen nu, dacht ik. Dat zijn twee meisjes en zij zien een volwassen man, een ouwe vent met kinderen en een vrouw. Zij zien niet die jongen, die jongeman die ik was toen ik naar ze glimlachte...'
Hij zweeg en leunde achterover en ik voelde me niet prettig.
Wat zeg je nou? dacht ik. Waarom vertel je dit aan mij? Hoe durf je, ben je niet bang dat ik bang word?
Dus dat is wat jij wilt, meester, jij wilt dat ik jouw ouder worden wegstrijk met mijn maagdenhanden.
Jij wilt dat ik jou besmet met mijn jeugd. Is dat het?
Kleffe, droevige gedachten, zo klef als de natte spijkerbroek aan mijn dijen. Ik wilde naar buiten. Naar buiten in de wind. Naar buiten en naar huis.
Zoals gewoonlijk kon leraar Per Nosslin mijn gedachten lezen.
'Dit had ik natuurlijk niet aan jou moeten vertellen...'
Zijn glimlach was ernstig.
'Nu denk je waarschijnlijk dat ik een vieze ouwe kerel ben die jou probeert te verleiden om zich jong te kunnen blijven voelen. Maar

dat is niet zo. Helemaal niet. Het is alleen... ik vergeet het wel eens. Ik werd eraan herinnerd.'
Ja. Nu zag hij er werkelijk oud en moe uit, alsof hij wilde dat ik me schaamde voor mijn gedachten.
Zijn neerslachtigheid en moeheid werkten aanstekelijk op mij en ik zuchtte voor me uit.

De afstand tussen ons was groter geworden daar in het café, niet alleen omdat we allebei achteroverleunden in onze stoel, nee, er was niet alleen een tafel tussen ons in, onze gedachten bouwden hoge bergen en diepe oceanen... In elk geval mijn gedachten.
En ik dacht: Of jij bent heel erg eerlijk. Eerlijk en een beetje dom. Of jij bent heel erg sluw. Gevaarlijk sluw.
Wat de man tegenover mij dacht, kon ik niet zien; zijn gezicht was voor mij geen open boek, zoals het mijne klaarblijkelijk voor hem was.
Maar nu... Nu werd hij weer vrolijk. Nu opende zijn gezicht zich voor mij met die mooie glimlach van hem die een diepgevroren hart kon ontdooien, sneller dan welke magnetron ook. Nu schoot hem iets te binnen, iets wat hem vrolijk maakte. En zijn vrolijkheid maakte mij ook vrolijk.
'Ik heb nog een kerstcadeautje voor je,' zei hij en keek recht naar binnen in mijn verwachtingsvolle blik. 'Dat was ik helemaal vergeten.'
Hij bukte en rommelde wat in zijn tas, daarna dook hij weer op boven de tafel en hield mij een pakje voor.
'Hier. Alsjeblieft. Vrolijk kerstfeest. Of... Ja. Een beetje laat misschien. Maar toch, alsjeblieft.'
'Moet ik het nu openmaken?' vroeg ik toen ik het pakje van hem aannam.
Hij knikte.
'Ik denk een boek,' zei ik.

Hij knikte.
'Sappho,' las ik toen ik het papier eraf had gescheurd. 'Sappho. Gedichten en fragmenten.'
'Ken je Sappho?' vroeg hij.
'Grieks. Vrouw. Dichteres. Lang geleden. Dat is ongeveer alles wat ik weet,' zei ik en ik schudde mijn hoofd. 'Hartelijk bedankt. Wat een mooi boek.'
Eigenlijk wist ik nog iets over Sappho, of dacht ik in elk geval iets te weten: dat ze bekend stond om haar lesbische liefdesgedichten.
'Ja, het is een mooi boek. Het boek van het jaar van de poëzieclub. Ja, dat klopt. Ze leefde lang geleden, ja. Vijfentwintighonderd jaar geleden. Op het eiland Lesbos. Het is toch heel bijzonder dat haar gedichten ons nog steeds kunnen bereiken en ontroeren.'
Toen keek hij op zijn horloge en hij kreeg opeens een merkwaardige haast en hij rende weg terwijl ik met het boek in mijn hand bleef staan en hartelijk bedankt achter hem aan riep.
Zijn snelle aftocht leek op een vlucht. Of slecht toneelspel.

Later pas, thuis in mijn flat, 's avonds, toen ik wat in het boek had zitten bladeren, kreeg ik de volgende gedachte:
Waarom had hij een kerstcadeautje voor mij in zijn tas?
Het kon toch niet zo zijn dat hij dat boek elke dag meesleepte tot we elkaar toevallig een keer zouden tegenkomen.
Dus, of:
a. Hij was van plan geweest om het boek aan iemand anders te geven. Of aan zichzelf.
of
b. Hij wist dat wij elkaar zouden tegenkomen vandaag. Misschien was hij van plan geweest om mij op te zoeken. Of het op te sturen. Maar wist hij mijn adres?
Nee, het was een bescheiden mysterie. Alles wees op alternatief a. En dat Per een vindingrijke en beleefde leugenaar was.

5

'Maagdelijkheid, maagdelijkheid, waar ben je nu?
Nooit keer ik weer, nooit keer ik weer naar jou.'

Ik voelde me goed.
Als een muisje zat ik ineengekruld in mijn huis, in een hoekje van mijn bed, met een deken over mijn schouders. Ik las Sappho, dronk thee en at heerlijke koekjes terwijl de regen tegen de ramen kletterde.
Dat ik jou kan begrijpen, dacht ik. Dat ik kan voelen dat we dicht bij elkaar staan. Tijd is niets, vijfentwintighonderd jaren spelen geen rol, ik begrijp jou. Niet alles, maar iets. Mytilene op Lesbos in de Egeïsche Zee is net zo dichtbij als het Triangelplein of het Gustav Adolfplein. Tijd en afstand hebben geen betekenis.
Het boek maakte dat ik zin kreeg om te schrijven. Ik schreef, ik bleef twee uur lang zitten en schreef woorden op papier.
Ik voelde me goed. Warm en droog. De regen op het raam. Woorden op papier.
Het gaat goed met mij, dacht ik.
Het was Driekoningen, de laatste dag van de kerstvakantie.
Anna belde om te vragen hoe laat we morgen op school moesten zijn en ik had natuurlijk geen idee, ze vroeg of ik zin had om vanavond mee te gaan naar de film, ik zei nee en daarna zeiden we dag, en tot morgen op school.

School.
Toen ik had opgehangen, legde ik mijn pen neer en begon ik aan school te denken.
School. De tijd die ik wakker ben, wordt er al twaalf en een half jaar mee gevuld. En het heeft zo weinig sporen achtergelaten. Wat een verspilling van tijd.

Wat moet een mens leren? Lezen en schrijven. En rekenen: optellen, aftrekken, delen en vermenigvuldigen. En procenten. Hoeveel tijd kost het om te leren lezen en rekenen? Een jaar misschien. En de rest van de tijd? Niets. De rest van de tijd wordt gebruikt om te leren waar plaatsjes als Arboga liggen, hoeveel eitjes een merel legt, hoe de zonen van koning Gustav Wasa heetten, de vervoegingen van het werkwoord, wat het woord interpellatie betekent, welke gaven de drie wijzen meebrachten voor Jezus, welke Duitse voorzetsels de derde naamval krijgen, wat de scheikundige formule van azijnzuur is, in wat voor eenheid je effect meet en hoe de Indiase goden heten. Dat alles en nog oneindig veel meer heb ik geleerd. Dat wist ik allemaal als we proefwerken en overhoringen hadden. En ik ben het allemaal weer vergeten.

Niets meer van over. Dus: wat is het nut geweest?

Niet meer dan tijdverdrijf. Een soort spel om kinderen en jonge mensen bezig te houden. Alles is nep, niets is serieus. En de kinderen en jongeren lopen door de gangen en zitten netjes in rijtjes in de lokalen en gebruiken ongeveer vijf procent van hun energie en hun zin om mee te doen aan het spel.

Nu gaan we een spel doen dat onderwijs heet...

Of een ander spel dat zelfstandig werken met de computer heet.

En waar ik zin in had, wat ik echt wilde leren, daar hadden we het nooit over op school.

Hoeveel ruimte mag ik innemen op aarde?

Zijn mensen diep vanbinnen goed?

Moet je vitamine B-injecties nemen als je geen vlees eet? Waarom?

Kun je leren zingen?

Is het mogelijk om een rechtvaardige samenleving te creëren? Is het mogelijk om een rechtvaardige wereld te creëren?

Waarom huil ik zo vaak? Waarom ben ik niet zoals de anderen?

Al mijn vragen die nooit werden beantwoord. Die niet eens wer-

den gesteld. Dat wat er elke dag tussen kwart over acht en halfvier gebeurde, was toch maar nep. Het was maar een spelletje.
Dat wat ik écht wilde leren, heb ik mezelf natuurlijk geleerd.
Toen ik veertien was, wist ik al meer over literatuur dan onze lerares. Zij kende de hedendaagse schrijvers niet eens. Wie is Peter Pohl? Wie is Inger Edelfeldt? Wie is Douglas Coupland? Wie is Gunnar Ekelöf? Ja, van die laatste had het mens wel eens gehoord, maar ze kon zich niet één dichtregel van hem herinneren.
En ik wist meer over het milieu en over gelijkwaardigheid dan onze leraar algemene natuurwetenschappen. Hij had geen idee wat 'verantwoorde milieuruimte' betekende.
En ik wist meer over politieke theorieën en filosofie dan onze lerares maatschappijleer. Wat wist zij van Proudhon, Krapotkin en Singer? Niets.
Nou, oké. Er was een muziekleraar die ervoor heeft gezorgd dat ik zin kreeg om gitaar te spelen. En die mij hielp met een paar akkoorden en mij leerde hoe je een blues-intro speelt. En vooral: er was een tekenleraar.
Die heette Beer. En zo sjokte hij ook rond door zijn tekenlokaal. Ik zie hem zo voor me. Het warrigste kapsel van de hele school. De slordigste kleren van de hele school. Ik kan zo zijn stem horen. Met zijn rustige, vertrouwde Zuid-Zweedse accent zei hij vriendelijke dingen, zowel aanmoediging als kritiek. En hij heeft mij geholpen weer op te krabbelen toen het bijna helemaal fout ging met mij. Alleen door mens te zijn, een beetje meer mens en een beetje minder leraar. Een beetje echter.
Ik had het natuurlijk aan hem te danken dat ik na de derde klas het profiel cultuur en maatschappij heb gekozen. Ik had het aan hem te danken, of het was zijn schuld. En toch speelt dit alles geen rol. Dit is niet het belangrijkst.
Als ik aan school denk, denk ik niet aan wat ik heb geleerd of wat ik ben vergeten.

Als ik aan school denk, denk ik: Ik heb het overleefd. Ondanks alles. Ik leef nog.
School is een overlevingscursus.
Voor iedereen in meer of mindere mate. Voor mij meer dan voor de meeste mensen misschien. Maar iedereen moet een eigen manier vinden om erdoorheen te komen, een eigen methode, een eigen strategie.
Ik gebruikte twee strategieën op mijn weg door de basisschool en de brugklas.
De eerste was zwijgen.
Als je alle woorden zou verzamelen die ik tijdens mijn eerste negen jaar op school heb gezegd, dan zouden ze makkelijk in een plastic tasje passen. Ze zouden zo'n tasje niet eens vullen.
Zwijgen was mijn strategie. Ik cijferde mezelf weg. Ik maakte mezelf stom en onzichtbaar, bijna onzichtbaar.

En de juffen logen. Elk semester, bij elk oudergesprek, logen de juffen tegen mijn ouders.
'De klas is een beetje druk.' Dat betekende: het is een chaos in de klas. Niemand luistert naar elkaar. Niemand luistert naar de leraren. Iedere middag hoofdpijn en iedere ochtend buikpijn.
'De meisjes in de klas gaan leuk met elkaar om.' Dat betekende: er is er één die de baas is in de klas, zij bepaalt wat er gebeurt. De andere meisjes maken ruzie om wie haar beste vriendin is en wie haar mag behagen. Degene die iets doet wat de baas niet bevalt, ligt eruit en wordt stiekem geknepen en geslagen en krijgt stiekeme briefjes en gemeen geroddel en wordt voor allerlei lelijks uitgescholden.
'De meisjes in deze klas zijn zo rijp.' Dat betekende: de meisjes menstrueren al, beginnen al te drinken in het weekend en gaan om met jongens die drie jaar ouder en twee keer zo groot zijn. Hannah menstrueert ook al, ja. Maar dat andere niet, nee.

‘Hannah is meestal samen met Maria.’ Dat betekende: wij bleven over. Als iedereen had gekozen, stonden wij er nog. Wij waren helemaal niet samen, we waren alleen eenzaam naast elkaar.
‘Hannah is slim.’ Dat betekende: Hannah heeft altijd het beste cijfer voor alle proefwerken. En daarom wordt ze door de rest van de klas veracht en gehaat.
‘Hannah is te stil. Iedereen moet meedoen aan de discussies. En bij Zweeds en de andere talen is het mondelinge gedeelte ook belangrijk.’ Dat betekende: Hannah zegt nooit iets, ze doet haar mond niet open in de klas. Dan krijgt ze in elk geval geen hatelijk commentaar en gelach naar haar hoofd.
‘De jongens in de klas zijn nog wat kinderlijk.’ Dat betekende: elke dag duwen de jongens Hannah tegen de kast aan, knijpen en prikken in haar borstjes, trekken aan haar kleren, bespreken haar ondergoed. Elke dag vragen de jongens of ze ongesteld is. Hannah is niet de enige die ze te pakken nemen, nee. Niet alle meisjes, maar de meeste wel. Niet alle jongens, maar de meeste wel. De luidruchtigste en de sterkste kinderen regeren; in de klaslokalen, op de gangen, in de kantine, overal. Een terreurbewind waar laffe leraren slechts om grijnzen, of ze verkiezen het niet te zien door zich af te wenden.
‘Het gaat goed met Hannah op school.’ Dat betekende: Hannah wil alleen maar huilen als ze aan school denkt. Ieder weekend is een eiland in een kolkende, bulderende zee. De zomervakantie is een paradijs waar je van droomt en naar verlangt. Hannah wil dood als ze aan school denkt.
De juffen logen en mijn vader en moeder geloofden natuurlijk wat ze hoorden. Niet dat Hannah ooit iets anders zei. En toch hadden ze het moeten begrijpen. Ze lieten mij in de steek door niet door die leugens heen te prikken, door ervoor te kiezen om de waarheid niet te zien.
Zo was het. Negen jaar lang was het zo.

Ik hulde me in een pantser van zwijgzaamheid en eenzaamheid. Erg dicht werd het nooit, minachting en boze woorden drongen tussen de kieren door, maar toch beschermde het mij. Ik heb het overleefd.
Er waren kinderen voor wie het veel erger was, dat weet ik. In zeker opzicht werkte mijn strategie goed. Ik liet mijzelf inkrimpen tot bijna niets. Het werkte. Ik dacht nooit dat ik werd gepest. Als wij themadagen over pesten hadden, dacht ik nooit dat het over mij ging. Helemaal niet.
Negen jaar lang.
Vanaf de eerste dag in groep een, tot de laatste dag in de brugklas. Een klein plastic tasje zou voldoende zijn voor al de woorden die ik had gezegd, ja.
Toen werd het anders.
Toen werd ik het tegenovergestelde.

Ja, er zijn ontmoetingen die ons leven veranderen.
Het gebeurde in de laatste week van de zomervakantie, voordat ik naar de tweede ging. Ik was met de bus uit de stad gekomen, ik was een paar dagen bij mijn oma in Kopenhagen geweest, en nu was ik op weg naar huis. Ik stak schuin het speelplein over en daar zat Camilla, in haar eentje, op een van de autobandschommels.
Camilla, de enige echte punkster van Höllviken. Het allerbleekst en het allerzwartst. Wild en gek en sterk ging zij haar eigen weg, iedereen wist wie ze was, niemand kende haar eigenlijk echt.
Daar zat ze, ze schommelde rustig heen en weer in de zomerschemering.
'Wat staar je nou mens?'
Dat was het eerste dat ze zei. Ik had niet gestaard, ik had alleen geprobeerd om onopgemerkt langs haar heen te sluipen, maar nu bleef ik voor haar staan.
Ik bleef staan en ik begon te huilen.

De tranen liepen als een waterval uit mijn ogen, stroomden over mijn wangen en ik bleef staan, zonder iets te zeggen en zonder mijn blik van Camilla af te wenden.
Ik weet niet waarom, ik begrijp niet wat er gebeurde, maar er knapte iets in mij en er brak een wanhopig verdriet los. Ja, misschien werd ik er wel aan herinnerd dat het zomerparadijs was afgelopen en dat de hel van school weer op mij wachtte. Maar waarom bleef ik staan, waarom sloop ik niet weg zoals ik meestal deed? Ik weet het niet.
Maar precies op dat moment begon mijn nieuwe leven. Camilla kwam naar mij toe lopen en pakte me bij mijn schouders en ik leunde voorover en snotterde op haar versleten zwarte leren jack. Ze rook scherp, haar zakken zaten vol sigarettenpeuken.
'Kom. Ik weet een plekje waar we kunnen gaan zitten om te praten,' zei ze en haar hand aaide over mijn nek.
Toen begon mijn nieuwe leven.

Metamorfose
Ja, een verandering was het,
alsof je een hand omdraait
een bleek, zwijgzaam schoolmeisje
werd een bleke, trotse punker.
Ja, ik vond een rol die ik kon spelen,
een rol die bij mij paste, een rol die ik was
en het kostte me maar een dag of twee
om erin te groeien
en toen de school weer begon kwam Hannah in het zwart gekleed
en met zwarte make-up en haar haar gemillimeterd, op een groen
plukje boven op haar hoofd na
en iedereen staarde en een van de jongens in de klas grinnikte
en ik aarzelde geen seconde
maar liep naar hem toe en gaf hem een knietje.

Respect. Dankjewel.
Een nieuw leven, een nieuw mens.
Alles begon opnieuw.

Ja, ja, ja, ja, ja! Ik liep over, ik bruiste, ik wervelde, ik danste en lachte en riep de nacht in.
Ik was opnieuw geboren. Eindelijk had ik mijn rol gevonden, de rol die ik was.
En het was natuurlijk niet alleen maar uiterlijk, het waren niet alleen de kleren en de muziek. Het waren de mensen, het waren Camilla en haar vrienden uit de stad, allemaal even vrij en vrolijk en knettergek. Het was alles wat wij deden, alle gekke dingen, alle feesten, al het onvoorspelbare. Het waren de ideeën, opeens begreep ik het, ja, zo zit de maatschappij in elkaar, zo is het. En zo zou het moeten kunnen zijn. Anarchie maakt je vrij. Er is een strijd te strijden. Het moet leuk zijn om mee te doen aan een revolutie.
Ja, ja, ja, ja, ja.
Ik aarzelde geen seconde.
Nu was ik op de goede plek terechtgekomen.
Met open armen verwelkomde ik mijn nieuwe leven. Het oude was al vergeten en begraven. Diep, diep, diep.
En mijn ouders?
Mijn vader keek met zorgelijke ogen naar mij. Mijn mooie haar. Wat was er met zijn enige dochter gebeurd? Hij zuchtte en wendde zich af, te laf om de strijd aan te gaan.
Mijn moeder was nog het meest ongerust over hoe mijn nieuwe leven háár zou raken. Wat zou haar moeder ervan denken, wat zouden de buren ervan denken, wat zouden de leraren ervan denken, wat zou zij allemaal moeten doorstaan? En ze schold en huilde en smeekte en schreeuwde en ik smeet de deur dicht en ging weg.
Mijn ouders. Natuurlijk waren die ongerust.

Zij dachten dat ik tot diep in de nacht zou uitgaan, dat ik met criminelen zou omgaan, dat ik zou gaan drinken en drugs gebruiken en stelen en met jongens zou gaan rotzooien en mijn school zou verwaarlozen.
En wat hadden ze gelijk.
Het was erger dan hun ergste fantasieën.
Dieper in de nacht, ergere vrienden. En ik leerde zuipen en blowen en pillen slikken en van alles door elkaar drinken en de roes maakte mij duizelig en gelukkig. En wij jatten alles wat we nodig hadden in de warenhuizen. En we trokken door de straten van de dure buitenwijken en schopten de achteruitkijkspiegels van de luxe auto's en maakten krassen in de lak. Eerst was ik een beginner in de seks, maar ik leerde al snel wat jongens willen, hoe ze gestreeld en gekust willen worden. En al mijn goede cijfers vlogen door het raam van het klaslokaal naar buiten. De helft van de tijd was ik daar niet.
Alles heb ik gedaan, erger dan mijn moeder ooit had kunnen denken. Maar nooit gespoten. En echt neuken, dat deed ik niet. Zelfs als ik dronken was, hield ik mijn benen bij elkaar.
Wij werden achternagezeten door neonazi's en door de politie. Soms, als wij met genoeg waren, gingen we naar Vellinge om achter neonazi's aan te zitten. Maar verder probeerden we uit de problemen te blijven, ik tenminste wel.
Mijn ouders wenden eraan. Ze moesten er wel aan wennen.
Ze wenden eraan dat laat in de avond diep in de nacht en helemaal niet thuis werd, ze wenden aan mijn nieuwe uiterlijk en mijn nieuwe vrienden, mijn vader hield niet op met zuchten en mijn moeder hield niet op met schelden, maar ze wenden eraan. Ze dachten waarschijnlijk dat het nog erger had kunnen zijn.
Ja. Het had erger kunnen zijn.
Ik heb het overleefd. Ik ben niet mishandeld of verkracht. Ik heb nooit te veel van de verkeerde drugs genomen, ik ben nooit op de

eerste hulp beland. Ik ben nooit thuisgekomen in een politieauto, ja, het had veel erger kunnen zijn. Ik ging zelfs over van de derde naar de vierde, hoewel ik stoned was en hoewel ik tijdens het tweede semester in de derde bijna elke middag giechelend rondliep, met mijn gedachten hoog in de blauwe lucht. Iedereen heeft het gemerkt, behalve de leraren.
Ik heb het overleefd. En niet alleen dat: ik was gelukkig.
En ik kwam erdoorheen.
Ik groeide. En ik begreep tenslotte dat ik ook deze rol moest opgeven, dat ik ook dit masker moest afzetten. Maar ik wist dat ik iets had geleerd, ik wist dat ik dit nooit zou vergeten.
Je kunt ook zeggen dat ik een afspraak met mijn moeder maakte. Een soort wapenstilstand. Of een soort chantage misschien. Een flatje in Malmö, en dan zou ik het zwarte punkleven opgeven.
Het was geen moeilijke keuze en ik had niet het gevoel dat ik iets of iemand verraadde. Ik was toch onderweg, ik was onderweg naar vooruitgang. Alles was echt geweest, alles was nog steeds echt. In mijn hart droeg ik datgene wat echt was. Draag ik dat nog steeds, hoewel ik volwassen ben geworden.
Maar Camilla raakte ik kwijt.
Zij keerde zich van mij af.
Nu mis ik haar in mijn leven. En ik ben bang dat zij bezig is te verdrinken in haar leven. Ik wilde dat ik haar kon bereiken, dat ik haar kon helpen zoals zij mij heeft geholpen. Maar ze heeft zich van mij afgekeerd, ze laat mij niet dichterbij komen.

Ja, zo was het op school.
Negen jaar van zwijgzaamheid en mezelf wegcijferen.
Twee jaar van opstandigheid en vrolijkheid.
En nu de laatste drie klassen, wat is dat? Afwachten. Een vermoeid afwachten totdat het leven echt gaat beginnen.
Morgen is de kerstvakantie voorbij.

6 (Een velletje papier aan de muur)

Overdag, op school

In lokaal 1 hebben 27 leerlingen Zweeds
Daar zit een meisje en zij denkt
Waarom ben ik niet zoals de anderen?
Waarom ben ik zo anders?

In lokaal 2 hebben 29 andere leerlingen Zweeds
Daar zit een meisje en zij denkt
Waarom ben ik niet zoals de anderen?
Waarom ben ik zo anders?

In lokaal 3 hebben 26 leerlingen Engels
Daar zit een jongen en hij denkt
Waarom ben ik niet zoals de anderen?
Waarom ben ik zo anders?

En in lokaal 4 en 5 en 6 en in alle lokalen
zit iemand met diezelfde gedachten, met diezelfde vragen

's Avonds, thuis

Zij zit achter haar bureau
en ze bekijkt haar spiegelbeeld in het raam
Buiten hoort ze vrolijk geroep en gelach
Ze denkt: Waarom ben ik niet zoals de anderen?
Waarom ben ik zo anders?

Zij en zij en hij en zij en hij en zij en zij
en iedereen.

7

Ja. De laatste avond van de kerstvakantie eindigde met gedachten aan school. En met gedachten over hoe ik geworden ben wie ik ben. Hoe word je wie je wordt? Een toevallige ontmoeting op een speelplein veranderde mijn leven. Veranderde mij. Wie was ik anders geweest?
Hannah, Hannah, je piekert te veel. Nu moet je gaan slapen, meisje. Morgen begint school weer. Dan moet je fit zijn en openstaan voor nieuwe kennis.
Tsss... Nieuwe kennis. Ha.
Ik was net in bed gekropen toen de telefoon ging.

Ik schoot overeind, alsof ik een schorpioen over mijn dekbed had voelen kruipen. Mijn hart bonkte. Toen werd ik boos. Toen werd ik bang. Toen herinnerde ik het me: O ja. Nu was het mijn beurt om te overwinnen. O ja. De nummermelder. Dit alles gebeurde in drie seconden.
Ik rende naar de telefoon en rukte de hoorn eraf, nog voordat het tweede belsignaal was weggestorven.
'Nou heb ik je, klootzak,' siste ik.
Toen pas keek ik op de display.
'Geheim nummer' stond er met zwarte digitale letters. Wat was dit? Hoezo geheim nummer?
Ik moet eruit hebben gezien als een groot, bloot vraagteken zoals ik daar stond te staren naar mijn nummermelder. Wat was dit nou weer voor verlakkerij?
Teleurstelling en wantrouwen zorgden ervoor dat alle kracht uit mijn lichaam wegvloeide, ik liet de hoorn zakken, hield hem met beide handen voor mij uit en staarde ernaar.
Mijn God had mij in de steek gelaten. De nummermelder was een valse verlosser gebleken.

Ik liet een mismoedig druppeltje spuug op de hoorn vallen en toen slaagde ik er met slappe, trillende handen in om hem weer op de telefoon te leggen. Verdomme.

Nee. Ik was blijven staan, ik had daar vijf lange minuten gestaan toen ik mijn hoofd schudde. Nee. Meer boos dan bang. Meer teleurgesteld dan boos. En meer nieuwsgierig dan teleurgesteld.
Ik pakte de hoorn weer op en belde Cat. Ze nam op met de vraag:
'Weet je wel hoe laat het is?'
'Sliep je?' vroeg ik.
'Dat doe ik meestal 's nachts,' zei ze. Ze klonk chagrijnig. Na een korte stilte hoorde ik ongerustheid in haar stem:
'Is er iets gebeurd?'
'Waarom staat er geheim nummer op mijn nummermelder?'
'Word je door iemand lastiggevallen?'
Ja. Ze klonk als een ongeruste vriendin.
'Waarom staat er geheim nummer?' hield ik vol.
'Als je iemand belt die nummerweergave heeft en je wilt niet dat je nummer te zien is, toets je gewoon sterretje-drie-een-sterretje. Dan staat er geheim nummer op de nummerweergave van degene die je belt. Of je kunt aanvragen dat je altijd een geheim nummer wilt, dan is je nummer nooit te zien.'
Ik zei niets.
'Word je door iemand lastiggevallen?' herhaalde zij.
Ik gaf geen antwoord.
'Dan moet je aangifte doen bij de politie. Ze kunnen zulke gesprekken traceren. Doe het nou maar. Het kan wel iemand zijn die... Doe het nou maar. Geef het maar aan.'
Ik zweeg. Toen zei ik:
'Sorry dat ik je heb wakker gemaakt. Tot morgen op school.'
Jij was een waardeloze beschermer, zei ik tegen mijn nummermelder toen ik had opgehangen. En ik vertrouwde nog wel op je.

Jij laat je gewoon beetnemen door sterretje-drie-een-sterretje. Slecht.
Maar geen politie. Niet naar de politie. Nog niet in elk geval.
Pas in het aller-alleruiterste geval. En waarschijnlijk dán nog niet eens.
Ik lachte een beetje scheef en deed mijn nachtlampje uit. Ik ben niet van plan om het op te geven, smerige lafaard. Vroeg of laat vergeet je een sterretje of een eentje of een drie. Dan heb ik je te pakken. Ha. Je dacht zeker dat ik zou gaan huilen, hè? Dat ik zou beven van angst, hè? Ha. Dan had je het mis. Dan ken je mij nog niet. Wacht maar. Vroeg of laat.
Hannah is misschien niet wie je had gedacht dat ze was.
Ik viel bijna meteen in slaap, maar ik sliep slecht; af en toe zakte ik even weg in de pauzes tussen boze, verwarrende dromen.

8

De eerste schooldag van het nieuwe jaar kwam en alles was precies zoals anders. Na de lunch trok Cat mij mee naar een rustig hoekje bij het toneellokaal.
'Wat is er aan de hand?' vroeg ze terwijl ze mij strak aankeek.
Ik gaf geen antwoord.
'Je wordt door iemand gebeld, hè?'
Ik knikte.
'Is het al lang aan de gang?'
Ik wiebelde een beetje met mijn hoofd en tuitte mijn lippen. Dat betekende: Een tijdje.
'Je moet de politie bellen, hoor je dat? Die weten wat ze met zoiets moeten, ze kunnen het gesprek traceren. Het kan wel iemand zijn die ziek is. Iemand die niet goed bij zijn hoofd is.'

Ik knikte en probeerde er serieus en angstig uit te zien. Maar ik dacht: Je hebt te veel thrillers gezien op tv, Cat.

De eerste schooldag van het nieuwe jaar kwam en ging.
Het werd avond, ik at een linzenschotel met lekker vers brood, ik was van plan geweest om een video te huren samen met Anna en Cat, maar ik had me bedacht, ik was moe, en in plaats daarvan bleef ik thuis, schreef een brief en ging vroeg naar bed, moe, wilde lezen, lag nog maar net lekker toen de telefoon ging.
Ja! Ja, het werkte! Ik staarde naar het zescijferige telefoonnummer dat zich openbaarde op de display van mijn nummermelder. Ik staarde ernaar alsof het het Heilige Schrift Op De Muur was. Ja. Het werkte. Mijn God had mij niet in de steek gelaten. En iemand was uiteindelijk toch een klein sterretje vergeten. Ha.
Ik aarzelde met mijn hand op de hoorn. Nu moest ik slim zijn. Dus ik nam op en zei:
'Hallo?'
Ik probeerde te klinken als een onschuldige Roodkapje die de Wolf in het bed van Grootmoeder ziet liggen.
Geen antwoord. Ja, hij was het. Mooi. Nu zou dit spelletje snel afgelopen zijn.
Ik legde neer, schreef vlug het telefoonnummer op en dacht na. Nu moet ik slim zijn. Ach, het zal wel voldoende zijn als ik hem bel en tegen hem zeg dat hij moet ophouden, dacht ik toen. Als ik tegen hem zeg dat ik weet wie hij is, en dat ik anders de politie bel. Maar zal ik hem ook vragen waarom?
Meng 1 theelepel Angst met 2 dl Spanning, voeg 2 eetlepels Blijdschap en een snufje Nieuwsgierigheid toe. Vergeet niet om het geheel te kruiden met Woede. Wat krijgen we als we dit recept volgen? Dan krijgen we het gevoel dat in mijn buik borrelde toen ik het telefoonnummer intoetste en daarna wachtte, met de hoorn stevig tegen mijn oor gedrukt.

‘Hallo!’
Wat? Het was een helder meisjesstemmetje dat opnam. Ik was zo verrast dat ik met stomheid was geslagen.
‘Hallo, wie is daar?’
Ik wist niet wat ik moest zeggen.
‘Wie is daar?’ vroeg ik tenslotte zelf. ‘Met wie spreek ik?’
‘Met Milena,’ antwoordde het meisje. ‘Wie ben jij?’
Milena? Het kleine meisje van de bushalte. Het meisje met de vurige ogen. Er hing een gedicht over haar aan mijn muur. Maar waarom...?
‘Met Hannah,’ zei ik vlug. ‘Wij hebben elkaar al eens gezien. Weet je nog wie ik ben?’
‘Hannah met een h aan het eind,’ zei Milena en ze giechelde. ‘Natuurlijk weet ik nog wie jij bent.’
‘Zeg Milena,’ zei ik. ‘Heb jij mij gebeld? Heb jij zonet hiernaartoe gebeld?’
‘Nee,’ antwoordde ze.
Ze loog niet, dat hoorde ik meteen. Waarschijnlijk kon ze niet eens liegen.
‘Misschien was het Eldin,’ ging Milena verder. ‘Ik heb alsmaar tegen hem gezeurd dat hij jou moest bellen. Hij is zo... laf. Of, hoe heet dat... verlegen.’
‘Eldin?’
‘Mijn grote broer. Weet je niet meer dat ik zei dat hij een vriendinnetje moest hebben? Weet je niet meer dat je mij jouw telefoonnummer hebt gegeven? Dat ik het aan hem zou geven.’
Domme Hannah.
Hannah die niet weet dat een plus twee drie is.
Slome Hannah, Vergeetachtige Hannah, Stommestommestomme Hannah, dat ben ik.
Een: Je geeft je telefoonnummer aan een meisje dat zegt dat haar grote broer een vriendinnetje moet hebben.

Twee: Vlak daarna begint iemand je 's avonds laat op te bellen. Iemand belt je op zonder iets te zeggen.
Drie: Natuurlijk is de grote broer van dat lieve meisje degene die heeft gebeld.
Een plus twee is drie.
Dat weet zelfs een kleuter. Maar deze slome tante kon het niet bij elkaar optellen.
'Hallo!' riep Milena in de telefoon. 'Hallo, ben je daar nog?'
'Milena,' zei ik. 'Ik wil graag met jouw grote broer praten. Ik wil hem graag ontmoeten om met hem te praten.'
'Goed!' zei Milena en haar stem klonk of ze zojuist de hoofdprijs had gewonnen in de loterij.
En toen spraken wij af dat ik grote broer Eldin zaterdag zou ontmoeten, op het Triangelplein, in de winkelgalerij. Om één uur.
'Bij dat cafeetje. Recht tegenover Hennes & Mauritz.'
'Natuurlijk,' zei Milena.
'Kan hij dan wel?' vroeg ik. 'Heeft hij er wel tijd voor, misschien heeft hij wel wat anders...'
'Ach,' snoof Milena. 'Natuurlijk kan hij. Hij komt. Dat beloof ik je.'

We praatten nog wat, toen namen we afscheid en ik dacht: Het is goed zo. Nu is het afgelopen.
Waarschijnlijk is het gewoon een verlegen jongen geweest die mij belde. Die niets durfde te zeggen. Of misschien is het ook een vervelende jongen, die mij wilde plagen. Hoe dan ook, ik zal hem zaterdag ontmoeten. Ik zal tegen hem zeggen dat het nu afgelopen is. Dat is goed. Waarom zou ik bang zijn? Voor jongens hoef je niet bang te zijn. Niet meer. De macht van de jongens is voorbij.

9

Vreemd genoeg was ik niet boos.
Dat zou ik wel moeten zijn. Ik zou behoorlijk razend moeten zijn. Hij had mij wakker gebeld, hij had mij bang gemaakt, hij had ervoor gezorgd dat ik moe was, dat ik nachtmerries kreeg en dat ik zwetend wakker werd. Ik zou zo woedend moeten zijn als een woedende wesp, toen ik vlak na enen de winkelgalerij binnenstapte. Maar ik was niet boos, ik voelde zelfs geen grammetje woede. Nieuwsgierig was ik wel. Ik had zelfs een beetje medelijden. Arme grote broer. Wat had zusje Milena nu weer bedacht, die kleine duvel...
Daar stond hij, ik zag hem meteen. Ja, dat moest hem zijn. Een lange, magere jongen met een jack met een capuchon. Hij liep wat te slenteren in de buurt van het fonteintje en keek rond. Zwarte, steile pony. Hij deed me denken aan een sportman, een hoogspringer misschien. Of een verspringer. Ik aarzelde even, verschool me in de stroom zaterdagse winkelaars en bekeek hem.
Ja natuurlijk. Verlegen grote broer. Lastig zusje. Ik had hem al vergeven. Maar nu was het genoeg geweest, nu moest hij het begrijpen. Enough is enough.

'Eldin?'
Hij schrok op. Ik was tot vlak bij hem gekomen zonder dat hij mij had opgemerkt. Nu keek hij mij ernstig aan en knikte.
'Ik ben Hannah,' zei ik.
Hij knikte weer.
Ja, dit was Milena's grote broer, er was geen twijfel mogelijk. Zijn ogen verraadden hem. Niet diezelfde gloed, wel hetzelfde zwart. Maar er was iets in zijn blik wat niet klopte. Er ontbrak iets.
'Milena zei dat jij mij wilde ontmoeten,' zei hij.
Ja, precies. De interesse ontbrak. Hij bekeek mij alsof ik een

schooldecaan was waar hij verplicht naartoe was gestuurd. Interesse en nieuwsgierigheid ontbraken. Volkomen.
Al mijn meelevendheid verdween binnen een seconde.
Wie dacht hij wel dat hij was? Wie dacht hij wel dat ik was?
'Je kunt nu wel ophouden met mij te bellen,' zei ik.
Nu ontdekte ik dat er nog iets anders ontbrak in zijn blik. Schaamte en spijt. Hij probeerde er alleen maar uit te zien alsof hij niet begreep waar ik het over had.
'Je kunt nu wel ophouden met mij 's avonds en 's nachts te bellen,' zei ik en ik voelde de woede in mij groeien. 'Ik weet dat jij het bent. Als je niet ophoudt, dan bel ik de politie.'
'Wat?'
Natuurlijk, speel maar toneel. Doe maar net alsof je het niet begrijpt. Speel maar de verkeerd begrepen buitenlander.
'Je weet best waar ik het over heb. Je hoeft je niet dommer voor te doen dan je bent.'
Wij staarden elkaar aan. De ergernis maakte mijn ogen tot smalle spleetjes en mijn wangen werden heet. Hier was ik niet op voorbereid. Waarom was hij dan hiernaartoe gekomen, waarom had hij mij willen ontmoeten?
'Ik begrijp het niet,' zei hij terwijl hij zijn hoofd schudde.
O, ik wilde hem slaan, ik wilde zorgen dat hij die onaangedane blik liet vallen. Misschien had ik het ook wel gedaan, misschien had ik het ook echt gedaan, als hij niet net op dat moment versterking had gekregen. Twee vrienden, twee kleine crimineeltjes met bakkebaarden en merkkleding, doken plotseling naast Eldin op. Hij begroette hen en speelde verbaasd:
'Mirsad. Fadil...'
Zijn vrienden staarden naar mij.
'Ze lijkt me boos,' zei degene die Fadil heette. 'Ben je brutaal geweest, Eldin? Heb je weer eens iets schunnigs gezegd? Jij weet ook echt niet hoe je met meisjes om moet gaan, hè?'

Intussen nam degene die Mirsad heette mij van top tot teen op met die schaamteloze slavenkopersblik, die discotheekblik, die vleesblik die al zo lang niet op mij gericht was geweest. Hij nam mij op zijn dooie gemak van top tot teen op, hij kleedde mij uit met zijn blikken en ik begon te trillen. Toen de bezichtiging klaar was, trok hij een gezicht en zei:
'Nee, die mag je zelf houden, Eldin. Ik ben niet geïnteresseerd. Nee dank je.'

Ik raakte mijn zelfvertrouwen volkomen kwijt.
Alles stortte in.
Ik was weer een dertienjarig meisje en ik was weerloos tegenover de grote overmacht van de jongens. Niets waard, verachtelijk en meelijwekkend. Ik kon me niet verdedigen, niet met woorden en niet met schoppen.
Ik draaide me om en vluchtte. Niet langzaam en waardig, nee, struikelend en met tranen in mijn ogen baande ik mij een weg daarvandaan, daarvandaan, daarvandaan...
Ik wilde mijn oren afsluiten maar ik kon het niet.
'Maar ze heeft een lekker kontje, dat wel, Eldin...'
Ik hoorde hun stemmen door het geroezemoes van de winkelende mensen heen, hoorde hun schorre stemmen, hoorde hun mannenpraat, de praatjes van potente jongens, en ik herinnerde me hoe het allemaal was geweest, eens, en
alles viel
alles stortte in
en ik wilde alleen maar huilen
en ik wrong me tussen alle mensen door
naar de deur
en naar buiten, naar buiten
rende ik en
naar huis.

Kwam thuis. Liet me op bed vallen. Huilde in mijn kussen.
Huilde tot de tranen op waren.
Probeerde woedende feministische gedachten. Probeerde woedende racistische gedachten. Probeerde begrijpende multiculturele gedachten. Probeerde wraakfantasieën. Niets hielp.
Zo eenvoudig was het om mij uit het veld te slaan. Zo dun was mijn omhulsel. Zo ondiep was mijn diepte. Mirsad hoeft alleen maar te zeggen 'maar ze heeft een lekker kontje' of ik ben alles waarin ik geloof kwijt, al mijn kracht en al het zelfvertrouwen dat ik dacht te hebben, ben ik kwijt.
Snik. Klein meisje. Klein snikkend meisje ligt op bed en huilt in haar natte kussen. Snik snik. Klein meisje heeft medelijden met zichzelf. Snik snik snik. Klein verdrietig meisje wil getroost worden met vriendelijke woordjes en zachte handen. Snik. Klein eenzaam meisje in de grote boze wereld.
Vind mij zielig. Begrijp mij. Houd van mij.
Het kleine meisje viel in de sprei gerold in slaap.

Ik werd wakker van de telefoon. Het belsignaal stoorde mij wreed in mijn troostende slaap.
Eerst begreep ik er niets van. Ik was vergeten wat er was gebeurd. Ik was vergeten wie ik was. Toen herinnerde ik het me weer en ik kreeg het koud.
Het belsignaal sneed als een mes door de nacht.
Ik rolde mijn bed uit, wankelde de kamer in naar de telefoon, ja, het was Eldins telefoonnummer op de nummermelder, ja, hij was het, ik trok de stekker van de telefoon eruit om de stilte terug te krijgen, daarna wankelde ik naar de badkamer om te plassen en mijn tanden te poetsen. Ik deed het licht niet aan. Ik wilde mijn spiegelbeeld niet zien.
Maar terwijl ik terugliep naar mijn bed, stopte ik.
Een gedachte maakte dat ik stil bleef staan bij de telefoon. Ik deed

de stekker er weer in, pakte de hoorn op, toetste sterretje-drie-een-sterretje en daarna zijn nummer. De telefoon ging twee keer over voordat hij opnam:
'Ja, hallo!'
Ik knikte voor me uit. Ja, hij was het. Eldin.
'Hallo?'
Ik knikte en zei niets. Ik zet het je een beetje betaald, beste Eldin. Misschien is dit de goede manier. Misschien is het nu mijn beurt om te bellen en niets te zeggen.
'Hallo! Wie is daar?'
Ik knikte vanwege de irritatie in zijn stem. Precies. Zo voelt dat. Maar toen gebeurde er iets. Er kwam een andere klank in zijn stem toen hij vroeg:
'Eh... Ben jij het?'
Ja, ik ben het, dacht ik en ik hing op.
Ik had een stukje van mijzelf terugveroverd. Een heel klein stukje. Maar het voelde goed, het voelde heerlijk.
Nu zou ik weer kunnen slapen, slapen en vergeten. Morgen ga ik toch naar de politie, dacht ik en ik ging terug naar bed.

10

De slaap deed mij goed.
Zoals slaap dat kan doen.
Toen ik die zondagochtend wakker werd na een nacht van diepe, vaste slaap, had ik het gevoel dat al het slechte en wanhopige wonderlijk ver weg was. Tijdens de nacht had het schommelende bootje van de slaap mij weggevoerd van mijn problemen, nu leken ze mij veraf en heel klein.
Hoezo? Er bestaan gekken, natuurlijk. Waarom moet ik me druk maken over wat gekken zeggen? En als hij blijft bellen, neem ik

gewoon wraak door terug te bellen. En anders laat ik de stekker er gewoon uit. De politie erbij halen, nee, waarom, dat is toch een beetje overdreven.
Je hebt grote problemen en kleine problemen. Mijn problemen waren klein, besloot ik. Je moet je problemen in perspectief kunnen zien.
Een goede nachtrust kan ervoor zorgen dat je iets in perspectief ziet.

Ik maakte een lange zondagswandeling. Ik liep door het Pildammpark, voerde de eendjes met restjes oud brood, liep vlug terug door de stad, zo hard dat ik er bijna van ging zweten ondanks het rotweer.
Toen ik weer thuis was en door de voordeur naar binnen ging, merkte ik meteen dat het hele trappenhuis naar natte hond rook en toen ik boven aan de trappen was gekomen, zag ik dat er een meisje en een jongen en een hond voor mijn deur zaten te wachten.
Dat meisje was Milena.
'Je was niet thuis,' zei ze terwijl ze opstond. 'We hebben gewacht.'
Ze keek mij beschuldigend aan.
'Ik kon toch niet weten dat ik bezoek zou krijgen,' zei ik terwijl ik de deur openmaakte.
'Dit is David. En dit is Boef,' zei Milena en ze wees.
'Jij bent toch niet allergisch hè,' zei de jongen die David heette, 'of bang voor honden?'
Ik schudde mijn hoofd.
'Mooi. Want Boef moet drinken. We zijn de hele weg komen lopen.'
Hoplakee, het leek wel een kinderpartijtje in de keuken.
Boef had het water naar binnen geslobberd en de halve keukenvloer ondergekliederd en nu banjerde hij rond en snuffelde en snoof overal aan. Het was een ruwharige bruin-witte bastaard-

hond met een spitse snuit en een bruine vlek rond zijn ene oog. Milena hield haar hoofd schuin en zei 'is hij niet lief', maar ik bedacht dat het de lelijkste hond was die ik ooit had gezien. En mijn kleed zat onder de pootafdrukken.
Maar David was lief. Hij bloosde zo leuk terwijl hij zat te wippen op zijn stoel en met zijn koekje kruimelde.
'Waarom heb jij papiertjes aan de muur?' vroeg hij met een knikje naar de woonkamer.
'Omdat ik het behang zo lelijk vond,' zei ik en ik hoopte dat ze het Milena-gedicht niet zouden vinden als ze naar mijn velletjes papier keken.
Nu boog Milena zich over de tafel en ze keek mij ernstig in de ogen.
'Ik heb hem uitgescholden,' zei ze. 'Ik heb hem heel erg uitgescholden.'
Ik begreep het niet. Ik keek naar David en hij knikte, alsof hij het bevestigde, ja, ze had heel erg gescholden.
'Maar het was niet zijn schuld,' ging Milena verder. 'Hij wist niet dat ze hem achterna waren gegaan, hij wist het niet, echt waar.'
Aha. Nu begon ik het te begrijpen. Het was het advocaatje van haar grote broer dat hier voor mij zat.
'Mirsad is zo stom, hij denkt dat hij geweldig is, snap je... Hij loopt altijd rond alsof hij heel wat voorstelt. Ik heb tegen Eldin gezegd dat hij niet met Mirsad om moet gaan. Mijn vader zegt het ook. Maar Eldin wist niet dat ze hem achterna waren gegaan de stad in, dat is echt waar. En toen... toen heeft Eldin geprobeerd jou te bellen, gisteren, om... omdat ik had gezegd dat hij dat moest doen, maar er werd niet opgenomen en... Daarom zijn we hiernaartoe gekomen.'
Milena zweeg. Haar ernstige zwarte blik pinde mij vast op mijn stoel.
'Je vond het zeker vervelend, hè?'

Ik knikte.
'Eldin wilde zeggen dat het hem speet. Hij wist niet...'
'Jij weet niet alles,' onderbrak ik haar.

Ik besloot het aan Milena te vertellen.
Ik vertelde haar dat Eldin mij 's avonds en 's nachts had gebeld, dat hij het wel moest zijn, dat het was begonnen de avond nadat ik haar, Milena, voor het eerst had ontmoet, toen ze mijn telefoonnummer had gekregen, en dat ik tenslotte zijn telefoonnummer op mijn nummermelder had zien staan.
Milena zei niets terwijl ik praatte. Ik zag hoe ze haar adem inhield, hoe haar schouders verstrakten, hoe er twee rimpels van boosheid in haar gladde voorhoofd kwamen en hoe haar dunne vingers zich zo hard om het tafelblad klemden dat de knokkels wit werden.
Toen ik klaar was met vertellen, schoot ze van haar stoel, plop, zoals een kurk uit een fles, rende in zichzelf mompelend een rondje door de keuken, keek om zich heen, kreeg de telefoon in het oog, rende ernaartoe, pakte de hoorn op, zag dat de stekker eruit was, stopte hem er weer in, toetste een nummer en begon te praten, ze spuugde de woorden naar buiten
boze woorden en woedende woorden en scheldwoorden
in een taal die ik niet verstond
een taal die de boosheid en de woede
groter en erger maakte
razende vrouwenkracht stroomde
uit een dun, tenger meisjeslichaam
en ik kon alleen maar toekijken en luisteren
en proberen niet uit te barsten
in een gelukkige schaterlach.
'Ze scheldt haar grote broer Eldin uit,' legde David ernstig uit.
'Ik begrijp het,' knikte ik.

Na een paar minuten ononderbroken telefoonwoede, zweeg Milena, luisterde, stelde een paar korte vragen, liet toen de hoorn zakken en keek naar mij.
'Hij heeft het niet gedaan. Hij zegt dat hij niet hiernaartoe heeft gebeld. Hij zegt dat het echt waar is.'
Ik stond op en liep naar Milena toe. Ze zei vlug een paar woorden in de hoorn en gaf hem daarna aan mij.

'Ja?'
'Sorry. Ik wist niet dat zij achter mij aan waren gekomen. Dat is echt waar. Sorry.'
Ik zei niets, wachtte tot hij verder zou gaan.
'Milena zegt dat... Ik heb jou niet gebeld. Nee. Milena zei dat jij dat dacht, dat ik jou steeds heb gebeld. Nee. Dat ben ik niet geweest. Echt waar.'
Ik zei niets, wachtte alleen.
'Het is echt zo, ik zweer het, ik zweer het bij God, bij Allah, bij mijn moeder, bij wat je maar wilt, ik heb jou niet gebeld.'
Ik dacht na.
'Zweer bij Milena, dat jij mij niet hebt gebeld,' zei ik.
Hij aarzelde.
'Oké,' zei hij. 'Oké, ik heb twee keer gebeld. Oké. De eerste keer was op de dag dat school weer was begonnen. Milena had lopen zeuren dat ik moest bellen. Maar ik voelde me belachelijk en toen jij opnam, wist ik niet wat ik moest zeggen. Dus toen heb ik gewoon opgehangen. De tweede keer was gisteren, ik wilde je bellen om mijn excuses aan te bieden, ik zag dat je het vervelend vond, dat... dat was niet de bedoeling. Oké. Ik heb twee keer gebeld. Dat is alles. Ik zweer bij Milena, mijn zusje, dat dat de waarheid is.'
Sprak hij de waarheid? Kon hij liegen bij de naam van zijn lieve zusje, het meisje dat mij met nieuwsgierige, vragende ogen stond aan te kijken? Hoe kon ik het weten...?

'Oké,' zuchtte ik.
'Geloof je mij?'
Ik gaf geen antwoord, ik voelde me opeens weer moe.
'En eh... sorry voor gisteren.'
Ik zei niets.
'Het was allemaal Milena's idee,' ging Eldin verder. 'Zij... zij heeft zoveel ideeën...'
'Ik wil graag eens met je praten,' zei ik.
Ik weet eigenlijk niet waar die gedachte vandaan kwam, ik zei het gewoon ineens.
'Praat maar,' zei hij en ik kon horen dat hij zijn schouders ophaalde.
'Nee, ik wil dat je hiernaartoe komt. Oké. Misschien geloof ik je. Misschien geloof ik je als je zegt dat jij niet hebt gebeld, en dat je niet wist dat die twee idioten gisteren zouden opduiken. Oké. Misschien vergeef ik je. Maar ik wil met je praten. Ik wil dat je hiernaartoe komt. Over een week. Volgende week zaterdag. Om drie uur. Oké?'
'Oké,' zei hij en ik hoorde weer dat hij zijn schouders ophaalde.

11

Na een week zonder nachtelijke telefoontjes stond hij zaterdagmiddag precies op tijd voor mijn deur. Wij knikten naar elkaar en ik liet hem binnen. Grote broer Eldin. Juist het feit dat mijn avonden en nachten deze week zo rustig waren geweest, maakte hem weer verdacht.
Wat wist ik ervan, misschien kon hij wel bij God en Milena zweren zonder dat hij het meende.
Hij kwam binnen, aarzelde, keek rond, ontdekte alle papiertjes die op de muur waren geprikt, liep naar de muur en keek naar mij

met een blik die vroeg: Mag ik ze lezen? Ik knikte en ging zo staan dat het gedicht dat mijn ontmoeting met zijn zusje beschreef, achter mijn rug verborgen bleef.
We hadden nog geen woord tegen elkaar gezegd en nu wachtte ik zwijgend terwijl hij langzaam en geconcentreerd las wat er op mijn papiertjes stond.
Vreemd, dacht ik. Jij bent de eerste jongen die op bezoek is in deze flat, de eerste jongen die leest... Jij. Ik vind je niet eens aardig. Misschien zou ik je wel moeten haten. En toch mag jij ze lezen...
Een lachje onderbrak mijn gepeins en Eldin draaide zich naar mij om en knikte.
'Dit herinner ik me nog,' zei hij en hij wees.
Ik liep naar hem toe en las op een velletje aan de muur:

herinner je je nog toen je leerde fietsen
herinner je je nog toen je leerde zwemmen
je liet los en won de vrijheid
herinner je je het gevoel nog
dat is wat ik zoek
iedere dag, ieder moment

'Ik herinner het me nog,' zei hij terwijl hij weer knikte. 'Het was natuurlijk in Sarajevo. We hadden een grote, roestige damesfiets; we waren met een heleboel kinderen. En er was een smal straatje en dat was... hobbelig... met van die steentjes. En het lag op een heuvel. Dus we liepen met de fiets aan de hand naar boven en dan gingen we in volle vaart naar beneden. En dan vielen we. En we bezeerden ons. En we hadden bloedende knieën en armen. En dan sleepten we de fiets weer naar boven. Hij was hartstikke zwaar. Het duurde misschien een week, daarna konden we fietsen. Ik herinner het me nog. Ik herinner me het gevoel nog. Dat was voordat de oorlog begon.'

O, wat was zijn gezicht mooi toen hij voor het eerst een voorzichtig glimlachje liet zien. De gedachten aan zijn jeugd veranderden hem in een zachtaardige engel met zwarte ogen.
'En jij?' vroeg hij.
Ik herinner het me ook nog. Ik leerde fietsen in de rustige, veilige straatjes van Höllviken, op een glimmende rode meisjesfiets en mijn vader holde achter me aan en hield de fiets in evenwicht met een bezemsteel die hij tussen de bagagedrager had gestoken en eindelijk kon hij mij loslaten en...
'Ik herinner het me ook nog,' zei ik.
'Maar ik kan niet zwemmen,' zei hij en hij hield zijn handpalmen omhoog in een opgevend gebaar. 'Dat heb ik nooit geleerd.'
'Kom,' zei ik en ik nam hem mee naar de keuken.

Ik maakte koffie en beschuitjes met jam, en terwijl de beschuitjes knarsten en de kruimels vielen, probeerde ik te bedenken wat ik eigenlijk wilde; waarom zat hij hier, waarom had ik hem gevraagd om te komen. Ik wist het antwoord, maar ik begreep ook dat deze ontmoeting misschien heel anders zou worden dan ik me had voorgesteld, ik had even een glimp van een zwarte engelenblik gezien, het was geen crimineel uit een achterstandswijk die daar tegenover mij zat, nee, nee, een grote broer die had leren fietsen op een oude damesfiets op de hobbelige keitjes van Sarajevo, voor de oorlog.
'Ik wil dat je vertelt,' zei ik.
'Ik heb je niet gebeld,' zei hij vlug, 'echt waar, het...'
'Daar wil ik het niet over hebben,' onderbrak ik hem. 'Ik bedoel, vertel eens wat over jezelf. Over je leven.'
En dat deed hij. Hij vroeg niet waarom. Misschien was hij eerst een beetje achterdochtig, misschien voelde ik me in het begin ook wel een beetje een interviewer of een welwillende maatschappelijk werkster met mijn vragen, maar hij wilde vertellen. Ja, ik merk-

te steeds duidelijker dat hij dat wilde. En wij zaten daar aan de keukentafel terwijl de middag overging in de avond en terwijl het licht en de kleuren buiten verdwenen en het donker werd.
En Eldin vertelde.

'Sarajevo was een grote stad. Niet zoals Parijs of Kopenhagen, maar een grote stad. Een echte grote stad. En iedereen was zo trots dat de Olympische Spelen in Sarajevo waren gehouden in 1984, begrijp je, iedereen die daar woonde was er wel een beetje verwaand over.'

'Het is onbegrijpelijk wat er gebeurde. Mensen veranderden. Iedereen ging ineens naar de kerk of naar de moskee. Mensen begonnen te letten op dingen waar ze nog nooit over hadden nagedacht. Buren begonnen elkaar te haten zonder dat iemand wist waarom. En je hoorde de hele tijd geruchten over vreselijke dingen die gebeurden. Maar het is onbegrijpelijk. Het zou net zoiets zijn als wanneer in Zweden alle linkshandigen plotseling alle rechtshandigen zouden haten en mishandelen en doden en zeggen dat ze ergens anders moesten gaan wonen. Begrijp jij dat?'

'De ergste herinnering die ik heb is die aan Dragan. Hij was chauffeur van de bus. Hij reed de schoolbus. Alle kinderen waren dol op Dragan. Hij was altijd vrolijk en maakte grapjes en hij zong. Soms liet hij ons kleintjes op zijn schoot zitten en net-alsof-sturen. Dragan. Hij had een grote zwarte snor en je hoorde zijn lach door de hele buurt. Maar als ik nu aan Dragan denk, moet ik huilen. Hij was Serviër. Toen de oorlog begon, werd hij een van de ergsten. Hij vermoordde en martelde jongens, snap je dat, hij kon dezelfde schooljongens die hij in zijn bus had vervoerd, doodmaken. Neerschieten. Dat is echt waar. Het is onbegrijpelijk.'

'Wij konden niet blijven. Mijn vader is moslim en mijn moeder is Serviër. Opeens waren er overal vijanden. Mijn moeder was zwanger, Milena zat in haar buik. Wij hadden een tante en neefjes en nichtjes die naar Zweden waren gegaan. Wij lieten onze flat achter, wij lieten alles achter, we sleepten mijn moeders naaimachine mee en een groot schilderij waar mijn vader heel erg op gesteld was, wij sleepten een naaimachine en een schilderij mee door half Europa, snap jij dat? En mijn moeder werd steeds dikker. Wij hadden geluk. Wij kwamen in Zweden. Wij mochten blijven. En Milena werd geboren.'

'We hebben op verschillende plaatsen gewoond. Ik heb op zes verschillende scholen gezeten. We hebben in barakken gewoond en in kleine dorpjes en bij onze tante in Södertälje en helemaal in het noorden en... Uiteindelijk kwamen we hier in Malmö terecht, in de hoogbouw in Rosengård. Alle buitenlanders komen vroeg of laat in Rosengård terecht.'

'Zweden zijn aardig, bijna te aardig. Op school ook, de leraren zijn te aardig. Er is geen orde.'

'Racisme? Nee, maar ik begrijp wel dat mensen boos worden op de Kosovo-Albanezen als die stelen en zich misdragen. Als ze zich in Bosnië zo hadden gedragen, dan waren wij boos geworden. Zij komen uit een andere wereld, snap je, ze komen van het platteland en dan komen ze in... een wereld die ze misschien alleen maar op televisie hebben gezien, snap je. Hoezo? Nee, ik ben geen racist, ik bedoel niet alle Albanezen, maar wel veel. De jongens. Ik was verliefd op een meisje uit Pristina, ik ben geen racist. Maar zij is verhuisd.'

‘Mijn moeder was een heel mooie vrouw. Je had haar moeten zien. Alle mannen lachten naar haar als ze haar tegenkwamen, alle mannen draaiden zich om als zij langsliep. Maar niet als mijn vader erbij was. Mijn vader was een heel vrolijke man. Hij kon niemand tegenkomen zonder een grapje te maken of iets vriendelijks te zeggen. Hij was ingenieur, hij was daar een soort... een soort chef in een fabriek. En als ik met hem meeging en door de fabriek liep en zijn hand vasthield en hij met iedereen praatte en iedereen hem aardig vond... Ik was zo trots toen. Snap je dat? Mijn mooie moeder en mijn vrolijke vader. Nu zit mijn moeder in een flat in Rosengård en ze wordt steeds dikker. En mijn vader is stil geworden. Hij heeft alle cursussen gedaan nu... Hij is zo stil geworden. Hij denkt zoveel.’

‘Het lijkt wel of ze geen leven meer hebben, mijn vader en moeder. Alsof ze geen eigen leven meer hebben. Ze leven voor mij en mijn zusjes, dat is alles wat zij belangrijk vinden. Alsof hun eigen leven al is afgelopen. Snap je? Ze leven alsof ze al dood zijn.’

‘Het is best leuk in Rosengård. Hoewel het wel een beetje raar is dat ze Bosniërs en Kosovaren en Chilenen en Afrikanen en... en zigeuners allemaal bij elkaar stoppen. Het zou beter zijn als er ook Zweden zouden wonen. En op de scholen zouden zitten. Maar Milena zit op een andere school, waar voornamelijk Zweedse kinderen op zitten. Dat is goed.’

‘Ik wil architect worden. Ik heb het profiel natuur en techniek gekozen. Ik heb het altijd al leuk gevonden om schetsen te maken en te bouwen en dingen te bedenken en uit te vinden. Ik heb er altijd al van gedroomd om architect te worden. Ik wil naar de technische universiteit in Göteborg. Het is heel moeilijk om daar toegelaten te worden, ik moet goede cijfers halen. Als je iets maar graag genoeg wilt, dan kun je het, dat weet ik zeker. Je moet ook een of andere test doen om toegelaten te worden. En als ik dan klaar ben met mijn opleiding, dan ga ik terug naar Sarajevo. Er valt daar meer dan genoeg op te bouwen, er zal een grote behoefte zijn aan architecten. En ik ga een nieuw huis bouwen voor mijn ouders... Als ze met me mee willen. Ik denk wel dat ze dat willen. Het zal moeilijker worden voor Milena en Sanja.'

'Ik heb twee kleine zusjes. Milena is lief en dun en Sanja is lief en dik. Sanja praat de hele dag door. Milena ook. Dat is wel een beetje lastig. Maar...'
'Je houdt van je zusjes?'
'Ja, ik houd van mijn zusjes.'

Het was avond geworden. Eldin hield op met vertellen en ik hield op met vragen. De stilte vulde mijn keuken. Hij stond op en zag er bijna verlegen uit.
'Nu ga ik naar huis.'
Ik had het gevoel dat hij toestemming vroeg. Ik knikte alleen.
'Wat ga je vanavond doen?' vroeg ik.
'Naar de Bosnische club. Daar gaan wij altijd heen.'
Ik knikte weer. Er was niets meer te zeggen en ik liep zwijgend met hem mee naar de gang.
Maar toen hij al op de trap was, op weg naar beneden, riep ik hem achterna:
'Ik kan je leren zwemmen! Geef mij een uur per week en je kunt van de zomer zwemmen, dat beloof ik je.'
'Goed!' riep Eldin zonder zelfs maar te blijven staan.
Ik deed de deur dicht. Misschien was hij het toch.

FEBRUARI

Nu is er een uit de schaduw getreden
Binnenkort zal een ander het beeld binnenkomen
Op een nacht in april zullen ze elkaar tegenkomen
Een van hen zal sterven

1

Er gingen een paar weken voorbij, januari werd februari en op een avond begon het te sneeuwen.
Ik was er niet op voorbereid. Ik stond gewoon af te wassen in de keuken en ik voelde gewoon dat er iets ging gebeuren, ik merkte gewoon dat er iets veranderde, ik keek uit het raam en... Sneeuw! Het sneeuwde! In het licht van de straatlantaarns die niet kapot waren, of uit vanwege energiebesparing, zag ik de vlokken dicht en onophoudelijk vallen; dikke, mooie, witte vlokken vielen op de grond en ik deed vlug mijn bergschoenen aan, trok mijn jas aan en rende de trappen af.
Sneeuw. Ah!
Met opgeheven gezicht en uitgestoken tong verwelkomde ik de sneeuw en de winter. Eindelijk. Daarna keek ik om me heen.
Het was een paar graden onder nul en het trottoir en de auto's waren al bedekt met een laag sneeuw van vijf centimeter die snel groeide. De wereld groeide. De wereld werd schoon en wit en mooi. En stil. De sneeuw dempte alle scherpe en harde geluiden, maakte ze vriendelijk en zacht en de mensen werden ook vriendelijk en zacht. We draafden rond over het trottoir en keken naar elkaar en naar de vallende sneeuw met blikken vol kinderlijk geluk en verwondering.

Ik liep de stad in, overal zag ik mensen met grote ogen en een open glimlach. Sneeuw. We hadden ernaar verlangd. Het was een lange grijze periode van wachten geweest.
Er werd al een begin gemaakt met sneeuwruimen, winkeliers en bewoners veegden en schoven de stoep voor hun voordeuren schoon en een armada van blinkend gele sneeuwschuivers van de gemeente kwam de Södra Förstadstraat afzeilen.
Ik hief mijn gezicht weer op naar de wolken en deed mijn ogen dicht en bad tot God: Lieve, goede God, als u bestaat, laat het dan een maand blijven vriezen. Of tenminste een week. Laat het niet dooien morgen, God, hoort u dat. Geen kliederige dooisneeuw. Laat de wereld een week lang wit en mooi en vriendelijk zijn. Als u dat doet, dan zal ik... geloven...
Ik dacht even na. Zou ik mijn ziel echt in ruil geven voor een week sneeuw en vorst? Ja, besliste ik. Ja, dat was het waard.
Ja, zei ik tegen God. Dan zal ik in u geloven. Een goede gelovige worden. Goede daden verrichten. Elke avond mijn avondgebed opzeggen. Als u ervoor zorgt dat de sneeuw blijft.
God kon toch niet zien dat ik mijn vingers gekruist hield in mijn wanten.

De winter duurde vier dagen.
Vier etmalen lang leefden wij omgeven door wit wintergeluk, ik sliep maar een paar uur per nacht, ik sjouwde de hele stad door in het bijzondere licht dat de sneeuw gaf. Het was een nieuwe stad. Schoon en wit en mooi.
De automobilisten vloekten en krabden en gleden en borstelden en duwden en de auto's hoestten en stootten wolken uitlaatgassen uit. De kinderen gingen sleeën in de heuvels, in de buitenwijken en de parken. De honden dartelden rond en groeven zodat de sneeuw in het rond vloog. Mannen en vrouwen in trainingspakken kwamen voorbij op langlaufski's over de met sneeuw bedek-

te grasvelden en de fietspaden. De kinderen hielden sneeuwballengevechten, maakten sneeuwpoppen en bouwden grote sneeuwpaleizen. Het was winter.
De winter duurde vier dagen. Daarna trok God de deken van ons af zoals een strenge moeder dat 's morgens kan doen.
De vierde nacht begon het te dooien, de vijfde morgen smolt de sneeuw, al het mooie wit veranderde in grijze derrie en ik stond voor mijn keukenraam met tranen in mijn ogen en vloekte:
'Dit was uw laatste kans, God, hebt u dat begrepen, de laatste keer dat ik mij tot u heb gewend, begrijpt u dat, nu wordt het Allah of Boeddha of Shiva of Krishna of... of Marx of wie dan ook, maar nooit meer u, begrijpt u dat.'
Een week had ik toch wel kunnen krijgen. Ja, hij had mijn ziel gekregen in ruil voor een week winter. Maar hij was duidelijk niet geïnteresseerd.
Toen begon het weer te vriezen en het werd spekglad op de trottoirs en alle gelovige oude dames braken hun benen. Zijn wegen zijn ondoorgrondelijk.

Op een avond belde Eldin.
Ik nam op met: 'Hallo Eldin.'
'Hoe kon je weten dat ik het was?' vroeg hij en hij klonk achterdochtig.
'Ik weet alles,' zei ik.
Even was het stil en toen vroeg hij:
'Meende je het serieus?'
'Wat?'
'Dat je mij kunt leren zwemmen.'
'Ja natuurlijk,' zei ik.
'Wil je dat dan?'
'Ja natuurlijk,' zei ik.

2

We hadden drie keer gezwommen toen de voorjaarsvakantie begon en alle zwembaden uitpuilden van de kinderen die vakantie hadden.
Hij zat er totaal niet mee, Eldin. Hij trok zich helemaal niets aan van alle gapende kleine meisjes en alle grijnzende kleine jongetjes als we tegenover elkaar op de tegelvloer naast het middelste bad zaten en de beenslag oefenden.
Ja, hij zat er totaal niet mee. En hij was ook niet bang voor water. Hij stortte zich met een gil van de lage duikplank en maakte een bommetje, zodat de badmeesters hun voorhoofden fronsten en alle ouders met kleine kinderen boos naar hem staarden terwijl hij spartelde om weer bij de kant te komen. Zwemmen kon hij niet, maar zinken deed hij ook niet.
En hij wilde echt leren zwemmen. Met grote ernst volgde hij mijn instructies op en de badmeesters keken weer blij toen ze ons zagen oefenen en ze kwamen aanzetten met drijfmatten en goede raad. Voor mij was het ook goed, ik was vergeten om naar het zwembad te gaan sinds ik in Malmö woonde, ik was vergeten hoe lekker het is om een paar honderd meter te zwemmen en daarna te gaan zitten zweten in de sauna en te voelen hoe je ogen prikken van het chloor.
En mijn leerling ging vooruit. Al na drie keer, al toen we besloten om voorjaarsvakantie te houden, begreep ik dat hij ver voor de zomer zou kunnen zwemmen, ver voordat het water van de Sont warm genoeg zou zijn. Ik voelde me net een trotse moeder.
Een eendenmoeder misschien. Met een lelijke jonge zwaan, hihi...

Cat en Anna gingen met de bus naar de Alpen in de voorjaarsvakantie.
'Ga mee, joh,' zei Cat. 'Je moet er nodig eens even uit.'

'Ja, ga mee,' zei Anna. 'Krakende witte sneeuw. Zon en blauwe lucht. Goedkope drankjes en leuke jongens in de bars.'
'Nee dank je,' zei ik. 'In de rij voor de lift en hitsige alpenboys. Nee dank je. Ik heb trouwens geen spullen. En als ik niet in de laatste wintersportmode loop, word ik vast nagekeken en nagewezen op de piste. En uitgelachen in de bars. Nee dank je.'
Ah jawel en ah nee joh en ga nou mee, vonden Anna en Cat, maar ik liet me niet overhalen, hoewel ik skiën eigenlijk heel leuk vond. Wij gingen vroeger altijd skiën in Sälen. Toen ik nog een klein meisje was. Toen wij nog een gezin waren. Elke voorjaarsvakantie, totdat ik Punk-Hannah werd. Ik vond skiën leuk. Ik hield van de glinsterende sneeuw en de sinaasappels en de warme chocolademelk. Maar nu zei ik nee dank je.
'Ik heb trouwens geen geld,' zei ik.
Dat was ook waar.

Maar toen ik op de eerste zaterdagochtend van de vakantie wakker werd, kreeg ik bijna spijt. Ik voelde me eenzaam en melancholiek. Ik vond mezelf zielig. Alle anderen waren op skivakantie of naar Londen of Berlijn of naar de Canarische eilanden. Hoewel ik wist dat ik met één enkele vliegreis de hele voorraad energie die mij was toebedeeld en de helft van mijn aandeel in de kooldioxide-uitstoot zou verbruiken, bleef ik in bed liggen en dacht: Ik had ergens naartoe moeten gaan. Ik verveel me. Ik ben zielig. Er moet iets gebeuren.
Ja, dat is waar. Juist die ochtend dacht ik: Er moet iets gebeuren. Ik bleef in bed liggen. Er lag een hele lege week voor mij waarin er niets zou gebeuren. Geen sneeuw. Geen vrienden. Geen spannende avonturen. Geen kikker om te kussen. Geen knappe prins die honingzoete woordjes in mijn oor fluisterde.
Natuurlijk, ik weet het. Vrijheid heeft een prijs. Natuurlijk, ik weet het. Ik *wíl* toch volwassen zijn en eenzaam en saai. Maar toch. Af

en toe heb ik een ochtend zoals deze, een echte bluesochtend.
'Woke up this mornin' I was feelin' kinda blue...'
Yeah, man...
Ik moet me vermannen, dacht ik, en toen vermande ik me.

In de stad was het een enorme vakantiedrukte.
Ik ging naar het NK-gebouw. Het warenhuis bestaat niet meer, dat is jaren geleden failliet gegaan, maar het gebouw heet nog steeds het NK-gebouw en nu zit de Hansecompagnie erin en een heleboel andere winkels. Het is er een beetje luxe en een beetje duur en er verdringen zich meestal een beetje veel keurige mevrouwen, maar op de een of andere manier was ik daar terechtgekomen.
Ik zag hem meteen.
Hij was het eerste dat ik zag.
Iedereen zag hem. Hij stond op het binnenpleintje tussen de winkels en hij leunde tegen een hekje aan. Iedereen zag hem en draaide zich vervolgens vlug om, vol angst of haat of verachting. Of ze keken voorzichtig vanuit hun ooghoeken naar hem.
Ik dacht dat die niet meer bestonden. Dat was mijn eerste gedachte. Ik dacht dat dat gewoon mode was geworden en dat het daarna was verdwenen. En dat racisme zich tegenwoordig anders kleedde en nu een meer sluipend gevaar was. Maar daar midden in de Hansecompagnie stond een levensechte, ouderwetse skinhead, groot en sterk met een zwart jack en hoge legerlaarzen en een kaalgeschoren hoofd, en de zaterdagse winkelaars lieten een cirkel van een meter om hem heen vrij, ze keken naar hem vanuit hun ooghoeken en ze deden een stapje opzij om niet te dicht bij hem in de buurt te komen.
Hij was fout. Hij stond daar en hij was fout.
Mensen zoals hij waren overal fout, maar hierbinnen was hij nog fouter dan anders. Hij stond daar gewoon en vulde de hele verdieping met zijn aanwezigheid.

Voor de boekhandel bleef ik staan en ik bekeek hem.
Waarom kiest iemand ervoor om een schurk te zijn? dacht ik. Hoe kan het dat iemand vrijwillig kiest voor de schurkenrol? Vroeger wilden toch alle jongens Robin Hood zijn of James Bond, of een heldhaftige cowboy of The Phantom of Batman of Spiderman. Niemand wilde toch de gewone schurk zijn, de boef, de lelijke, zwetende, laffe, ongeschoren schurk die dan wel even mocht winnen en die mocht zuipen en vechten en kwellen en verkrachten, maar die honderd procent zeker werd verslagen aan het einde, of werd gedood door de held terwijl het publiek juichte.
Kies een rol. Welke rol wil jij spelen?
Precies. Sommige jongens kiezen vrijwillig de rol van schurk, de allerergste schurkenrol, hoewel ze weten dat de held ze tenslotte toch zal verpletteren, en dat niemand zal huilen als ze tot moes geslagen worden en bloedend op de grond liggen. Vreemd.
Is het een kort moment van macht dat ze lokt? Is het wel lekker om gehaat te worden? Is het lekker als mensen bang voor je zijn?
Ik dacht aan twee jaar geleden. Ja, ik had het zelf kunnen zijn die daar stond, een in het zwart geklede, hard opgemaakte punkheks en de mensen zouden met dezelfde verachting naar mij gekeken hebben, maar... Nee, niet met angst. Wij waren aardig. En als wij schopten, dan schopten we naar boven en niet naar beneden zoals skinheads en racisten doen.
Even had ik een soort respect gevoeld voor de jongen die daar stond, voor zijn moed om daar helemaal alleen te staan en onderwerp te zijn van al die blikken, maar toen dacht ik aan alles wat hij en zijn soortgenoten hadden gedaan, aan alle mensen die bang waren gemaakt en mishandeld en vermoord door zijn soortgenoten, onschuldige kinderen en jongeren en oude mensen, en er borrelde een hevige haat in mij omhoog en zonder erbij na te denken drong ik naar voren en ik stopte niet voordat ik vlak voor hem stond.

'Ik ben een jodin,' zei ik.
Hij gaf geen antwoord, draaide zich alleen maar weg van mij. Racistisch zwijn. Smerige lafaard. Praat dan met mij. Ik duwde hem tegen zijn schouder.
'Ik ben een jodin,' herhaalde ik. 'Mogen mensen zoals ik leven?'
Toen draaide hij zich naar mij om. Maar zijn ogen ontmoetten de mijne niet, zijn blik bleef ergens boven mijn rechterschouder hangen.
'Ik ben God niet,' zei hij. 'Ik bepaal toch niet of jij mag leven.'

Toen draaide hij zich van mij af
en toen begon het,
toen hij iemand ontdekte
en toen hij riep
'Hallo daar! Ja, jij daar!'
en hij wees en hij riep:
'Ja precies, jij daar, die eruit ziet als een spook!'
en iedereen werd stil, de hele winkelgalerij zweeg
en als bij toverslag,
als de zee die voor Mozes in tweeën spleet
opende zich een weg door de zee van mensen
vanaf de uitgestoken arm van de skinhead, vanaf zijn wijsvinger
strekte zich een weg uit naar haar
en alle blikken volgden die weg naar haar
het meisje, de gesluierde jonge vrouw die daar stond
en iedereen zweeg, iedereen stond stil, iedereen was publiek geworden en het grote winkelcentrum was veranderd in een theater
en er waren maar twee spelers op het toneel:
hij en zij.
Ja. Ik dacht theater. En toch werd ik zo voor de gek gehouden.

Haar haar en het grootste deel van haar gezicht waren verborgen onder een doek. Een moslimmeisje, of misschien een jonge vrouw, en ze stond stil en wachtte op de skinhead die op haar af beende.
'Hallo daar! Ga je naar een verkleedfeestje of zo...?'
Zwarte ogen en witte stof. Zij wachtte rustig af tot hij bij haar was. Of was ze versteend door angst?
Nu was hij bij haar, nu bleef hij voor het meisje staan en greep haar hoofddoek vast.
'Waarom loop jij erbij als een spook?' vroeg hij.
Niemand deed iets. Alle mensen stonden als verstijfd te staren.
'In Zweden hoeft niemand zijn gezicht te verbergen!' brulde de skinhead.
Mijn hart bonkte en ik voelde mijn wangen gloeien. Ik moest iets doen. Ik kon niet gewoon blijven staan en toekijken. Zonder erbij na te denken, begon ik me tussen de mensen door naar voren te dringen.
'Waarom verberg jij je?' brulde de skinhead tegen het meisje, dat heel stil stond en geen poging deed om te vluchten. 'Wie heeft gezegd dat je je gezicht niet mag laten zien, Mohammed of je vader of je grote broer, nou?'
Precies op het moment dat hij de sluier voor haar gezicht wegtrok, kwam ik bij de kleine open cirkel die zich rondom hen had gevormd.
'Houd op, laat haar met rust...'
Ik strekte me uit, ik had mijn hand al op de mouw van het leren jack, toen hij zich naar mij omdraaide. Ik begreep meteen dat er iets niet klopte. Of dat er iets wel klopte. Of dat iets in elk geval niet was wat het leek.
Het was geen haat of razernij die ik zag in zijn ogen toen hij naar mij knipoogde, toen hij kort en haast onmerkbaar knikte, nee, zijn knikje en zijn knipoog zeiden dat ik niet bang hoefde te zijn, het was niet wat ik dacht, en ik keek naar het meisje dat daar stond en

haar ravenzwarte haar, dat helemaal door de war zat, uit haar ontblote gezicht streek en zij knikte ook naar mij en haar knikje zei ook dat alles in orde was en dat ik opzij moest gaan omdat ik betrokken was geraakt bij een voorstelling waar ik geen deel van uitmaakte en die nog niet voorbij was, en toen deed zij een stap in de richting van de jongen en hij draaide zich naar haar toe en ze kusten elkaar.
Ze kusten elkaar.
De skinhead en het meisje met de bruine huid en het glanzende zwarte haar kusten elkaar.
En daar stond ik. Daar stond ik en ik keek toe en ik voelde me dom en ik wenste dat ik ergens anders was.
Terwijl ik half struikelend en in de war achteruitliep, lieten ze elkaar los en wikkelden de witte sluier open. Die veranderde in een spandoek dat ze tussen zich in hielden en ik las:
ALLE RELIGIE IS VROUWENONDERDRUKKING!!!
Dat stond met grote zwarte letters op de witte stof.
'Ja,' riep het meisje, 'alle religie is vrouwenonderdrukking, maar de islam is het ergst.'
'Kijk naar Pakistan, kijk naar Afghanistan, kijk naar Iran!' riep de skinhead.
'Als een meisje een sluier omdoet, dan zegt ze: ik ben geen mens. Ik ben een dier. Ik ben een eigendom!' riep het meisje.

Nog steeds stonden alle mensen stil en staarden naar de twee, maar sommigen hadden zich naar elkaar toe gewend en waren begonnen te praten, de betovering was verbroken en er ontstond wat onrust bij de ene ingang. Twee bewakers begonnen luid te praten en te wijzen en met hun armen te zwaaien en boven alle hoofden uit kwam een politiepet in zicht.
'Sluiers moeten verboden worden in Zweden!' riep de skinhead. 'Verboden op scholen. Mannen en vrouwen zijn evenveel waard.'

‘Mannen en vrouwen zijn evenveel waard,’ echode het meisje. ‘Wij zijn allemaal evenveel waard. Ongeacht waar onze ouders zijn geboren.’
Nu ontstond er gemompel en onrust en beweging in de mensenmenigte, nu drongen twee bewakers en een politieman zich naar de twee toe.
‘Hallo daar!’ riep de politieman. ‘Nu is het wel mooi geweest!’
‘Weg met racisten!’ riep de skinhead.
‘Weg met mannen die vrouwen mishandelen en onderdrukken!’ riep het meisje.
‘Hallo daar!’ riep de politieman. ‘Hebben jullie niet gehoord wat ik zei?’
Toen hij bijna bij ze was, renden de twee de trap af, naar het restaurant dat een verdieping lager lag. De politieman aarzelde en besloot toen dat het zinloos was om hen achterna te gaan. In plaats daarvan riep hij:
‘Oké! De voorstelling is afgelopen. Oké! Verspreidt u zich maar weer. Leuker dan dit wordt het niet.’
En de mensen waren braaf en gehoorzaam en gingen weer verder met cd’s en kleren en make-up kopen en alles was weer zoals daarvoor, alsof er niets was gebeurd.

Maar ik ging naar buiten, ik ging bij het kanaal staan en keek naar de drijvende ijsmassa en ik was geïrriteerd. Ik was voor de gek gehouden. Besodemieterd.
Wat ik dacht dat werkelijkheid was geweest, was slechts theater geweest.
Wat ik dacht dat een skinhead en een immigrante waren, waren slechts twee mensen geweest die toneel speelden.
Het was gewoon nep.
Ik hield er niet van om voor de gek te worden gehouden. Wie wel? Wie wil er voor de gek worden gehouden?

En ze hadden het trouwens mis. De sluier kon voor veel meisjes ook veiligheid betekenen, en trots. Dat had ik op de radio gehoord. De meisjes kozen er zelf voor, niemand dwong ze. En hier in Zweden waren wij ook heus niet het toonbeeld van gelijkheid. Meisjes leren al op jonge leeftijd dat ze als seksobject worden beschouwd. Elfjarige Zweedse meisjes lopen rond in doorschijnende bloesjes en tanga's. Is dat zoveel beter dan een sluier?
Ik was geïrriteerd. Ik was voor de gek gehouden. Ik was kwaad.
Ik liep een poosje voor me uit te mopperen, daarna ging ik naar huis om thee te drinken.

3 (Een velletje papier aan de muur)

'Het innerlijk is het belangrijkst'
zei de leeghoofdige schoonheidskoningin
in het televisie-interview.
Alsof jij iets van het innerlijk af weet,
dom blondje
jij die slechts uiterlijk bent
jij die slechts leeft om je uiterlijk op te poetsen
die altijd ieders blik en ieders lach naar zich toe trekt
die de macht van de schoonheid heeft gevoeld
die het beeld was in de hoofden van jongens
als hun handen onder het dekbed verdwenen.
Doe een sluier om, verberg je gezicht en je haren
Leef een jaar zo
Dan kun je iets zeggen over het innerlijk

4

Er moest iets gebeuren.
Ik voelde me zo rot, ik verveelde me zo, ik wist niet wat ik wilde, ik was eenzaam, ik was dom, ik was lelijk, ik was verdrietig, ik had mezelf in een hoek gemanoeuvreerd, ik was op een doodlopend spoor beland, ik zakte langzaam weg in een bodemloos moeras. Zonder vreugde, zonder plannen, zonder leven sleepte ik me door de voorjaarsvakantie heen.
Ik zat aan mijn keukentafel. Ik lag op mijn bed. Ik ruimde op. Ik keek uit het raam. Ik stond voor de spiegel; heel lang stond ik te staren naar het spiegelbeeld van mijn gezicht en ik probeerde antwoord te krijgen op mijn vragen. Of ik probeerde vragen te bedenken die ik kon stellen. Ik doodde de tijd en sleepte me door de voorjaarsvakantie heen.
Ik liep rond als een zombie, of als een dier in een kooi.
En ik begreep niet waarom. Er was niets bijzonders gebeurd.
Misschien was dat juist het probleem.
Ik wist het niet, ik begreep er niets van, ik kon het niet eens opbrengen om me er druk over te maken, ik wilde gewoon wegzinken in een toestand van apathie, in slaap vallen en wakker worden in een nieuw leven.
Geef mij een nieuw leven. Ik wil opnieuw beginnen.
Geef mij een nieuwe wereld en een nieuwe tijd.
De dagen van de voorjaarsvakantie gingen voorbij, het werd zondag en maandag en dinsdag en woensdag en niets was nog belangrijk en ik bleef elke ochtend langer in bed liggen en de ochtenden werden middagen en ik bleef liggen en vroeg me af waarom ik eigenlijk op zou staan.
Geef mij een nieuw leven. Of een pilletje waar je vrolijk van wordt.
Donderdag ging ik naar de stad om te winkelen, om mezelf een beetje te troosten. Ik kocht een paar onnodige dingen om te kij-

ken of ik daar vrolijker van werd. Nee, niet echt. Maar onderweg naar huis, toen ik in de bus zat die op het Gustav Adolfplein stond te wachten, kwam er een andere bus precies naast de mijne staan en daar, achter een van de ramen, zag ik Markus.
Markus, mijn vroegere klasgenoot. Markus van de meisjes.
Mijn hart begon te bonzen. Leef jij nog? dacht ik. Was jij niet dood? Ben jij niet dood?
Ben jij teruggekomen?
Nu draaide hij zich naar mij om, nu zag hij mij, nu glimlachte hij een beetje scheef en stak zijn middelvinger naar mij op.
Ik heb het niet gedaan, ik ben onschuldig, ik heb jou niet gedood, dacht ik.
Toen bromde mijn bus weg. Mijn blik bleef hangen bij Markus in die andere bus, hij had zijn rug nu naar mij toegekeerd en hij verdween uit het zicht terwijl wij in de richting van het kanaal reden. Ik voelde mijn wangen branden en ik ontdekte dat ik met open mond had zitten staren. Beschaamd keek ik snel de bus rond, nee, niemand leek mij te hebben opgemerkt.
Het kan niet, dacht ik toen. Dat was Markus niet. Hij is verdronken. Dood. Het was iemand anders, iemand die op hem leek. Dat moest het zijn.

Donderdagavond wist ik mezelf zover te krijgen dat ik een gedachte kon formuleren, een idee.
Oma. Waarom had ik daar niet eerder aan gedacht? Mijn oma in Kopenhagen.
En die gedachte maakte dat ik vrolijk werd en vol verwachting en ik belde mijn oma, lieve oma mag ik niet bij jou op bezoek komen, het is voorjaarsvakantie en ik ben vrij en mijn oma's schorre sigaartjesstem kraakte in de telefoon toen ze zei, nee helaas, als ik aan het begin van de week was gekomen had het gekund, zei ze, maar nee, nu zou ze het weekend weggaan met een meneer, een

meneer die ze had ontmoet en die ze wat beter had leren kennen en hij had een vakantiehuisje in Gilleleje en daar zouden ze naartoe gaan. Dus helaas. Maar misschien een andere keer. Ik was altijd welkom.

'Dag lieverd!' zei oma.

'Dag oma!' zei ik en ik hing op.

En toen was ik weer terug bij af, terug in de sombere, taaie verveling en zwaarmoedigheid. Ik bleef bij de telefoon zitten en staarde ernaar, ik had het gevoel dat ik net van mijn dokter te horen had gekregen dat ik kanker had of aids en dat ik dood zou gaan, ik had het gevoel dat alles goed zou zijn gekomen, dat alles zou zijn veranderd als ik maar een paar dagen naar mijn oma had kunnen gaan. Maar zelfs dat was mij niet gegund.

Ik schrok op toen de telefoon ging en ik staarde ernaar en fronste mijn voorhoofd alsof ik mijn oren niet kon geloven. Kon mijn telefoon rinkelen?

Ik wachtte nog een belsignaal af en nog een, voordat ik op de nummermelder keek. O. Hij was het. O. Ik pakte de hoorn op.

'Hallo Eldin,' zei ik. 'Verlang je naar het zwembad?'

'Ik ben Eldin helemaal niet,' giechelde Milena in mijn oor.

'Hallo Milena,' zei ik.

'Weet je,' zei Milena.

'Nee,' zei ik.

'Wij hadden bedacht dat je misschien hiernaartoe kon komen. Om bij ons te eten. Morgen. Om drie uur. Dat hebben Eldin en ik bedacht. Wil je dat?'

'Natuurlijk,' zei ik. 'Graag. Maar...'

'Ja?'

'Maar ik eet geen vlees.'

'O,' zei Milena.

'En...'

'Ja?'

'En ik ben allergisch voor melk en boter en kaas. En eieren.'
Het is makkelijker om te zeggen dat je allergisch bent dan om uit te moeten leggen wat veganist betekent.
'Jemig,' zei Milena.
'Mag ik toch komen?' vroeg ik.
'Natuurlijk,' zei Milena.
Toen we hadden afgesproken en afscheid hadden genomen en hadden opgehangen, dacht ik: Zouden Eldins ouders niet denken dat ik zijn nieuwe vriendinnetje ben? En zou Eldin niet denken dat ik zijn nieuwe vriendinnetje ben? Nee...
Nee, dat is geen probleem, besloot ik. Morgen ga ik eten in Rosengård. Leuk.

Ik was nog niet eens opgestaan, toen de telefoon weer ging.
Dit keer liet de nummermelder een nummer zien dat ik niet herkende. Hm. Een verrassingstelefoontje.
'Hallo?'
'Spreek ik met Hannah?'
'Ja...'
'Je spreekt met Per. Herinner je je mij nog?'
Zijn vraag was een grapje. Natuurlijk herinnerde ik mij hem nog. Maar ik had het gevoel dat we elkaar op de een of andere manier waren kwijtgeraakt na onze vorige ontmoeting, tenminste, ik was hem kwijtgeraakt. Maar niet vergeten. Nee.
'Heb je Sappho gelezen?' vroeg hij, de stilte doorbrekend.
'Ja... Ja. Ja natuurlijk. Hartelijk bedankt. Dank je.'
'En wat doe jij in de voorjaarsvakantie? Heb je al geskied?'
Hoe kan hij mijn telefoonnummer weten? dacht ik en ik had al een heleboel andere wantrouwige gedachten gehad voordat ik op het idee kwam dat er telefoonboeken bestaan. En hij wist toch hoe ik heette. Dan kon hij mijn telefoonnummer opzoeken in het telefoonboek, zo eenvoudig was het. Ik had hem toch zeker ook opge-

zocht in het telefoonboek, maar ik had alleen zijn ex-vrouw gevonden.
'Hallo! Ben je er nog?'
'Ja... Ja natuurlijk. Ik ben alleen nog niet helemaal wakker. Ik lag te slapen. Eh... Nee, ik doe niets bijzonders deze vakantie. Lekker luieren voornamelijk.'
'Moet je horen, ik had een idee. We hadden het toch een keer over Kopenhagen? Ik ga er morgen naartoe. Heb je zin om mee te gaan?'
'Eh...' zei ik.
'Het zit zo,' zei Per vlug, 'ik zou met een vriend gaan, maar die is ziek geworden. We zouden 's avonds naar het theater gaan en ik heb de kaartjes en alles al. En plaatsen gereserveerd op de laatste draagvleugelboot naar huis en... Maar hij is ziek. Mijn vriend. Wil jij mee?'
'Eh...,' zei ik.
'Naar de opera dus,' ging hij verder. 'In het Koninklijk Theater dus. Ben je daar wel eens geweest? Ze spelen de Macbeth van Verdi. Wat vind je ervan?'
Ik dacht drie seconden na, toen zei ik:
'Nee, helaas, ik kan niet. Ik ben morgen al ergens anders uitgenodigd. Ik ga eten bij... mijn vriendje en zijn ouders. Dus helaas. Maar ik vind het ontzettend aardig dat je het vroeg. Dat je aan mij hebt gedacht...'
Als hij al teleurgesteld was, dan liet hij dat niet merken, hij zei alleen o ja en dat het jammer was en dat we dan misschien iets anders konden afspreken, misschien kon ik hem bellen en ik kreeg zijn telefoonnummer en toen nam hij afscheid.
Waarom zei ik: mijn vriendje? dacht ik toen ik had opgehangen. Was ik bang geworden voor mijn volwassen vriend Per? Nee, helemaal niet. Ook niet wantrouwig. Hij wilde alleen maar aardig zijn, hij had geen kwade bedoelingen.

Ik vond zijn gezelschap prettig, natuurlijk, dat was toch zo, en ik was graag meegegaan naar Kopenhagen maar... Ja, toch, er was toch iets niet helemaal in orde voor mijn gevoel. Een lichte storing, een lichte ruis. Of een lichte bijsmaak die achterblijft op je tong na een lekker dineetje.
Ik zou het niet in woorden kunnen uitleggen.
En waarom had ik vriendje gezegd? Dat had ik helemaal niet hoeven doen. Ik lachte in mijzelf om het beeld dat ik in mijn hoofd zag; het beeld van Eldin die in opperste ernst en concentratie de armslag oefende: Voor-zij-sluit. Voor-zij-sluit. Voor-zij-sluit.

Ik lachte nog toen de telefoon voor de derde keer ging.
Weer verscheen er een onbekend nummer op de display. Ik nam op.
'Ja?'
'Ik heb jouw telefoonnummer gevonden in de schoolalmanak,' zei een mannenstem in de hoorn. 'Of liever gezegd, ik heb je foto daarin gevonden. En je naam. En toen heb ik je telefoonnummer opgezocht.'
Dat is hem, dacht ik en ik begon te trillen. Dat is de man die mij steeds opbelt, dat is degene die mij opbelt en dan niets zegt. Nu praat hij. Nu gaat hij het uitleggen. Ik slikte en wachtte af.
'Jij bent toch Hannah Andersen?'
Met een toonloze stem wist ik iets uit te brengen dat ja moest voorstellen.
Nu heb ik eindelijk jouw telefoonnummer, dacht ik.
'Ik bel om je mijn excuses aan te bieden,' zei de stem in de hoorn. 'Ik...'
'Waarom heb je het gedaan?' fluisterde ik.
'Waarom ik het heb gedaan?' herhaalde de stem en hij klonk bijna geïrriteerd. 'Dat begrijp je toch wel, ik...'
'Ik wil niet met jou praten,' zei ik.
'Maar...'

'Ik wil niet met jou praten. Ik hang nu op. Als je mij nog één keer belt, geef ik je aan bij de politie.'
'Wacht nou even, laat me het uitleggen, ik heet Andreas, ik...'
Klik. Ik drukte de hoorn op de telefoon en hield mijn hand erop, alsof de hoorn een grijze rat was die ik onder water duwde, alsof ik er zeker van wilde zijn dat zijn stem zou verdrinken en voortaan zou zwijgen.
Toen ik tenslotte mijn hand weer optilde, voelde ik dat ik nog steeds trilde, mijn hele lijf schokte en ik keek wantrouwig en onrustig naar de telefoon. Die bleef stil.

Iemand die Andreas heet, dacht ik. Een man, een jonge man. De almanak, aha. Misschien zit hij daar wel in te bladeren, kiest hij middelbare-scholieres uit, zoekt hun telefoonnummer op in het telefoonboek en begint ze dan 's nachts te bellen. Misschien windt het hem wel op om meisjes bang te maken. Misschien staat hij wel in zijn blootje te bellen, misschien staat hij met de fotopagina's van de schoolalmanak opengeslagen voor zich...
Brrr. Ik rilde.
Waarschijnlijk was hij ongevaarlijk. Waarschijnlijk was hij eenzaam en ongelukkig. Waarschijnlijk was hij zielig. Eigenlijk.
Nee. Nee. Nee.
De angst en het gevoel van onbehagen gingen over in boosheid. Hij had mij iets heel ergs aangedaan. Hij had mij bang gemaakt. Hij had mij nachtmerries bezorgd. Hij was een pervers zwijn.
Ik pakte de hoorn op, toetste vlug zijn nummer in en wachtte met bonzend hart.
'Met Andreas...'
'Jij hebt mij iets heel ergs aangedaan, begrijp je dat!' schreeuwde ik in de hoorn en toen smeet ik hem er weer op.
Het hielp niet. Mijn uitbarstinkje troostte mij niet en gaf me ook geen rust.

Ik zat heen en weer te wiegen op mijn bureaustoel, ik had het koud en ik klemde mijn armen stevig om mezelf heen. Wat moest ik doen? Met wie moest ik in godsnaam praten? Waar vond ik een paar zachte armen waarin ik weg kon kruipen?
Verdomde klote-hijger van een Andreas, waarom moest je mij betrekken in jouw perverse seksuele fantasieën, waarom koos je lelijke, bleke Hannah uit alle knappe, sexy middelbare-scholieres van Malmö, verdomde klootzak, vuil impotent zwijn, als je eens wist hoe erg ik jou haatte.
Vloeken en schelden hielp ook niet.
Ik pakte de telefoon en belde naar huis.
Pappa en mamma. Kom me halen voor vannacht. Ik voel me zo alleen en ik heb het koud. Laat me thuiskomen.
Er werd niet opgenomen. Niemand thuis.

Met alle lichten aan viel ik tenslotte op bed in slaap; gewikkeld in mijn dekbed en mijn sprei en mijn dekens en met mijn kleren aan. Midden in de nacht werd ik wakker, maar hoewel ik drijfnat was van het zweet, bleef ik liggen, ik durfde niet op te staan, durfde me niet van mijn plek te verroeren. Badend in het zweet lag ik wakker totdat de schemering aanbrak. Toen viel ik weer in slaap.

5

Na de nacht komt altijd de dag en
vlak voor de schemering is het altijd het donkerst en
als de nood het hoogst is, is de redding nabij en
blablablabla wijze woorden en
na nachten van zweet komt er altijd een douche en

ik zegende mijn nummermelder. Wat een nuttige en onmisbare uitvinding, dacht ik toen de telefoon ging, precies op het moment dat ik de douche uitstapte en ik zonder dat ik zelfs ook maar de tijd had om te gaan zweten en zenuwachtig te worden, kon zien dat het Milena was die belde. Of misschien haar grote broer.
'Mag je tomaten uit blik eten?'
'Natuurlijk, Milena.'
'Mooi.'
Vijf minuten later belde ze om te vragen of ik champignons mocht eten, daarna belde ze om te vragen of ik meel mocht eten, daarna belde ze om te vragen of ik bananen mocht eten, daarna belde ze om te vragen of ik gist mocht eten, daarna belde ze om te vragen of ik ananas mocht eten, daarna belde ze om te vragen of ik mosselen mocht eten.
En ik antwoordde ja, ja, ja, ja, ja en nee.
'Zijn mosselen dan vlees?' vroeg Milena.
'Ik weet het niet,' zei ik. 'Ik eet ze in elk geval niet.'
'Ook geen garnalen?' vroeg ze.
'Nee.'
Door al dat getelefoneer had ik nog niet eens mijn haar kunnen kammen en nu was het opgedroogd en het stond alle kanten op en ik stond voor de spiegel en lachte om mijzelf toen Milena weer belde.
'Mag je water eten?' giechelde ze.
'Hou op, Milena,' zei ik.
Maar ik was vrolijk, ik voelde me bijna gelukkig, zij had mij weer vrolijk gemaakt, alle donkere wolken en alle beklemmende neerslachtigheid waren verdwenen en nu scheen de zon vanuit een blauwe februarihemel.
Wat zal ik eens gaan doen tot aan het eten vanavond? dacht ik net toen er weer werd gebeld.
'Nee, Milena, ik eet geen struisvogeleieren,' zei ik.

'Ik ook niet,' zei een stem in de hoorn.
Het was niet Milena's stem. Hij was het.
Andreas de almanak-rukker. Andreas de hijger.
'Ben jij een beetje traag van begrip of zo?' zei ik. 'Ik bel de politie.'
'Sorry,' zei hij. 'Je begrijpt waarschijnlijk niet...'
Klik. De hoorn erop. Ha. Nu maak jij mij niet meer bang, dacht ik. Kwaad word ik wel, maar niet bang. Nee. Nooit meer bang, niet voor jou. En ik ken trouwens een meisje dat Milena heet en...
Tring. Weer de telefoon. Dit keer keek ik op de nummermelder voordat ik opnam.
'Ja, Milena, wat is er?'
'Hoe wist je dat ik het was?' vroeg Milena met een plagerig stemmetje.
'Jij belt me de hele ochtend toch al,' zei ik.
'Zeg,' zei Milena, 'ik dacht dat je misschien zin had om een stuk te gaan wandelen met Boef. Met mij en David en Boef. Als je wat vroeger komt, kunnen we dat doen. Als je nu komt. Dan halen we je wel af bij de bushalte.'
Milena, ik houd van je.
'Ja, ik kom,' zei ik. 'Maar mijn haar zit wel gek.'
'Dat geeft niet,' zei Milena.

We liepen een heel eind met Boef, tot ver voorbij de Husiekerk. We, dat waren Milena en David en ik en Milena's kleine mollige zusje Sanja, dat eerst alleen maar giechelde en naar mij liep te gluren, maar dat al heel snel begon te praten en vervolgens twee uur lang bijna onafgebroken praatte.
'Sanja, ik krijg pijn in mijn oren van jouw geklets,' zei David terwijl hij een stok gooide voor Boef.
'David, jij bent zo gek, jij zegt van die gekke dingen,' lachte Sanja en toen vertelde ze mij wat voor gekke dingen David allemaal had gezegd en gedaan.

Toen we op de terugweg waren, keek ik op mijn horloge.
'Ik had gedacht dat je nu wel in de keuken zou moeten staan om te koken,' zei ik tegen Milena.
'Dat doet Eldin,' zei ze vrolijk. 'Ik heb hem verteld wat hij moet doen.'

Pizza. Vegetarische pizza. Veganistische pizza zelfs. Wat een goed idee. En hij was lekker. Na al die telefoontjes van Milena had ik eigenlijk wel kunnen bedenken dat ze pizza zouden maken, maar ik had me er helemaal op ingesteld dat ik de een of andere Bosnische specialiteit zou krijgen.
Eldin lachte zijn in zichzelf gekeerde heiligenglimlach toen ik zijn pizza prees en zijn moeder knikte trots en tevreden. Ja, zij was dik. Ja, zij was mooi geweest, ze was trouwens nog steeds mooi, haar ogen waren twee glinsterende zwarte diamanten en haar glimlach was levendig en vriendelijk. Maar dik, ja, dat was ze wel geworden. Ik wist niet zeker hoeveel Zweeds ze verstond en ik wist niet of ze Zweeds sprak, omdat ze de hele middag en avond nauwelijks iets zei. Ze glimlachte alleen zo mooi.
De vader praatte des te meer. Ja, hij was een charmeur. A women's man. Een verleider van het ouderwetse, prettige soort en ik liet me graag verleiden door zijn lachrimpeltjes en zijn onverholen blikken. Hij zorgde dat ik vrolijk werd, hij maakte mij aan het lachen, hij was geïnteresseerd en nieuwsgierig en vriendelijk flirterig.
Eldin zei niet veel. Milena en Sanja babbelden erop los zodra ze de kans kregen.
De avond ging voorbij, een familieavond in Rosengård en ik werd naar binnen getrokken in de familiewarmte en ik voelde me thuis en ik werd rustig en vrolijk en ik vergat helemaal de kou en de eenzaamheid buiten. Die waren zo ver weg. Misschien waren ze voorgoed verdwenen, misschien waren deze avond en

deze mensen net wat ik nodig had om weer tot leven te komen.
'Welk schilderij was het?' vroeg ik terwijl ik om me heen keek naar de muren in de kamer.
Eldin wendde zich tot zijn vader en legde het uit en op zijn vaders gezicht brak een glimlach door, hij stond op, kwam achter mijn stoel staan en schoof hem naar achteren, bood me zijn arm aan en voerde mij mee naar de bank.
'Dit is het,' zei hij en hij wees. 'Het is gemaakt door een vriend van mij, een kunstenaar uit Sarajevo, hij is nu dood, maar ik vind het zo mooi, ik heb het door heel Europa meegesjouwd, ja, dat heeft Eldin immers verteld...'
Ik bekeek het schilderij. Ja. Mooi. Lichte rustige kleuren, driehoeken, cirkels en lijnen.
'Beetje Kandinsky-achtig,' zei ik.
Eldins vader schonk mij een waarderende glimlach.
'Dat zei ik altijd tegen hem. Je schildert net als Kandinsky, zei ik altijd. Dan werd hij boos. Dan zei hij: Ik schilder net als mezelf, ik schilder niet net als een ander. Haha. Dat jij dat ziet...'
Hij hield zijn hoofd scheef en knikte en ik voelde mij een trots schoolmeisje dat een complimentje heeft gekregen van haar favoriete leraar.
'Maar nu moet ik naar huis,' zei ik terwijl ik op de klok keek.
De vader protesteerde beleefd en Milena vond mij saai.
'Morgen is er weer een dag,' zei ik en ik hoorde hoe flauw ik klonk. Als een zeurende ouwe moeder. Als een ordinaire Zweedse. Als iemand die wel praat maar niets zegt.
'Ik breng je wel,' bood Eldin aan. 'Ik moet toch de stad in.'
En na een heleboel glimlachen en handen schudden en hartelijk bedankt en het was heerlijk, stond ik in de hal te wachten terwijl Eldin de laatste vermaningen van zijn ouders kreeg in een taal die ik niet verstond.
'Jajaja,' zei hij tenslotte en ging met mij naar buiten.

Zoals een steentje dat in je schoen zit, had ik de afgelopen dagen de beelden van de skinhead en het gesluierde meisje in mijn hoofd gehad, af en toe waren ze opgedoken, hadden ze een beetje geschuurd en geïrriteerd, maar niet genoeg om me er echt druk over te maken. Ja, zoals een steentje in je schoen.
Maar toen Eldin en ik de hoek omgingen en mijn straat inliepen, stond hij daar, precies voor mijn deur.
'Je hoeft niet helemaal mee te lopen naar mijn huis,' had ik tegen Eldin gezegd toen wij uit de bus stapten, maar dat wilde hij wel en nu was ik blij dat hij zo'n ouderwetse beleefde jongen was.
Daar stond hij. De nepskinhead uit de Hansecompagnie. Ik herkende hem toen we waren overgestoken naar mijn kant van de straat. Eldin verstijfde plotseling naast mij toen hij zag wat ik zag.
'Wacht even,' vroeg ik hem.
Eldin bleef staan en keek naar mij.
'Ik heb een steentje in mijn schoen,' legde ik uit.
Ik leunde met mijn ene hand op zijn schouder, terwijl ik langzaam en zorgvuldig de veters van mijn rechterschoen losmaakte, hem uittrok en er een fantasiesteentje uitschudde. Toen ik de schoen weer aanhad en met beide voeten op de grond stond, keek ik op. Hij was weg. Hij was verdwenen. Mooi zo.
Bij mijn voordeur nam ik afscheid van Eldin. Wij gaven elkaar een hand. Het voelde alsof we neef en nicht waren of zoiets.
Ik had bijna gevraagd of hij dacht dat zijn ouders dachten dat ik zijn vriendin was, maar die woorden kwamen nooit over mijn lippen en toen ik bleef staan en keek hoe hij wegbeende naar de Bosnische club, toen ik zijn smalle schouders en zijn licht gebogen rug zag, was ik blij dat ik niets had gezegd. Waarom ben ik zo'n dwaas? Natuurlijk begrijpen zijn ouders dat ik niet zijn vriendinnetje ben.
Terwijl ik de voordeur opendeed en de trappen opliep, dacht ik verder na over Eldin en zijn ouders. Jij hebt een levenstaak, Eldin,

dacht ik. Een taak die je zelf op je hebt genomen. Jij wilt je ouders redden, je wilt ze mee terugnemen naar Sarajevo, je wilt ze weer tot leven wekken.
Ik zou ook graag een levenstaak hebben, dacht ik en ik zuchtte even terwijl ik de deur van mijn flat openmaakte. Maar als het nou eens zo is dat je jezelf voor de gek houdt, Eldin?

6

Wollen truien. Sommige mensen lijken op wollen truien waar andere mensen, die lijken op klitten, zich aan vast kunnen hechten. Zo iemand ben ik dus, zo'n wollen-trui-mens. Hoewel ik echt heb geprobeerd om eenzaam en ongelukkig te zijn, of in elk geval eenzaam, zijn ze op mij afgekomen en hebben ze zich aan mij vastgehecht. Eldin en Milena en hun ouders en hun mollige kleine zusje en hun blozende vriendje David met zijn stinkende hond. En een leraar die met mij naar Kopenhagen wil. En een nepskinhead. En een smerige hijger.
Wat een verzameling. Ik zou een circus kunnen beginnen.
Maar die laatste artiest zou ik het liefst ontslaan. Hij zou levende kanonskogel mogen worden en dan zou ik hem wegschieten, dwars door het tentdoek heen, de ruimte in, naar de oneindigheid en de leegte en hem dan laten verdwijnen in het zwarte, koude niets.
Je moet leren de techniek te beheersen, anders word je door de techniek beheerst, dat zegt mijn grote broer de computerman altijd. Betweterig en dom. Maar ik moest wel aan hem denken toen ik bedacht dat mijn nummermelder alle telefoonnummers opsloeg en dat ik inlichtingen zou kunnen bellen om iets meer te weten te komen over Andreas de hijger.

Dus ik belde inlichtingen en vroeg van wie het telefoonnummer xxxxxx was en de mevrouw van inlichtingen antwoordde vrolijk: 'Bodil Stegemyr.'
Ik kreeg zelfs haar adres.
Bodil Stegemyr? Wat een komische naam. Wie was zij? Een vrouw die de perverse lusten van Andreas niet kon bevredigen? Een zus? Of een moeder?

Het was zondag, week acht was bijna voorbij en dan wachtte de dagelijkse sleur van school weer. Wat een rare voorjaarsvakantie was dit geweest. Eerst was ik voor de gek gehouden door een theaterskinhead en een theatermoslimmeisje. Daarna was ik diep weggezakt in een poel van verveling en zelfmedelijden. Daarna was ik te eten gevraagd. En daarna had mijn anonieme hijger gebeld en verteld wie hij was.
Wat een week. Dat laatste wilde ik graag uit de weg hebben geruimd voordat de week voorbij was, dus ik belde zijn nummer.
'Met Andreas,' nam hij op.
'Met mij,' zei ik.
Hij hoorde meteen wie ik was.
'Wat goed dat je belt,' zei hij, 'ik heb...'
'Wie is Bodil Stegemyr?' vroeg ik.
'Dat is mijn moeder,' antwoordde hij.
'Weet zij wat jij allemaal uitspookt?' vroeg ik.
Zijn lichte aarzeling, de paar seconden die hij wachtte voordat hij antwoordde, waren voldoende antwoord.
'Ze weet wel wat,' zei hij en ik begreep dat er veel gebeurde waar zijn moedertje niets van wist. 'Maar zeg...'
'Als je mij nog één keer belt, dan vertel ik alles aan je moeder,' onderbrak ik hem. 'Heb je dat begrepen?'
Het werd stil aan de andere kant.
'Ik begrijp niet waarom je...' begon hij, maar ik onderbrak hem:

'Als je nog één keer hiernaartoe belt, vertel ik alles aan je moeder. Oké?'
Ik hing op.
Ha. Kleine Andreas de hijger was bang voor zijn moeder Bodil.
Ha. Nu hoefde ik in elk geval niet meer bang voor hem te zijn.
Mooi zo.

Er ging een halfuur voorbij. Toen werd er aangebeld.
Ik deed open, maar toen ik zag wie daar voor mijn deur stond, deed ik hem niet verder open maar bleef ik achter een kier van een decimeter staan.
'Wat wil jij?'
'Hallo,' zei hij met een glimlach.
Hij kreeg geen glimlach terug.
'Ik begrijp niet waarom jij zo boos bent,' zei hij.
Ik staarde hem kwaad aan. Hij zag er vandaag ook uit als een skinhead, maar toen ik beter keek, zag ik het anarchiesymbool op de mouw van zijn jack in plaats van nazisymbolen of een Zweedse vlag.
'Jij hebt mij voor de gek gehouden,' zei ik. 'Ik houd er niet van om voor de gek te worden gehouden. Als iemand toneelspeelt. Als ik dat niet weet.'
Hij wilde iets zeggen, maar bedacht zich. Hij aarzelde. Ik wachtte.
'Oké,' zei hij tenslotte. 'Sorry. Jij was moedig, je was de enige die iets probeerde te doen.'
Ik wilde helemaal geen complimentjes van hem. Ik was zijn leerling niet, of zijn onderdaan. Ik zei niets en staarde hem aan.
'Het is erg moeilijk om met je te praten als je je achter de deur verbergt,' zei hij. 'Kun je hem niet opendoen? Ik dacht dat we misschien iets konden gaan drinken of zo.'
Hij stak zijn hand door de kier tussen de deur om zich aan mij voor te stellen.

'Ik heet Andreas,' zei hij. 'Maar dat wist je al.'
Ik staarde naar zijn hand alsof het een harige Japanse vogelspin was. Andreas? Was hij Andreas? Ik begreep er niets van.
'Ben jij degene die heeft gebeld?' vroeg ik en ik kreeg een vieze smaak in mijn mond.
'Ja, ik wilde alleen...'
Toen trok ik de deur dicht.

Het was de bedoeling dat het pijn zou doen. Ik wist dat zijn hand binnen was en de rest van zijn lichaam buiten, ik wist dat hij ertussen zou komen en ik trok hard.
Maar ik was niet voorbereid op zo'n harde gil.
Een wanhoopskreet, een waanzinnig gebrul echode door het trappenhuis en zorgde ervoor dat ik de deur losliet zodat hij zijn hand terug kon trekken.
'Au verdomme, jij bent niet... Ahhhh...'
Ik smeet de deur dicht.
Ik voelde me heel tevreden. Ik had tranen gehoord in zijn stem. Ik hoorde hem jammeren voor mijn deur. Mooi zo. Zijn verdiende loon. Een klein beetje wraak. Vrouwen kunnen best voor zichzelf opkomen. Ha.
Ik ging op de grond zitten met mijn rug tegen de muur van mijn halletje en ik hoorde hem jammeren aan de andere kant van de deur. Ha. Ik voelde me prima. Ik wist niet dat ik zo primitief was. Ik wist niet dat ik zo militant was. Ha. Dan had de krant toch gelijk. Pas op voor militante veganisten.
Na een poosje hield het gekreun en gejammer daarbuiten op. Ik spitste mijn oren en wachtte. Hij ging niet weg. Hij was er nog. Slechts een halve meter van mij vandaan, alleen een deur scheidde ons. Wat deed hij nu? Viel hij flauw, zakte hij in elkaar? Nee, hij ging zitten, ik hoorde hoe hij voor mijn deur ging zitten.
Waarom ging hij zitten? Wat was hij aan het doen?

Ik hoorde hem kreunen en zachtjes vloeken.
Toen ging mijn brievenbus open.
'Ben je daar?' vroeg hij.
Zijn stem klonk mat, hij fluisterde bijna.
Ik gaf geen antwoord.
'Waarom ben je zo boos?' vroeg hij.
Ja, aan zijn stem was te horen dat hij pijn had. Veel pijn. Mooi zo.
'Ik begrijp het niet,' zei zijn stem in de brievenbus.
Hij klonk zelfs bedroefd. Als een verdrietig klein jongetje, alsof hij echt verdrietig was omdat hij het niet begreep.
'Luister,' zei ik. 'Ik weet niet wat voor problemen jij hebt, maar ik houd er niet van om 's nachts te worden gewekt door de telefoon omdat jij...'
'Wacht even,' vroeg hij. 'Wacht nou even...'

Toen werd het even heel ingewikkeld
en ik zat daar in het halletje en hij voor mijn deur
en ik praatte in de lucht
en hij door mijn brievenbus
en wij praatten langs elkaar heen en het werd
steeds ingewikkelder
en eerst dacht ik alleen
dat hij probeerde mij om te praten
met listige leugens, maar langzamerhand begon ik te begrijpen
dat hij mij maar twee keer had gebeld
dat hij alleen had gebeld om zijn excuses aan te bieden omdat hij had begrepen dat ik me besodemieterd had gevoeld
toen ik hem en zijn Iraanse vriendin toneel had zien spelen
voor het winkelende publiek in de Hansecompagnie
en dat hij daarom mijn foto en mijn naam
had opgezocht in de schoolalmanak
en mijn telefoonnummer had kunnen vinden

maar hij was niet degene die eerder had gebeld
's avonds en 's nachts
nee, hoe had hij dat kunnen zijn?

Ja, hoe had hij dat kunnen zijn? Mijn mondhoeken begonnen te trillen. Wat gek. Waarom had ik gedacht dat hij het was?
Een plus een was een.
Een nepskinhead die ik in de stad had gezien.
Een jongen die mij belde en zei dat hij Andreas heette.
Een plus een was een.
En nog steeds bleef er een x over, een variabele die ik nog niet had opgelost, x die mij opbelde en niets zei. Maar x was niet dezelfde als Andreas, nee.
Wat was ik dom.
Daarbuiten voor mijn deur zat hij en nu moest ik hardop lachen, om mijzelf, om hem, om de jongen die daar in het koude trappenhuis voor mijn deur zat. Ik lachte heel lang. Toen ik was uitgelachen, hoorde ik zijn stem; als een ansichtkaart viel zijn stem door de brievenbus:
'Zeg, ik heb ontzettende pijn. Misschien heb ik wel iets gebroken.'
'Oké dan, je mag binnenkomen,' zei ik terwijl ik opstond.

7

Oei. Die hand was rood. Het deed al pijn als je er alleen maar naar keek: vlak onder de knokkels van zijn rechterhand hadden de deur en de deurpost een diepe moet achtergelaten en de hele hand was vuurrood.
Zoiets moet je koelen, dat had ik geleerd toen ik vroeger met mijn vader naar voetbal keek op televisie; als iemand geblesseerd was,

dan werd het gekoeld, dus ik haalde ijsblokjes uit het vriesvak, stampte ze fijn op de aanrecht en deed ze in een plastic zak die ik aan de lijdende skinhead gaf.
'Hier. Houd dit er maar op.'
Hij liet zich vallen in mijn enige leunstoel en drukte de ijszak stevig op zijn rechterhand. Ik bleef aan de andere kant van het salontafeltje staan en keek naar hem, een beetje beschaamd, dat wel, maar direct onder de oppervlakte lag een borrelend gegiechel op de loer en ik moest vreselijk mijn best doen om dat niet te laten ontsnappen. Ik voelde me ook een beetje trots. Ik had een twee meter lange en een meter brede mannelijke skinhead onschadelijk gemaakt met één enkel gebaar van mijn hand. Vrouwen kunnen best voor zichzelf opkomen. Hannah kan best voor zichzelf opkomen.
'Sorry,' zei ik toch maar en ik hield mijn hoofd schuin.
Hij glimlachte een beetje flauwtjes naar mij en schudde zijn hoofd.
'Vertel het nou nog eens,' vroeg hij. 'Iemand belt jou dus steeds 's nachts...'
En ik vertelde het nog eens en legde het nog eens uit.
'Er zijn zoveel smeerlappen tegenwoordig,' zei hij toen ik zweeg.
Toen keek hij naar zijn hand en tilde voorzichtig de ijszak op, die nu meer een waterzak was geworden.
'O, dat hielp, dat was lekker,' zuchtte hij.
'Iets gebroken?'
Hij hield zijn hand omhoog en bewoog zijn vingers één voor één heen en weer: 'Duimelot, likkepot, lange Jan, ringeling en het kleine ding. Nee, ik geloof het niet. Ik geloof dat ze het allemaal hebben overleefd.'

We zwegen. Hij keek rond maar zei niets over alle papiertjes aan mijn muren. Hij keek naar zijn hand. Hij keek naar mij en glimlachte een beetje scheef naar me.

'Ik heb jouw foto opgezocht in de schoolalmanak,' zei hij tenslotte. 'Ik zag dat je Hannah Andersen heette. Ik belde je alleen maar omdat ik mijn excuses wilde aanbieden; ik zag dat we je voor de gek hadden gehouden daar in de Hansecompagnie, ik zag dat je het vervelend vond. Als ik je niet had gebeld dan...'
Hij tilde zijn hand op en keek er veelbetekenend naar.
In een wip was het kleine beetje medelijden dat ik voor mijn gast had gevoeld, verdwenen. Daar zat hij in mijn zachte leunstoel doodleuk te vertellen hoe goed en aardig hij wel niet had willen zijn en hoe vreselijk verkeerd hij was begrepen. En dan herinnerde hij mij ook nog eens aan mijn vernedering van die dag in het NK-gebouw.
En ik kon het natuurlijk niet laten om een discussie te beginnen over sluiers en hoofddoeken en ik zei natuurlijk dat je andermans geloof moest respecteren en dat we toch zeker geloofsvrijheid hadden in Zweden en dat wij trouwens niets hebben om over op te scheppen als het over gelijkheid gaat in dit land, als elk twaalfjarig jongetje duizenden pornoplaatjes kan bekijken op internet en seksfilms kan zien op de filmkanalen en denkt dat meisjes een soort constant geile wezens zijn die er de hele dag naar lopen te verlangen dat hun drie openingen gevuld worden met stijve piemels en liefst alledrie tegelijk.
En sommige meisjes die bij die jongens in de klas zitten, denken ook dat het zo is. Is dat dan beter? Is dat beter dan vrouwelijke trots die wordt verborgen achter een doek?
En hij was natuurlijk vol begrip en zei dat ik gelijk had maar dat pornoplaatjes en sluiers gewoon twee verschillende kanten waren van dezelfde mannenheerschappij, het waren twee verschillende kanten van dezelfde onderdrukking die bestreden moest worden.
'Maar als het niet vanwege Yasmin was, dan had ik het nooit gedaan,' zei hij terwijl hij mij in mijn ogen keek. 'Want eigenlijk ben ik het met jou eens. Je moet tolerant zijn, je moet respect

tonen voor verschillende culturen. Maar zij heeft mij verteld... Zij komt uit Iran. Haar ouders hebben meegedaan aan de opstand tegen de Sjah. Toen hij werd afgezet, dachten de meeste mensen dat Khomeini een bevrijder was, maar die oude vogelverschrikker en zijn onderpriesters trokken de hele revolutie naar zich toe en toen kwam er een dubbele onderdrukking voor in de plaats, tegen andersdenkenden en tegen vrouwen. Yasmins oudere broer is gestorven in een gevangenis; hij is doodgemarteld. Yasmins ouders zijn mishandeld door de politie en steeds weer gearresteerd. Vrienden en familieleden zijn verdwenen. Vrouwen werden gedwongen een sluier te dragen. Dus haar familie is naar Zweden gevlucht. En Yasmin kwam in Zweden en kwam erachter dat er jonge moslimvrouwen zijn die zeggen: "Ik voel me vrij achter mijn sluier. Ik heb er zelf voor gekozen." Dan wil ik alleen maar huilen, zegt Yasmin. Waarom begrijpen zij het niet? Dat is geen vrijheid, als je wordt gedwongen je haar of je gezicht te verbergen, dat is accepteren dat een vrouw minder waard is.'

Het slimste jongetje van de klas. Meneer de betweter zit hier in mijn leunstoel college te geven. Jammer dat ik niet wat harder heb getrokken, jammer dat het mij niet is gelukt om tenminste het kleine ding te breken. Ik kreeg opnieuw een vieze smaak in mijn mond.

'Nee, als het niet vanwege Yasmin was geweest en alles wat zij mij heeft verteld...'

'Hebben jullie iets met elkaar?' vroeg ik en ik kon mijn tong wel afbijten.

Waarom vroeg ik dat? Kan het mij iets schelen of Meneer de Slimme Skinhead iets heeft met Mevrouw de Strijdende Communiste uit Iran? Totaal niet. Waarom vroeg ik dat? Nu klonk het alsof ik wilde weten of hij vrij was. Ik had net zo goed mijn broek kunnen uittrekken en mijn benen wijd kunnen doen. Domme Hannah is mijn naam. Eerst praten, dan denken, is mijn motto.

'Nee, we zitten alleen in dezelfde toneelgroep,' lachte hij en hij schudde zijn hoofd. 'En we hebben dezelfde ideeën. Over bepaalde dingen. En we houden allebei van straattheater, een soort theater waarbij het publiek niet weet dat het theater is waar het naar kijkt, waarbij het publiek niet weet dat het publiek is. En waarbij het publiek kan ingrijpen in de voorstelling.'
Je liet mij niet ingrijpen, dacht ik. Je liet gewoon toe dat ik voor de gek werd gehouden. Dat is wat straattheater betekent. Dat je mensen voor de gek houdt.
'Al in de jaren zestig...' begon hij, maar ik onderbrak hem:
'Dus jij loopt de hele tijd rond als skinhead alleen om straattheater te kunnen spelen met je vriendin Yasmin?'
Hij schudde zijn hoofd.
'Nee, ik ben skinhead omdat ik skinhead ben. Maar ik ben geen racist. Je kunt zeggen dat er van het begin af aan twee verschillende skinheadculturen zijn geweest. De eerste begon aan het einde van de jaren zestig; het waren jonge Engelsen die belangstelling hadden voor de Caribische cultuur die door immigratie uit de kolonies naar Engeland was gekomen. Het waren muziekliefhebbers die de ska-muziek en de West-Indische cultuur leuk vonden. Die werden skinhead. De andere skinheadbeweging heeft zijn oorsprong in de punkcultuur. Als een soort reactie op de decadentie van de punk, knipten sommige mensen hun punkkapsels af en schoren ze hun hoofd kaal om zich te zuiveren. En ze luisterden naar snelle punkmuziek met meezingrefreinen. Maar toen begonnen racistische en fascistische groeperingen die bewegingen over te nemen. Dus eigenlijk zijn er heel veel verschillende skinheadculturen, hoewel hier in Zweden helaas de minder leuke soort de overhand heeft gekregen.'
Blablablabla.
Jemig, wat word je moe van het luisteren naar zelfingenomen professoren die denken dat ze interessante feiten kennen die nog nie-

mand anders heeft gehoord. Jemig, wat was dat triest. Jemig, wat wilde ik graag dat ik ergens anders was.
'Maar ik ben een leuke skinhead,' zei hij en hij leek niet te merken dat ik een geeuw inslikte.
Nou ja, na die toestand met de deur, ben ik hem misschien wel een uurtje van mijn leven verschuldigd, dacht ik en ik zuchtte geluidloos. Een uur lang aardig en geïnteresseerd doen als straf voor een bijna verbrijzelde hand. Oké.
'Hoe kan ik dat weten?' vroeg ik. 'Dat jij geen racist bent?'
'Geen nazisymbolen. Geen nationalistisch gedoe.'
'Maar van een afstand is het moeilijk om verschil te zien,' zei ik. 'En 's nachts.'
Hij zei niets. Alsof hij nadacht.
'Bij nacht zijn alle skinheads grauw,' ging ik verder.
'Eerlijk gezegd,' zei hij toen, 'vind ik dat ik het recht heb om er zo uit te zien. Ik wil beoordeeld worden naar wie ik ben en wat ik doe, en niet naar hoe ik eruitzie. Als jij een jongen uit Servië of Kosovo in een merkkostuum ziet, dan kun je toch ook niet weten of het een macho is, of een vrouwenonderdrukker, of een kleine crimineel. Toch? Over mij kan ook niemand iets weten omdat ik eruitzie zoals ik eruitzie.
Onzin, dacht ik. Oké, brutale buitenlanders kunnen wel eens lastig zijn. Oké, een paar weken geleden heb ik gehuild. Oké, er zijn bendes die andere jongeren beroven, die hun mobieltjes of hun geld jatten. Maar die jongens kun je niet vergelijken met racisten. Voor racisten is geweld, terreur en moord een vrijetijdsbesteding. Dat is iets heel anders. Onzin, dacht ik, maar ik zei niets.
Hij zweeg ook. Maar niet lang.
'Maar je hebt natuurlijk ook gelijk,' zei hij met een knikje. 'Ik ben achternagezeten. Ik ben in elkaar geslagen. Maar nu heb ik een heel jaar krachttraining gedaan. Zonder anabole steroïden. Ik ben niet meer zo makkelijk in elkaar te slaan. En...'

Plotseling stopte hij en hij lachte een beetje scheef naar mij.
'Vind je dat ik veel praat?'
Ik knikte. 'Veel', dat was nog zacht uitgedrukt. En nu gaapte ik recht in zijn glimlachende gezicht. Mijn gaap betekende: 'Misschien is het eens tijd dat je weer naar huis gaat, want ik begin een beetje moe te worden en morgen moet ik weer naar school.'
Hij begreep het gapen niet. Of hij deed net alsof hij het niet begreep. In plaats daarvan stond hij op en keek rond.
'Ja, ik praat te veel, ik weet het. Maar jij schrijft, jij...'
Hij knikte naar mijn papiertjes aan de muren, maar ik zei niets. Ik had geen zin om hem iets te vertellen of uit te leggen.
Aardig zijn en luisteren, ja.
Maar zelf praten, nee.
Op dat moment ging de telefoon. Zonder het te vragen, zonder mij zelfs maar aan te kijken, nam hij op en zei:
'Ja. Hallo.'
Ik stond op en deed een stap naar voren, ik stond klaar om de hoorn en het gesprek over te nemen, maar noch het een noch het andere gebeurde; in plaats daarvan stond ik alleen maar te luisteren.
'Ja. Ja hoor. Golf. 94. Ja. Ja. Dat begrijp ik. Ja. Oké. Vijf... Vier... Vijf... Vijf... Drie... Vie... nee, wacht even, ik heb het een paar weken gedaan, dat moet een twee worden... Vier... Vier... Vijf... Jaja. Ja hoor. Bedankt. Dag.'
Op het moment dat hij ophing, barstte hij in een schaterlach uit. Terwijl hij lachte, wist ik niets beters te doen dan hem dom aanstaren.
'Met wie dacht je dat ik praatte?' grinnikte hij.
Ik haalde mijn schouders op.
'Je krijgt honderd kronen als je het raadt.'
Ik schudde mijn hoofd.
'Het was een enquête. Zo'n telefonische enquête. Het ging over

autotests. Ik moest een aantal vragen beantwoorden en cijfers geven voor verschillende dingen. Op een schaal van een tot vijf. "Hoe werd u te woord gestaan?" "Wat vind u van de competentie van het personeel?" Enzovoort. Het lijkt verdorie wel of ze niet goed bij hun hoofd zijn tegenwoordig.'

Ik staarde hem alleen maar aan.

'Ik nam op omdat ik dacht dat hij het was,' legde Andreas uit. 'Die hijger. Ik dacht dat ik hem misschien zou kunnen afschrikken.'

Ik zei niets. Hij zorgde ervoor dat ik met stomheid was geslagen.

Nu deed hij een paar stappen naar voren en begon mijn velletjes papier aan de muur te lezen. Zonder het te vragen.

Ik stond stil. Hij verlamde mij. Zijn energie maakte mij slap.

Hij las en mompelde een beetje in zichzelf en na een poosje vroeg hij:

'Ben je veganist?'

'Mm,' zei ik.

'Dacht ik wel,' zei hij en hij las verder.

En weer stond ik daar en ik kon niets anders doen dan toekijken. Weer had hij mij veranderd in publiek.

Maar toen draaide hij zich naar mij om en wees op een velletje:

'Dit hier,' zei hij, 'daar heb ik veel over nagedacht, dat van "hoeveel plaats mag ik innemen op aarde", dat is interessant, hè, dat van verantwoorde milieuruimte, maar tegelijkertijd zijn er ook politieke besluiten nodig, het maakt niet uit hoe goed je je best doet en dat je geen vlees eet en geen auto rijdt en niet te groot woont; er worden tóch wel bruggen over de Sont gebouwd, en kerncentrales en McDonald's-restaurants. Alles gaat de verkeerde kant op, ook al ga jij de goede kant op. Het kapitaal stuurt en de minister-president grijnst. Ik bedoel, je moet twee kanten op werken. Aan de ene kant moet je op een goede manier leven, maar aan de andere kant moet je ook naar buiten treden, de wereld in. Politiek bezig zijn.'

Ik haat je, zelfingenomen eikel, dacht ik, maar ik zei alleen:

'Nu praat je weer te veel.'
En toen zei hij sorry en lachte een beetje verlegen en zei dat hij wegging.
'Mm,' zei ik en ik liep het halletje in.

Mijn halletje is klein. Daarom kwamen wij te dicht bij elkaar. Hoewel ik mijn rug tegen de muur drukte en mij zo plat mogelijk probeerde te maken, kwam hij te dichtbij toen hij voor mij bleef staan.
Er bestaat een afstand tussen mensen die prettig voelt, die goed voelt. Daar heb ik iets over gelezen. En dat die afstand verschillend is in verschillende culturen. De afstand tussen mij en de skinhead die Andreas heette, was veel te klein daar in mijn halletje. Maar hij scheen het niet te merken, hij stond daar gewoon met zijn lachende gezicht veel te dicht bij mijn gezicht.
Arrogant is hij. Zelfingenomen en zelfverzekerd. En hij praat te veel. En hij speelt met andere mensen. En hij staat veel te dichtbij. Maar hij ruikt lekker. Ja, dat dacht ik. Ja.
'We kunnen wel eens iets samen doen,' zei hij. 'Jij en ik.'
Schuifelen? dacht ik. Ik heb het gevoel dat we dat al doen...
'Een voorstellinkje,' zei hij. 'Iets waar ik over heb lopen nadenken. Een klein veganistisch voorstellinkje. Dat zouden wij samen kunnen doen. Jij en ik.'
Ga nou, dacht ik.
'Met Pasen,' zei hij. 'We zouden drie kuikentjes kunnen doodmaken met Pasen. We zouden drie lieve kuikentjes kunnen vermoorden.'
Ik schrok op.
'Nooit van mijn leven,' zei ik.

8 (Een velletje papier aan de muur)

HOE KUN JE WETEN EN TOCH NIETS DOEN
HOE KUN JE LUISTEREN EN TOCH NIETS HOREN
HOE KUN JE KIJKEN EN TOCH NIETS ZIEN
HOE KUN JE HEBBEN EN TOCH NIETS GEVEN?
Al die zwarte gaten die er zijn
al die voorwerpen, scherp en vol venijn
al die stemmen zo vreselijk vermoeid
al die kinderen waar niemand zich mee bemoeit
HOE KUN JE WETEN EN TOCH NIETS DOEN
HOE KUN JE WETEN EN TOCH NIETS DOEN
HOE KUN JE WETEN EN TOCH NIETS DOEN?

9

Toen begonnen de school en het leventje van alledag weer.
Somber weer en temperaturen boven nul en bijna maart en de kans op meer sneeuw was al niet groot en werd met de dag kleiner. Een weekje winter dit jaar, daar moesten we het maar mee doen. Daar moesten we maar genoegen mee nemen, nu hadden we het voorjaar in het vooruitzicht.
Het voorjaar – het jaargetijde van de dood en de tranen.
Maar nog niet echt. Eerst nog een poosje grijze school en het grijze leventje van alledag.
En grijze dagen die kwamen en gingen.
Sommige dingen gebeurden. Sommige dingen gebeurden niet.

Een van de dingen die gebeurden, was dat ik met Anna en Cat praatte. Iets meer dan gewoonlijk. Pauzepraat. Meisjespraat. Bab-

belbabbel. Een paar avondjes video's kijken en een paar zakken chips.
Dat is altijd iets geweest wat ik heb gemist in mijn leven. Beste vriendinnetjes. Vriendinnen. Er bestaat een soort mysterieuze, hechte meisjesgemeenschap die ik eigenlijk nog nooit ben tegengekomen in de werkelijkheid.
Niet als kind. Niet op school; daar bestonden slechts concurrentie en jaloezie en valse speldenprikjes tussen de meisjes onderling. Ja, misschien een tijdje, toen ik met Camilla en andere in het zwart geklede punkmeisjes omging, maar dat was ook zoveel buitenkant, zulke harde omhulsels, zoveel goed en zoveel fout.
Misschien ben ik nooit meisjesachtig genoeg geweest. Een halve jongen was ze, de kleine Hannah. Niet wild en waaghalzerig als een jongen, gewoon niet meisjesachtig genoeg. Ze vond nooit de juiste woorden, ze wist nooit precies hoe het moest.
En nu dan. Volwassen, bijna volwassen. Vrouw. Wilde allebei zijn. Manvrouw. Of geen van beide.

De ene zei beslist: het wordt een jongen
ik voel het en daar kun je van op aan
de ander zei: welnee, het wordt een meisje
die had het in de sterren al zien staan
maar het kindje dat ons kwam verblijden
... was geen van beide!

Nee, die sterke saamhorigheid van meisjes heb ik nooit gedeeld. Anna en Cat, dat zijn gewoon klasgenootjes. Bijna-vriendinnen. Ter vervanging van. Maar ik merk dat ik dat gevoel van saamhorigheid ook nodig heb, ik merk dat ik het prettig vind om te kletsen en te giechelen en te snuffelen aan dingen die belangrijk zijn en zelf te bepalen hoeveel ik van mijzelf wil geven en hoeveel ik wil ontvangen.

'Hoe staat het met de liefde?' vroeg Anna op een avond toen we bij haar thuis zaten en net een vreselijk sentimentele romantische komedie hadden gezien.
Altijd maar dezelfde suikerzoete troep uit Amerika.
'De jongens staan in de rij,' zei ik.
'Even serieus,' zei Anna.
'Even serieus, het is echt zo,' zei ik. 'Ik kan kiezen tussen een gescheiden vader van twee kinderen, een achttienjarige Bosniër en een skinhead.'
Anna draaide zich om naar Cat en schudde haar hoofd.
'Niet echt wat je noemt de hoofdprijs,' zei Cat.
Ze dachten natuurlijk dat ik een grapje maakte.
Maar ik had gewoon de waarheid gesproken.
In zekere zin was het immers waar. Zij hadden mij benaderd, die drie. Een leraar met wie ik graag praatte. Of had gepraat. Een Bosniër die ik leerde zwemmen en die een zusje had. En een skinhead die ik liever niet meer wilde zien. Meer was het niet. Nee.
'Even serieus, ik red me uitstekend zonder jongens,' zei ik.
En toen vertelde ik een grappig verhaal dat ik eens op een ochtend op de radio had gehoord. Of eigenlijk een raadsel:
'Weten jullie hoe de misvorming wordt genoemd die vastzit aan de wortel van de penis?'
'Nee,' zeiden Anna en Cat tegelijkertijd en ze keken mij verwachtingsvol aan.
'Een man,' zei ik.
Het duurde drie seconden voordat ze de grap begrepen, toen vulde de kamer zich met meidengegiechel.

Wat ook gebeurde, was dat ik me een beetje ongerust maakte over Eldin. Of over mijzelf. Wij hadden na de voorjaarsvakantie twee keer gezwommen, en dat was goed gegaan. Hij kon al tien meter zwemmen als ik meeliep langs de rand van het zwembad en de lange stok met de haak voor hem uit hield. Tien meter zwom hij, rustig en mooi, daarna kreeg hij een golf water binnen, klemde zich vast aan de haak en begon te spugen en te hoesten en te proesten.

'Zag je dat!' zei hij toen, en lachte gelukkig.

Ik knikte. Ik was een trotse moeder. Of een trotse nicht.

Waar ik me zorgen over maakte, was dat ik was gaan nadenken over hoe Eldin mij zag. Want de avond nadat hij tien meter had gezwommen, belde hij me op en vroeg of ik met hem naar de film wilde. Als dank voor de lessen, zei hij. Om het een beetje te vieren.

'Ja hoor,' zei ik. 'Graag.'

Ik was vrolijk. Maar toen dacht ik: Wat betekent 'samen naar de film gaan'? Betekent dat iets anders dan samen naar de film gaan? Wat betekent het voor Eldin? Betekent het dat hij helemaal geen nicht wil? Samen naar de film gaan is misschien wel hetzelfde als je verloven...

Ach. Waarom zou ik me zorgen maken? Als dat zo zou zijn, dan moest ik gewoon met Eldin praten, zo simpel was het. Als hij te warm was geworden, moest ik ervoor zorgen dat hij weer afkoelde. Ja.

Why worry? Be happy...

Nee, waar had ik me druk over gemaakt, dacht ik toen ik samen met Eldin in de drukte van de foyer van de bioscoop stond.

Hij was mij komen afhalen en hij was net als altijd. Beleefd afwachtend. Liet het aan mij over om het gesprek op gang te houden. Een beetje verlegen en volwassen serieus, maar van tijd tot tijd barstte hij uit in een leuke, jongensachtige lach.

Toen zag ik Per; of dacht dat ik hem zag. Ik voelde me bekeken, ik kreeg dat gevoel in mijn nek dat je bekeken wordt en ik draaide me om en daar stond hij, slechts een paar meter van me vandaan en hij staarde naar mij en ik glimlachte natuurlijk beleefd naar hem en zei hall... Toen draaide hij zich om. Was hij het niet? Was

het niet meester Per Nosslin? Of had hij mij niet gezien, was ik niet degene die zijn ogen zagen?
Toen was het tijd voor de reclame.

Ja, de dagen gingen voorbij en sommige dingen gebeurden.
Sommige dingen gebeurden niet.
Er gebeurden meer dingen niet dan wel.
Een ding dat niet gebeurde, was dat Andreas Skinhead belde. Dat was natuurlijk heel prettig, ik had al een overdosis van zijn voortreffelijkheid gehad. Ik had me er alleen op ingesteld dat hij zou bellen.
Fijn dat hij het niet deed. Hoewel hij best grappig was geweest toen hij die figuur van die auto-enquête aan de lijn had. Als ik daaraan dacht, moest ik grinniken.
Er belde niemand. Fijn. Geen late telefoontjes, geen belsignaal dat mij 's nachts wekte. Fijn.
Of liever gezegd, ik weet het niet...
Misschien één keer, ik weet het niet. Ik weet niet of er iemand heeft gebeld of dat ik het heb gedroomd. Het is heel vreemd.
Het was de avond nadat ik met Eldin naar de film was geweest; ik werd midden in de nacht wakker. Of droomde dat ik wakker werd. Ik liep naar de telefoon, ik pakte de hoorn op, maar ik kan me niet herinneren dat ik hem heb horen overgaan.
Het was net of ik mezelf van buitenaf kon zien staan, zoals ik daar stond, naakt, met de telefoon tegen mijn oor gedrukt. Alsof ik mezelf kon zien zoals iemand anders mij zag.
Ik stond daar en wachtte af. Ik was niet bang. Eerst was het stil in de hoorn. Toen hoorde ik een zwakke stem, een trage, aarzelende stem die zei:
'Ik... wil... jou...'
Geloof ik. Ik weet het niet zeker, het kan zijn dat het meer woorden waren.

Ik werd niet bang. Ik herkende de stem. Het was een stem waar ik niet bang van werd.
Meer herinner ik me niet. Ik herinner me niet dat ik weer heb opgehangen, ik herinner me niet dat ik weer naar mijn bed ben gegaan. Het is zo vreemd.
's Morgens toen ik wakker werd, wist ik niet of het een droom was geweest of dat ik die nacht echt de telefoon had opgenomen. Ik herinnerde me alles zo duidelijk, ik herinnerde me het gevoel, ik zag het beeld van mijzelf in mijn hoofd. Maar ik wist niet of het de werkelijkheid was of een droombeeld.
Ik ging naar school. Tijdens de lunchpauze vloog ik plotseling overeind van tafel, stootte een glas melk om over Anna's eten en riep:
'Natuurlijk!'
Terwijl Anna en Cat mij nastaarden, rende ik de kantine uit. Ja natuurlijk. Ik had toch een nummermelder. Daarop kon ik zien of er die nacht iemand had gebeld. Ja natuurlijk. Lang leve de techniek.
Ik fietste in volle vaart naar huis, rende de trappen op, stond onhandig te frummelen met mijn sleutels, slaagde er tenslotte in om mijn deur open te krijgen, rende mijn flat binnen en...
O nee. Dat zul je altijd zien. De display van de nummermelder knipperde alleen maar. Er was zeker een stroomstoring geweest. En het geheugen was ook gewist. Dat zul je altijd zien. Echt weer de techniek. Daar kan een mens niet op vertrouwen.
Terwijl ik langzaam terugfietste naar school, dacht ik: Ik wil jou. Wat betekent dat?
Ik wil jou niets doen. Ik wil jou geen kwaad doen.
Of ik wil jou kwaad doen en pijn doen.
I want you so bad.

Je wordt een beetje moe van Bob Dylan als je een vader hebt die niet alleen 42 elpees van hem heeft en 39 cd's, maar ze ook nog eens vaak draait; je wordt een beetje moe van die zeurderige stem en die zeurderige mondharmonica en je wordt een beetje moe van je vaders gepraat dat Bob Dylan een van de grootste en belangrijkste dichters van de twintigste eeuw is en dat het een schande is dat hij nog steeds geen Nobelprijs heeft gekregen; dus toen mijn vader veertig werd, kreeg hij een bundel met maffe vertalingen van Dylanteksten die ik had gemaakt. Om hem als het ware weer met beide benen terug op aarde te krijgen. Mijn vader dus. En Bob Dylan.
Mijn beste vertolking is die van 'I want you'.

Ik wil jou
Ik wil jou
Ik wil jou zo slecht
Honing ik wil jou

Daar moest ik aan denken toen ik naar school terugfietste.
Precies daaraan. Ik wil jou.
Toen grinnikte ik in mezelf. De Nobelprijs, hè?

MAART

'Ik geloof daar niet in', zei ze,
'dat je verandert door mensen die je ontmoet.'
Nu heeft ze toch mensen ontmoet
twee van hen zullen elkaar tegenkomen
een van hen zal sterven

1

Ik haat dit. Ik haat het.
Ik moet in een verkeerde tijd en op een verkeerde plaats zijn geboren. Ik wil hier geen deel van uitmaken. Ik ben niet zoals zij. Ik wil er niet aan meedoen. Ik wil het niet zien, ik wil het niet horen.
De jeugd van tegenwoordig maakt mij misselijk.
De jeugd van tegenwoordig is een kwade dronk.
Er was weer een week voorbijgegaan, het was vrijdagavond geworden en ik had me door Anna en Cat laten overhalen om mee uit te gaan.
'Je moet een beetje onder de mensen komen,' zei Anna.
'We gaan lekker dansen en een beetje lol maken,' zei Cat.
Mensen? Ha. Dieren, zeg ik. En dat is een belediging voor de dieren.
Dansen? Ha. Lol maken? Ha. Hahaha, wat een grap.
Eerst waren we thuis bij Cat om een beetje in de stemming te komen. Zij dronken een paar stevige mixen en werden een beetje melig en ik nipte voorzichtig aan mijn glas en voelde zowaar iets van het oude verwachtingsvolle weekendgevoel, hoewel aarzelend, dat kriebelende gevoel van spanning, dat lichte gevoel van van-

avond-wordt-het-leuk, die hoop van vanavond-gaat-er-iets-spannends-gebeuren.
Zodra we in de stad waren, was dat gevoel verdwenen.
Ergens in de buurt van Stortorget, het Grote Plein, was duidelijk de een of andere kinderdisco aan de gang, want daar wemelde het van de dertienjarigen. Brutale, fel opgemaakte dertienjarige meisjes met hun neus in de wind. Weet alles, kan alles, heb alles gezien. Stoere dertienjarige jongetjes die geen meter van hun plaats kwamen. Dronken dertienjarigen die rondwankelden en schreeuwden en hun mooie modekleren onderkotsten. Op hun gladde voorhoofden stond geschreven: Mishandel mij. Verkracht mij.
Dertienjarigen zijn kinderen. Dertienjarigen moeten op vrijdagavond thuiszitten en spelletjes doen met hun ouders en hun broertjes en zusjes. En tosti's eten.
In de Söderstraat kwamen de bendes uit de achterstandswijken in groepjes aandrommen. Honderden vijftienjarige nepcrimineeltjes met minachtende grijnzen op hun gezicht en met hun hoofden vol kinderlijke dromen over geld en auto's en respect en geld en luxe en geld en mooie kleren en geld en wijven en geld. En de meisjes die in hun kielzog volgden, waren kauwgomkauwende leeghoofdjes die struikelend vooruitkwamen, de domheid als een aureooltje boven hun krullen en een busje traangas in hun tasje.
Toen belandden we in een café tussen achttienjarige bierdrinkers met elektronische carrièredromen, die geilen op roem en die eetstoornissen, lichamelijke fixatie en egocentrisme als gemeenschappelijke deler hebben. Uiterlijk en vlotte antwoorden.
Ik wilde alleen maar overgeven. De jeugd van tegenwoordig was een kwade dronk.
Ik ging naar huis. Ik liep gewoon weg.

Ik moet in een verkeerde tijd zijn geboren, of op een verkeerde plaats.

Ik haat dit.
Hoe kan het dat het zo is geworden? Waarom kan het niemand iets schelen? Waarom bemoeit iedereen zich alleen maar met zichzelf? Waarom is er alleen maar leegte en domheid?
De hele zondagochtend zat ik aan mijn keukentafel. Ik voelde me een zeldzaam chagrijnige zestigjarige schrijfster van ingezonden brieven. Thema: de jeugd van tegenwoordig.
Hoe kan het dat het zo mis is gegaan? De grootouders en overgrootouders van de huidige generatie jongeren leefden in een andere wereld. Die hebben ervoor gevochten om een maatschappij op te bouwen, een veilige maatschappij voor iedereen, een rechtvaardige maatschappij, waarin degenen die veel hadden moesten delen, waarin de sterken de zwakken moesten helpen, waarin niemand honger hoefde te lijden, waarin niemand vroegtijdig versleten hoefde te zijn, waarin iedereen vrije tijd moest hebben om zichzelf te kunnen ontplooien. Er werd een welvaartsmaatschappij opgebouwd. En nu zwerven de verwende kinderen van de overvloed door de straten, met hun mobiele telefoons, maar zonder dromen.
Blinde kindmensen. Even laf en namaak en leeg en zeurderig als hun ouders.
Wie wil er vandaag de dag een maatschappij opbouwen?
Wie durft er na te denken over de toekomst?
Wie denkt er na over de wereld? Wie denkt er na over rechtvaardigheid? Wie denkt er na over iets anders dan zijn eigen comfort, zijn eigen uiterlijk en zijn eigen spullen? De jeugd van tegenwoordig? Tsss. Kiss my ass.

Daar zat ik dan chagrijnig en somber te worden.
Er moest iets gebeuren. Ik kan hier niet leven en dit alles aanzien, zien hoe alles de verkeerde kant opgaat, terwijl alle mensen alleen maar aan zichzelf denken. Ik ga verhuizen. Ik ga weg. Afrika. Zuid-

Amerika. India. Ik moet me op de een of andere manier nuttig kunnen maken. Wat kan ik? Ik kan in elk geval lezen en schrijven. En een beetje rekenen. Ik kan lerares worden. Of gewoon helpen. Zware spullen sjouwen. Eten koken. Kinderen troosten. Mensen ontmoeten die nog dromen hebben voor de toekomst. Die vechten.

Ik kan hier niet als een vormeloze deegklomp blijven rondlopen. Ik kan hier niet zitten doodgaan. Ik hoor hier niet thuis. Ik ben verkeerd terechtgekomen.

En toen ik daar zo zat en me het allersomberst en chagrijnigst voelde, belde hij.

'Ik heb kuikens geregeld,' zei hij.

'Wat?' zei ik.

'Ik ben van plan om een voorstelling te geven over de rechten van het dier, de dag voor Pasen,' zei hij. 'Ik dacht dat jij misschien mee zou kunnen doen.'

'Wat?'

'Ik had gedacht dat we ergens naartoe konden gaan waar veel mensen zijn. Ik had gedacht dat we drie schattige kuikentjes mee konden nemen waar de kinderen dan naar mochten kijken. Had gedacht dat we ook een flyer konden maken, over de pluimveehouderij en de eierindustrie. Ik had gedacht dat we de kuikentjes konden doodmaken. Om te zorgen dat de mensen het begrijpen.'

'Je bent niet goed bij je hoofd,' zei ik.

'Wil je niet meedoen?' zei hij.

'Nooit van mijn leven,' zei ik en ik hing op.

Drie kuikentjes vermoorden om de mensen iets te leren over de rechten van het dier? Nooit van mijn leven.

Het duurde niet meer dan tien seconden voordat hij weer belde. Hij gaf niet gemakkelijk op.

'Hallo, daar ben ik weer, met Andreas.'

Ik luisterde en wachtte.
'Ik heb die kuikens dus al geregeld. Of liever gezegd, ik weet hoe ik ze kan regelen. Die kuikens zijn nog niet geboren.'
'Wat heeft het voor zin dat ze worden geboren als wij ze toch gaan doodmaken?'
'Ja, precies!' zei hij. 'Precies! Dat is de vraag die wij moeten stellen aan alle eiereters en braadkuikeneters. Hun kinderen moeten huilen als ze zien hoe drie schattige, piepende, pluizige kuikentjes worden verpletterd en dan...'
Ik hing op.

Tien seconden. Tring. Tring. Tring.
Na het derde signaal nam ik op.
'Hou op!'
'Maar...'
'Ik ben niet geïnteresseerd,' zei ik.
'Maar je...'
Toen verloor ik mijn geduld.
'Snap jij dan niks! Nooit van mijn leven zal ik meewerken aan het vermoorden van drie kuikentjes en het is een klote-idee en ik haat mensen die doordrammen en mij lastigvallen en proberen te beslissen over mijn leven en mij willen vertellen wat ik moet doen en denken en ik had trouwens toch al een klotehumeur dus houd nu op en laat mij met rust, ik heb niets met jou te maken, ik wil niets met jou te maken hebben, ik ken je niet eens, waarom bel je mij steeds, heb je geen andere vrienden om mee te spelen?'
Zei ik. Maar ik bleef de hoorn bij mijn oor houden. Ik hing niet op.
Meestal vloekte ik niet zoveel. Het was een heerlijk gevoel om het te doen.
Het bleef een hele tijd stil.

Maar hij was er nog, zijn aanwezigheid maakte dat mijn rechteroor gevoelig werd.
'Ik vind het een goed idee,' zei hij tenslotte met een kalme stem.
Daarna werd het weer stil. Maar niet zo lang.
'En ja, ik heb wel andere vrienden om mee te spelen,' zei hij. 'En ik begrijp ook niet waarom ik jou steeds bel.'
Klik. Stilte. Maar dit keer zonder aanwezigheid.
Toen ik ook had opgehangen, keek ik in de spiegel. Mijn ene oor was helemaal rood.

2

Ik begon meteen te huilen toen ik wakker werd.
En ik was net zo vroeg wakker als toen ik nog een klein meisje was en ik in mijn meisjesbed in mijn meisjeskamer lag te wachten en te wachten totdat ik het gerinkel van serviesgoed en het geritsel van cadeautjes voor de deur hoorde. Dus ik had een heleboel tijd om te huilen.
Vandaag was ik jarig en er zou niemand komen. Vanochtend tenminste. Geen cadeautjes, geen lang-zal-ze-leven, geen bloemen en geen ontbijt op bed.
Ik was zo eenzaam dat ik op mijn achttiende verjaardag alleen in bed lag.
Ik lag alleen en doorweekte mijn kussen met tranen. Ik had medelijden met mijzelf. En het maakte niet uit dat ik mijn rijbewijs mocht halen, ik ben toch niet van plan om ooit auto te gaan rijden. En het maakte niet uit dat ik mocht stemmen, ik vond democratie toch een sprookje, een nepgebeuren.
Maar ik had dit aan mijzelf te danken; natuurlijk had mijn moeder gebeld en gevraagd of ik niet thuis wilde komen voor mijn ver-

jaardag zoals ik vorig jaar had gedaan, en ik had nee dank je gezegd en ik was toch niet helemaal alleen op de wereld, want ik had mijn ouders toch en vanavond zouden ze komen met een cadeau en bloemen.
Maar nu, op dit moment.
Ik was zo eenzaam dat niemand het wist.
Zo eenzaam dat niemand het weet.

Ik at een eenzaam verjaardagsontbijt en toen fietste ik naar school. Ik was zo eenzaam dat niemand van mijn klas, niemand op de hele school, wist dat ik jarig was.
Niet één felicitatie.
Ik had het aan mijzelf te danken, natuurlijk, want als ik ook maar iets had laten vallen tegenover Anna en Cat, had ik cadeautjes en felicitaties gekregen en ze hadden er vast voor gezorgd dat de klas voor mij had gezongen en misschien zou de hele school zelfs voor mij hebben gezongen in de kantine. Maar ik had niets gezegd. Waarom zou ik?
Nee, ik had het aan mijzelf te danken.

Maar toen ik uit school kwam, lag er een pakje op de grond in mijn halletje.
Een verrassingspakje dat met de post was gekomen.
Ik bleef in de hal staan en bekeek het aan alle kanten. Het was bruin en plat. Het leek een boek. Geen afzender. Hm. Ik rook eraan. Nee, geen speciale geur. Ik schudde eraan. Het rammelde niet. Hm. Een pakje.
Misschien was het reclame. Of een cadeautje dat alle achttienjarigen kregen van de overheid. Een meerderjarigheidscadeautje.
Ik ging in mijn leunstoel zitten en maakte het open. O. Mooi. Een zwart schrift met een harde kaft, echt ingebonden met stevig papier, niet zo'n goedkoop Chinees ding. Mooi. Hartstikke mooi.

En er zat ook een kaart in, een mooie kunstkaart met een Indiaas miniatuur. Ik deed de kaart open.
Van harte gefeliciteerd met je verjaardag. Verder niets. Geen naam.
Er zat nog meer in. Een bioscoopbon van honderd kronen. En kaartjes voor de draagvleugelboot naar Kopenhagen. Retourtjes. Ongedateerd.
Wie?
Ik legde de cadeautjes voor me op het tafeltje.
Wie was het die mij felicitaties stuurde?
Door die kaartjes voor de boot naar Kopenhagen dacht ik natuurlijk aan Per.
Kon hij het zijn? Hoe wist hij dat ik jarig was?
Ik wilde het weten. Ik hield niet van mysteries en geheimzinnigheid.
Dus ik zocht het telefoonnummer op dat hij mij had gegeven en belde het. Ik kan het hem toch vragen, dacht ik schouderophalend. En hem bedanken. Als het zo is.
'Het abonneenummer is afgesloten,' zei een mechanische vrouwenstem.
Ik probeerde het nog een keer. Misschien had ik een verkeerd cijfer ingetoetst.
'Het abonneenummer is afgesloten.'

Dus ik moest mijn achttiende verjaardag vieren met een onopgelost mysterie. Om zes uur kwamen mijn ouders en Fredrik. Ze zongen voor me in de hal en ze hadden tulpen bij zich en een veganistische taart met achttien kaarsjes en drie enveloppen. Geen cadeautjes maar enveloppen. O nee, Fredrik had toch een klein pakje bij zich. Hij gaf het aan me.
'Gefeliciteerd, zusje. Welkom in de wereld van de volwassenen.'
Het was een speelgoedautootje.
'Je moet de brief openmaken om het te begrijpen,' zei hij.

In de envelop zat een cadeaubon voor twintig rijlessen.
'Maar je moet eerst je theorie halen,' zei hij.
Stomme idioot. Zijn wij familie van elkaar?
'Bedankt,' zei ik en ik begon mijn moeders envelop open te maken. Geld natuurlijk. Duizend kronen. Twee gladde briefjes van vijfhonderd.
'Het is zo moeilijk om iets voor jou te kopen,' zei mijn moeder. 'Het is zo moeilijk om te weten wat jij wilt. Dus nu mag je zelf iets kopen.'
Ze klonk bijna boos. Alsof het mijn fout was dat zij geen cadeautje had gekocht. Alsof ik iets fout had gedaan.
'Bedankt,' zei ik.
'Dat geld is van ons samen,' zei mijn vader terwijl hij mij de derde envelop gaf.
Ik snuffelde. Rook die envelop niet naar tabak? Jawel. En toen wist ik van wie hij was en ik scheurde hem met haastige vingers open en inderdaad, hij was van mijn oma uit Kopenhagen. Zij feliciteerde mij en schreef me om te vragen of ik in de paasvakantie niet op haar flat wilde passen en de planten en de kat verzorgen, want zij ging op reis met een meneer. Tussen haakjes had ze er nog bij geschreven dat ik ook best een meneer mee mocht nemen naar haar flat, als ik dat wilde.
Oma, oma. Pasen in Kopenhagen. Wat een goed cadeau. Maar ik denk dat het zonder meneer wordt, oma.
'Hartelijk bedankt allemaal,' zei ik. 'Heel erg bedankt.'

Toen we even later taart zaten te eten in de keuken werd er aangebeld.
'Nog meer mensen die je komen feliciteren?' vroeg mijn vader vrolijk terwijl ik opstond om open te doen.
Maar wie zou het zijn?
Zucht.

Een kaalgeschoren schedel glom mij tegemoet in het trappenhuis. Zucht. Gaf hij het dan nooit op?

En hij stond daar ook maar, hij zei niets, hij stond daar alleen maar, alsof hij zelf ook niet wist waarom hij bij mij had aangebeld.

'Heb je visite?' vroeg hij tenslotte met een knikje naar de schoenen van mijn ouders en mijn broer die in het halletje stonden.

'Mm.'

'Feestje?'

'Mm.'

'Ben je jarig?'

'Mm,' piepte ik en ik zuchtte.

'Gefeliciteerd!'

'Mm.'

Hij hield zijn hoofd scheef en bekeek mij.

'Vraag je je bezoek niet binnen?' riep mijn vader vanuit de keuken.

'Nee,' riep ik terug. 'Het is geen bezoek.'

Wij zeiden niets en stonden elkaar aan te kijken, hij buiten voor mijn deur en ik binnen.

'Sorry,' zei hij tenslotte.

Zijn blik recht in de mijne.

'Wat bedoel je?' zei ik.

'Ik kwam alleen maar om sorry te zeggen,' zei hij.

'Wil je binnenkomen voor een kop koffie?' vroeg ik.

Ik dacht dat een twee meter lange skinhead misschien wat leven in de brouwerij zou brengen op mijn feestje.

'Nee dank je,' zei hij.

En hij ging weer.

'Wie was dat?' vroeg mijn moeder toen ik weer terugkwam aan tafel.

'Ik weet het niet,' zei ik. 'Ik ken hem niet.'

In mijn moeders ogen zag ik een sprankje nieuwsgierigheid, een

klein sprankje hoop en een klein sprankje ongerustheid. In mijn moeders ogen zag ik de gedachte: Zou Hannah eindelijk een vriendje hebben?
Jammer dat hij niet binnen wilde komen, dacht ik en ik voelde me een tegendraadse tiener.

3

Mijn eerste dag als achttienjarige was een goede dag. Ik werd wakker met een verwachtingsvol gekriebel in mijn buik. Ik weet niet waarom. Alsof er iets spannends was gebeurd of er iets spannends zou gebeuren. Ik weet niet waarom, ik weet niet wat dat verwachtingsvolle gekriebel in mijn buik had veroorzaakt. Of wie. Al mijn zelfmedelijden en neerslachtigheid en al mijn nare gedachten waren weggeblazen.
En het klopte. Mijn zesde zintuig had me niet bedrogen. Het werd een goede dag.
School was net als anders. Ik was net thuis toen er werd aangebeld. Daar stond Eldin. Hij keek gewichtig en geheimzinnig. Hij hield zijn beide handen achter zijn rug.
'Ben je er klaar voor?' vroeg hij.
Ik knikte. In een flits van een seconde ging er een gedachte door mij heen: Nu gaat hij verkering vragen. Nu gaat hij zeggen dat hij verliefd op mij is.
Maar toen haalde hij zijn ene hand tevoorschijn en strekte hem uit. Het duurde even voordat ik begreep wat het was, dat hij daar voor mijn neus hield.
'Een zwemdiploma!'
Eldin knikte en grijnsde.
'Is dat van jou?'

'Mijn A,' knikte Eldin. 'Gisteren. Ik ben gisteren afgezwommen.'
Hij was één brede, trotse grijns en hij genoot van mijn verbazing en mijn lof en toen hij zich daar een poosje aan had gewarmd, haalde hij zijn andere hand tevoorschijn en liet me zien wat hij nog meer achter zijn rug verborgen had gehouden.
'Voor mijn zwemlerares,' zei hij.
Ik pakte de bos tulpen aan.
'Eldin,' zei ik. 'Mag ik je omhelzen?'
Daar was hij niet op voorbereid. Hij verstijfde en aarzelde, maar dat was maar heel even, toen spreidde hij zijn armen uit en deed een stap naar voren.
Ik zou het niet echt een omhelzing willen noemen wat wij daar deden. Eerder dat wij heel dicht bij elkaar stonden. Meer een soort dringen dan een omhelzing. Maar toch. Ik werd zo blij omdat Eldin zo blij was.
'Kom binnen, dan zet ik koffie,' zei ik.

We zaten in de keuken koffie te drinken en te praten over van alles en nog wat, over school en toekomstplannen en het leven. En onze families. Toen ik vertelde hoe moeilijk ik het vond om echt contact met mijn ouders te krijgen, en dat ik het gevoel had dat mijn oudere broers vreemden voor mij waren, begreep Eldin er niets van.
'Natuurlijk houd ik van mijn ouders. Omdat... omdat ze mijn ouders zijn. Ik heb toch... ik heb alles aan ze te danken. En ik houd van Milena en Sanja. Ik sta wel eens naar ze te kijken als ze slapen en dan heb ik het gevoel dat mijn hart bijna barst. Van liefde. Zo is het gewoon. En mijn familie, ja, ik houd van mijn familie omdat... omdat we bij elkaar horen. Wij zullen altijd bij elkaar horen. We zijn toch familie. Snap je dat?'
Ja, ik geloof dat ik het wel kon begrijpen. En ik was een beetje jaloers. Voor mij was het anders dan voor Eldin.

Toen Eldin wegging, zag hij dat er nóg een bos tulpen op mijn bureau stond en ik moest hem uitleggen dat ik de avond ervoor bezoek had gehad voor mijn verjaardag.

Het duurde precies zo lang als Eldin nodig had om thuis te komen in hun huis in Rosengård, toen ging mijn telefoon. Het was Milena. Zij schold mij de huid vol:
'Waarom zeg je niet dat je jarig bent? Hè? Nou hebben we je niet kunnen feliciteren. Dat kun je toch niet maken. Nou?'
Lang en opgewonden legde ze mij uit hoe gemeen ik was geweest. Ik probeerde haar boosheid een beetje te temperen door te zeggen dat zij en Eldin zaterdag maar bij mij moesten komen zodat we het achteraf toch nog een beetje konden vieren, maar nee, Milena was beledigd.
'O nee,' zei ze, 'nou moet je een heel jaar wachten. Tot je weer jarig bent. Eigen schuld.'
Maar toen ik had gesmeekt en gebeden en meerdere keren mijn excuses had aangeboden, gaf ze toe en zei oké.
'David komt ook.'
'Natuurlijk,' zei ik.
'En Sanja zal ook wel mee willen.'
'Hartstikke leuk,' zei ik.
'En Boef ook natuurlijk,' zei Milena.
'Goed,' zei ik.
En toen nam Milena afscheid en was ze weer tevreden.

Die avond belde ik Andreas.
Ik had nooit gedacht dat ik dat zou doen. Ik had het nooit gedaan als hij gisteravond niet ineens voor mijn deur had gestaan en 'sorry' had gezegd en eruit had gezien alsof hij het meende.
Eigenlijk was ík misschien wel degene die dat woordje tegen hem zou moeten zeggen, dacht ik. En toen belde ik.

Hij was verbaasd, dat kon ik horen. Of hij blij was, kon ik niet horen. Ik dacht dat ik een lichte aarzeling, een lichte verbazing in zijn stem hoorde.
'Ik had niet gedacht dat jij zou bellen.'
Dat was het eerste dat hij zei toen we een uur later aan mijn keukentafel zaten.
'Ik dacht eerlijk gezegd dat ik jou nooit meer zou zien,' zei hij toen.
'Wie ben jij?' vroeg ik.
Hij leunde achterover in zijn stoel en keek mij aan. Daarna begon hij te vertellen.
'Andreas Stegemyr. Negentien jaar. Geboren en opgegroeid in Kristianstad. Mijn vader heeft een klein bedrijfje. En een groot huis en een grote auto en alles wat je verder maar voor geld kunt kopen. Mijn moeder is kleuterjuf. Ze werkt als leidster op een kinderdagverblijf. Ruim een jaar geleden had ze er genoeg van om in de schaduw van mijn vader te leven, om voortdurend bedrogen en belazerd te worden en toen zijn ze gescheiden. Ik ben met haar meegegaan naar Malmö om hier mijn school af te maken, mijn onmogelijke, verwende zusje is bij mijn vader gebleven.'
Terwijl hij praatte, had hij zijn hoofd de hele tijd gebogen gehouden, nu hief hij het op en keek mij recht aan.
'Je vroeg wie ik ben? Dat was precies waar ik heel veel over heb nagedacht vlak na de scheiding, toen wij hier kwamen wonen. Ik heb altijd zoveel rollen gespeeld. 's Zomers reisde ik rond door Zuid-Zweden als anarchistisch straatartiest. Ik was komediant en jongleur. Ik noemde mezelf AnarKaj. Ik wilde dat er iets gebeurde. En ik zorgde ervoor dat er iets gebeurde...'
Hij zweeg en glimlachte in zichzelf om een herinnering. Toen ging hij verder:
'Maar toen begon ik mijn vader te herkennen in mijzelf, ik bedacht dat het een soort onechtheid, een soort lafheid was om je achter verschillende maskers te verschuilen, ik bedacht dat ik misschien

wel net als mijn vader uit was op macht. Macht. Dus ik besloot al mijn rollen af te leggen. En dat heb ik gedaan.'
Hij streek over zijn kaalgeschoren schedel om te laten zien hoe goed hij alles had afgelegd.
'Ik speel geen skinhead. Ik ben een skinhead. Een aardige skinhead. Ik haat racisten, dat heb ik al gezegd. Racisten zijn verachtelijk, dat zijn laffe, verwende klootzakken die geweld, terreur en bier als hobby hebben en kennelijk mag dat in dit land. Maar ik eis het recht op om er zo uit te zien als ik eruitzie. Ik eis dat ik word beoordeeld naar wat ik doe. Dat heb ik toch al gezegd?'
Ik knikte en zweeg.
Hij dacht even na voordat hij verderging.
'Als ik om me heen kijk, raak ik zo in de war. Het lijkt wel of het leven zo leeg is geworden voor veel mensen. Een leegte en een zinloosheid die men probeert te vullen met cd-branders en mobiele telefoons en gepraat over breedband en het World Wide Web. Terwijl de wereld ten onder gaat, terwijl eenderde van de wereldbevolking honger lijdt, hebben wij het over telecommunicatie. Het is zo ziek. Ik raak er zo van in de war.'
En daarna zei hij dat hij dacht dat de mens misschien niet helemaal goed is geconstrueerd; hoewel hij weet wat hij doen moet, doet hij het niet, want mensen zijn te lui en te koud en ze zullen nooit iets opgeven, zei hij en ik dacht, hallo, heb jij misschien een kijkje genomen in mijn hoofd?
Nu was ik degene die wegkeek en zijn blik ontweek. Ik keek naar de tafel en zei nog steeds niets.
'Ik vind dat ik iets moet doen, ik kan niet gewoon maar toekijken, dan verdrink ik in een zee van zelfhaat,' ging Andreas verder. 'Ik vind het nog steeds leuk om toneel te spelen, soms verbeeld ik me nog steeds dat je mensen aan het denken kunt zetten. Dus soms speel ik straattheater, samen met Yasmin of iemand anders. Ik speelde toch ook toneel toen jij en ik elkaar ontmoetten. En

toneelspelen, dat is voor de gek houden. Maar ik moet in elk geval iets doen. En toen kreeg ik dat idee van die kuikentjes...'

Daarna vertelde Andreas over een boek dat hij had gelezen. Het boek ging over een jongen die zijn hond wilde verbranden. Die jongen had een hond waar hij van hield en die wilde hij overgieten met benzine en in brand steken voor een banketbakkerij waar allemaal deftige mevrouwen taartjes zaten te eten terwijl de wereld in brand stond. Om ze wakker te schudden. Zijn idee met de kuikentjes kwam waarschijnlijk van dat boek, dacht Andreas.
Toen vertelde hij nog eens wat hij van plan was. Het zou de dag voor Pasen worden uitgevoerd. De kuikentjes had hij al geregeld.
'Door drie kuikentjes op te offeren, kan ik er duizenden redden. En mensen aan het denken zetten en een discussie op gang krijgen. En...'
Toen zweeg hij, toen keek hij mij aan en barstte in lachen uit.
'Praat ik te veel?' vroeg hij tussen de lachsalvo's door.
Ik haalde mijn schouders op.
'Weet je wat ik zat te denken?' vroeg hij terwijl hij bleef grinniken.
Ik schudde mijn hoofd.
'Sinds wij twee uur geleden aan deze tafel zijn gaan zitten, heb ik onafgebroken gepraat en jij hebt geen woord gezegd.'
'Jawel,' zei ik. 'Ik heb drie woorden gezegd.'
Hij dacht na.
'Ja,' zei hij toen met een knikje. 'En ik driehonderdduizend.'
'Oké dan,' zei ik.
Hij begreep niet wat ik bedoelde.
'Oké dan, ik doe mee,' zei ik. 'Maar het doodmaken moet je zelf doen.'

We bleven nog twee uur aan de keukentafel zitten om te bespreken hoe we het zouden doen met die kuikenvoorstelling de dag voor Pasen.

Toen ik Andreas welterusten had gewenst en de deur achter hem had dichtgedaan, bleef ik in mijn halletje staan. De gedachten tolden door mijn hoofd. Een stem in mijn hoofd schold mij uit:
Je bent niet goed wijs, Hannah
je bent van plan om drie onschuldige kuikentjes dood te maken
drie levende wezens op te offeren
omdat een praatjesmaker je heeft overgehaald om dat te doen
omdat je jezelf herkende in iets wat hij zei
omdat jij ook leeft met een slecht geweten
omdat je niets doet aan alles wat je om je heen ziet
omdat je alleen maar rondloopt met zeurende gedachten in je hoofd.
Doe het niet, Hannah, het is krankzinnig
je zult er spijt van krijgen
je weet dat het verkeerd is
je weet dat geen enkel idee het waard is dat er ook maar één enkel leven voor wordt opgeofferd
diep vanbinnen weet je dat, Hannah.

Maar toen zorgden andere gedachten ervoor dat de stem in mijn hoofd zweeg. Andere gedachten lieten de stem in mijn hoofd verdrinken. De stem in mijn hoofd had geen zwemdiploma.
Dat was precies waar ik aan dacht. Mijn jongens. De twee jongens die vandaag aan mijn keukentafel hadden gezeten. En dat Milena het voor elkaar had gekregen dat ik een feestje zou geven zaterdag.
En ik voelde me zo warm en vrolijk.
Er gebeurt iets, dacht ik. Er gebeurt de hele tijd iets. Ik ben ergens naartoe op weg. Er gebeurt iets in mijn leven.
Twee jongens. Milena. Warm en vrolijk.
Het was een goede dag geweest.

4

Ontmoetingen met mensen. Ontmoetingen met mensen die je leven veranderen. Met wie had ik het daarover gehad?
Precies. Met mijn verdwenen vriend Per. Mijn wintervriend Per. Voor de kerstvakantie hadden wij ergens tegenover elkaar gezeten en ik had gezegd: Ik geloof daar niet in. Ik denk dat dat een mythe is. Was ik wijzer nu? Of dommer? Ik weet het niet, ik weet alleen dat ik rode wangen had van ouderwetse kinderpartijtjesblijheid toen het zaterdag was en ik een verlaat verjaarsfeestje gaf.
En het werd een echt ouderwets kinderpartijtje. Ik had zelfs een 'visvijver' gemaakt. Ik had een laken in de deuropening van mijn slaapkamer gespannen en daar ging ik achter zitten om zakjes snoep vast te maken aan de touwtjes met een wasknijper die Milena, Eldin, David en Sanja naar binnen gooiden. Maar eerst hing ik er andere dingen aan. Een rotte ui, of een beschimmelde wortel of een ouwe sok, en Sanja moest zo giechelen toen ze zag wat de anderen opvisten, dat ik dacht dat ze erin zou blijven.
Daarna speelde ik poppenkast voor mijn gasten. Ik zat achter het laken met een geitenwollen sok over mijn rechterhand en een keurige kous over mijn linkerhand en speelde een voorstellinkje over 'the Beauty and the Beast'. En Sanja giechelde en ik giechelde ook, want Boef kwam mij steeds in mijn gezicht likken terwijl ik daar op mijn knieën zat met mijn armen omhoog. De rest van het partijtje lag hij languit op de grond naar hond te ruiken.
Daarna deden we spelletjes. Ik leerde ze een klapspelletje.
'Dat deden de meisjes in Sarajevo ook altijd,' vertelde Eldin. 'Op het schoolplein. Maar ik weet niet zeker of het hetzelfde was. De jongens mochten nooit meedoen.'
Daarna deden we het fluisterspel en toen wisten we geen spelletjes meer.
'We hadden met meer moeten zijn,' zei Milena. 'Je had meer men-

sen moeten uitnodigen. Dan hadden we stoelendans kunnen doen. En Annemaria Koekoek.'
'Ja. En we hadden kunnen softballen,' stelde David lachend voor.
Toen barstte Sanja weer in gegiechel uit.
'David, jij bent hartstikke gek,' gierde ze. 'We kunnen hier toch niet softballen.'
Daarna trakteerde ik ze op veganistische chocoladecake en limonade. Toen we dicht op elkaar in de keuken zaten en ik de tafel rondkeek, kon ik het niet laten om te zeggen:
'Ik wou dat ik jouw zus was, Milena. En Sanja's zus natuurlijk, en die van Eldin. Ik wou dat wij broertjes en zusjes waren.'
'En David dan?' zei Milena vlug.
'Die hoort toch al bij de familie,' zei ik met een ondeugend lachje.
David nam razendsnel wraak:
'Nee, ik heb een beter idee. Volgens mij moeten jij en Eldin trouwen. En twee lieve kindertjes krijgen. En dan kunnen wij op ze passen als jullie naar de film willen. En dan kunnen wij met ze gaan wandelen in de kinderwagen als we toch Boef moeten uitlaten. Dan krijgen ze wat frisse lucht.'
Ik keek rond. Sanja knikte ijverig, dat was een fantastisch idee, vond zij. Milena was kennelijk vergeten dat dat eigenlijk eerst haar plannetje was geweest, want ze keek me aan met een echt-weer-stomme-jongens-geklets-blik, een wij-meisjes-begrijpen-elkaar-blik, en op Eldins gezicht was niets te zien.
'Dat denk ik niet,' zei ik.
'Waarom niet?' vroeg Sanja. Ze klonk als een koppig kind dat niet naar een late film op tv mag kijken.
Ik aarzelde. Plotseling had ik het gevoel dat ik mijn woorden moest afwegen. Wat zou ik zeggen? Wat dacht Eldin achter zijn masker? Ach. Dit is toch belachelijk. Waarom nam ik dat kindergeklets serieus?

'Omdat hij nog niet zo goed kan rugzwemmen,' zei ik. 'Ik vind Eldin heel lief, maar hij kan nog niet zo goed rugzwemmen.'
'Ik wel,' zei David vlug.
'Maar jij bent al bezet,' zei ik.

Mijn gasten bleven totdat het zo'n beetje bedtijd begon te worden voor Sanja. Toen ze weg waren, ruimde ik de kapotte serpentines op en waste af. Met een warm gezicht en een warm hart.
Ja. Ik had het gevoel dat ik een kleine familie had gekregen.

Zondag maakte ik een lange wandeling in het Slottspark. Die middag had ik afgesproken met Andreas, we zouden een plan gaan maken.
'Ik denk dat we het het beste in Caroli City kunnen doen,' zei hij. 'Daar zijn de dag voor Pasen vast heel veel mensen met kinderen.'
We besloten dat we samen een flyer zouden maken. Die kon hij dan stiekem kopiëren op zijn school. We besloten dat we zo min mogelijk zouden praten als we daar met die lieve kuikentjes zaten en dat we geen borden of spandoeken zouden maken.
'Daar komt alleen maar politie op af,' zei Andreas.
We besloten alles samen. Hij was wel degene die erover had nagedacht en een plan had gemaakt, maar ik merkte een paar keer dat hij stopte, dat hij zich inhield, dat hij op mij wachtte. Hij was een beetje veranderd.
Je ontmoet mensen en verandert, dacht ik en ik glimlachte even vanbinnen.
Je ontmoet iemand en verandert.

5

Die zondagavond ging de telefoon, net toen ik in bed was gekropen. Ik weet niet waarom, maar ik wist heel zeker dat het Andreas was die belde.
'Hallo,' zei ik. 'Wat heb je nu weer voor een geweldig idee gekregen? Of heb je een heel nieuw plan bedacht? Gaan we een luipaard schieten op het Grote Plein om te protesteren tegen de bontindustrie?'
Geen antwoord. Stilte in de hoorn.
'Hallo? Andreas, ben jij dat?'
Stilte in de hoorn.
Toen pas keek ik op mijn nummermelder. Geheim nummer.
Nee, het was niet Andreas. Hij was het. Hij, die andere.
Daar stond ik, naakt, met de hoorn tegen mijn oor gedrukt te luisteren naar het ruisende geluid van de stilte. Ergens anders stond hij, die andere, met zijn telefoonhoorn tegen zijn oor gedrukt. Wie was hij? Wat wilde hij?
Toen ik weer naar bed was gegaan en het dekbed tot aan mijn neus had opgetrokken, probeerde ik te bedenken hoe ik mij voelde.
Hevig geschrokken? Nee. Bang? Nee... Geïrriteerd? Ja. Nieuwsgierig? Ja.
Was ik van plan om de politie te bellen? Nee. Nog niet tenminste.
Ja, ik was wel een beetje bang trouwens. Maar toch, het was anders nu.
Nu had ik mensen ontmoet. Nu had ik mensen om mij heen.

Maandagavond was ik moe. Ik ging al vóór tien uur naar bed.
Een paar minuten nadat ik het licht had uitgedaan, ging de telefoon.
Ik nam op. Stilte. Geheim nummer.
Dinsdagavond kwam ik laat thuis na een bijeenkomst op school.

Daarna zat ik nog tot na twaalf uur te schrijven. Daarna ging ik naar bed.
De telefoon ging. Ik nam op. Stilte in de hoorn. Geheim nummer.
Woensdagavond besloot ik op te blijven. Ik zat achter mijn bureau en probeerde te schrijven, probeerde te werken aan een project over Sovjetrussisch modernisme, probeerde te lezen, maar ik zat eigenlijk alleen maar te wachten.
Ik wachtte en wachtte en de uren gingen voorbij en de nacht verstreek en pas om vier uur, pas in het holst van de nacht, deed ik het licht uit en ging ik naar bed. Mijn hoofd had het kussen nog niet geraakt, of de telefoon ging.
Ik krabbelde uit bed en nam op. Niemand. Stilte in de hoorn. Geheim nummer.
Het was op dat moment dat ik dacht: Markus. Hij is het. Hij is degene die belt. Hij is teruggekomen. Hij wil wraak nemen. Hij weet wat er is gebeurd die nacht dat hij is doodgegaan. Of niet is doodgegaan, hij is niet dood, ik heb hem toch gezien in de bus, tijdens de voorjaarsvakantie.
Nee. Nee, dat kan niet. Mijn leven is realistisch, geen thriller met een bovennatuurlijke inslag.

Donderdag sliep ik. Die middag stond ik op en belde ik Andreas. Ik vertelde hem van de telefoontjes die ik de hele week had gehad.
'Precies op het moment dat je naar bed gaat? Precies op het moment dat je het licht uitdoet?' vroeg hij.
'Mm,' zei ik. 'Elke keer.'
Hij dacht na. Ik kon hem horen denken.
'Ik heb een idee,' zei hij al snel. 'Ik kom naar je toe.'
Een halfuur later belde hij bij mij aan. Toen ik hem had binnengelaten, begon hij rond te lopen en mijn flat te inspecteren; hij keek in mijn slaapkamer, hij liep rond in mijn met gedichten behangen woonkamer en in de keuken. Hij stond een hele tijd naar buiten te

kijken door mijn drie ramen. Ik volgde hem, we zeiden helemaal niets. Maar tenslotte kon ik me niet langer inhouden:
'En?' zei ik. 'Wat vind meneer de meesterdetective ervan?'
'Heb je alleen een rolgordijn in je slaapkamer?' vroeg hij.
Ik knikte. In de woonkamer en de keuken heb ik helemaal geen gordijnen. Hoewel mijn moeder vond dat ik ze moest hebben.
'Slaap je naakt?' vroeg hij.
'Hallo zeg,' zei ik.
'Doe niet zo flauw,' zei hij. 'Ik probeer je alleen maar te helpen.'
'Oké dan,' zei ik. 'Ja, ik slaap naakt. Alleen en naakt. En jij?'
'Ja hoor,' zei Andreas terwijl hij weer bij het raam van de woonkamer ging staan. 'Wie woont daar aan de overkant?'
'Niemand,' zei ik. 'Ze zijn daar aan het renoveren. Die oude fabriek wordt helemaal omgebouwd tot een of ander groot cultureel centrum. Ik denk dat er kantoren komen hier tegenover.'
'Hm,' zei Andreas en hij krabde op zijn kale schedel terwijl hij de straat afspeurde.

Hij haalde twee keukenstoelen uit de keuken en zette ze in het halletje, ging op een ervan zitten en zei: 'Ik heb een plan.'
'Geweldig,' zei ik natuurlijk en ik ging op de andere stoel zitten.
Toen legde hij zijn plan uit. Hij zou daar de hele avond blijven zitten, totdat ik naar bed ging. Ik moest precies hetzelfde doen wat ik anders altijd deed als ik alleen thuis was. Niemand zou moeten kunnen weten dat hij in mijn flat was.
'Kunnen we niet eerst wat praten?' vroeg ik. 'Het is pas halfzeven.'
'Natuurlijk,' zei hij. 'Als we hier in het halletje zitten.'
'Waar zullen we over praten?' zei ik.
'Wie ben jij?' vroeg hij.
En toen vertelde ik. Ik vertelde twee uur achter elkaar. Over mijn kindertijd en over mijn ouders en mijn broers en over school en over mijn opstandigheid en mijn dromen en het leven en al mijn

gedachten. En natuurlijk over Eldin en Milena. Andreas zei de hele tijd bijna niets. Hij knikte alleen en stelde korte vragen. We zaten daar in het halletje terwijl het langzaam begon te schemeren en ik vertelde hem mijn leven.
Tenslotte haalde ik mijn schouders op en zei:
'Nu weet ik niks meer. Nu heb ik niks meer te vertellen.'
Hij keek op zijn horloge.
'Begin dan nu maar toneel te spelen. Speel jezelf. Speel de scène "Hannah, een heel gewone avond". En omdat ik nu al een houten kont begin te krijgen, lijkt het me een goed idee als je "Hannah, een heel gewone avond als ze moe is en vroeg naar bed gaat" speelt. En je mag niet meer met mij praten.'
'Waarom niet?' vroeg ik.
Hij gaf geen antwoord, legde alleen een vinger op zijn lippen en gebaarde naar mij dat ik het toneel op moest gaan. Het toneel dat mijn huis was.

Ik moest alsmaar giechelen. Giechelend liep ik door mijn flat. Ik ging bij het raam staan en gaapte net alsof. Ik ging aan mijn bureau zitten en schreef net alsof in mijn mooie nieuwe schrift. Ik ging voor de spiegel staan en bekeek mezelf net alsof. Ik ging naar de keuken en waste af net alsof. Ik las de velletjes papier die de muren van mijn woonkamer bedekten net alsof, totdat ik er een vond die ik echt wilde lezen.

Boeddha's gedachten onder de boom

Waarom is niemand zoals ik?
Waarom is niet iedereen zoals ik?
Dan pas
zal alles goed worden
– als iedereen is zoals ik

Precies, dacht ik. Dat ben jij, dacht ik. Jij weet alle antwoorden. Jij doet alles op de goede manier. Altijd een wijze schoolmeester. En toch... Toch ben je nu mijn leven binnengekomen. Ben je door mijn wapenrusting heen gedrongen. Ja. Omdat je niet alleen een schoolmeester bent, je bent ook vrolijk en een kwajongen. En omdat je je dingen aantrekt. En omdat je volhoudt. Precies, dacht ik, je hebt net zolang gezeurd tot je binnen was in mijn leven.
Ik giechelde, toen ging ik naar de wc en plaste echt.

Het was moeilijk om mezelf te spelen. Het was moeilijk om een heel gewone avond te spelen. En waar was mijn publiek? Ik speelde immers niet voor degene die verborgen zat in het donker van mijn halletje. Toch?
Ik keek op de klok. Halftien. Nu kon ik naar bed gaan. Ik kon eerst nog wel net alsof douchen. Dus ik deed het licht in de keuken uit, liep naar de badkamer, kleedde me uit en wikkelde me in een badhanddoek, liet de douche precies lang genoeg lopen, poetste mijn tanden, deed het licht in de woonkamer uit, liep naar mijn slaapkamer, trok het rolgordijn naar beneden, kroop in bed en deed mijn nachtlampje uit.
Ik lag te trillen van verwachting en van spanning. Had ik mijn rol overtuigend genoeg gespeeld? Was het plan van Andreas goed genoeg? Wat was zijn plan eigenlijk? En wat deed hij nu?
Ik hoefde niet lang te wachten.
Daar ging de telefoon.
Wat moet ik nu doen? dacht ik en ik ging rechtop in mijn bed zitten. Dat had de meesterregisseur daar in het halletje mij niet verteld. Moest ik opnemen?
Ik aarzelde en begon te zweten terwijl er nog een belsignaal door het donker klonk. Wat moest ik doen? Mijn nachtlampje aandoen, ja, dat deed ik als de telefoon ging. Maar dan?

De gedachten schoten bliksemsnel door mijn hoofd, ik was al half uit bed, toen een stem uit de woonkamer mij tegenhield.
'Als jij niet ophoudt met 's nachts hiernaartoe bellen, dan zal ik je castreren, klootzak, langzaam, met een bot, roestig mes, ik ben twee meter lang en ongelooflijk gemeen en ik doe al twee jaar krachttraining en ik haat perverse idioten zoals jij en ik weet wie je bent en waar je zit en als je hier nog één keer naartoe belt, dan heeft jouw verschrompelde klokkenspel voor het laatst tussen je benen heen en weer gebengeld, heb je dat begrepen? HEB JE DAT BEGREPEN?'

Het werd stil.
Toen hoorde ik de stem van Andreas nog een keer. Zijn gewone stem.
'Hij heeft opgehangen.'
Ik zat nog in mijn bed.
'Ben je aangekleed?' vroeg Andreas vanuit de woonkamer.
'Nee,' zei ik.
'Mag ik binnenkomen om met je te praten?' vroeg hij.
'Ja,' zei ik en ik kroop onder mijn dekbed.
'Mijn plan werkte,' zei hij en hij zag er tevreden uit. 'Omdat hij altijd belde precies als jij naar bed was gegaan, dacht ik dat hij wel moest kunnen zien wanneer jij het licht uitdeed, waarschijnlijk stond hij ergens in de straat met een mobiele telefoon. Maar waarschijnlijk kon hij niet naar binnen kijken in jouw flat.'
'Dus jij denkt dat ik voor niets toneel heb gespeeld?' zei ik.
Andreas haalde zijn schouders op.
'Wat klonk jij gemeen,' zei ik.
'Dat was ook de bedoeling,' zei Andreas.
'Denk je dat hij nu ophoudt?'
'Ik hoop het,' zei Andreas.
Daarna keken we elkaar een poosje aan en ik voelde dat ik hele-

maal slap en moe was geworden van de spanning en het toneelspelen en ik bedankte hem voor zijn hulp en zei welterusten en Andreas zei dat het hem een waar genoegen was geweest. Ik wikkelde me in mijn dekbed en liep met hem mee naar de deur om die achter hem op slot te doen.
'Tot ziens.'
'Tot ziens.'

Wie was hij? Degene die mij had gebeld. Wat wilde hij?
Op weg terug naar mijn bed, kwam ik langs mijn bureau. Daar lag het mooie zwarte schrift dat iemand mij voor mijn verjaardag had gestuurd. Ik bleef staan, ik deed mijn ogen dicht en zuchtte.
Natuurlijk. Waarom ben ik altijd zo blind, zo traag, zo dom, zo langzaam van begrip?
Drie min twee is een. En nul is nul.
Vraag: Welke jongens en mannen had ik de afgelopen maanden ontmoet en leren kennen?
Antwoord: Drie. Een die Per heet, een die Eldin heet en een die Andreas heet.
Eerst had ik gedacht dat Eldin mij belde. Maar die was het niet. Zeker niet. Hij zou de laatste zijn.
Daarna had ik gedacht dat Andreas mij belde. Maar dat was gewoon een stom misverstand, dat hem bijna een gebroken pols had opgeleverd.
Drie mannen. Twee waren het niet. Drie min twee is een.
En nul is nul. Markus is er niet meer. Hij is verdronken en dood. Vanaf de bodem van de zee kan hij zijn mobiele telefoon niet gebruiken.
Bleef er een over.
Het juiste antwoord was: Per Nosslin, leraar.

6

Nog een slapeloze nacht. Ik zat op mijn bed, in mijn dekbed gewikkeld, met mijn rug tegen de muur en ik dacht na en piekerde en probeerde me mijn ontmoetingen met Per voor de geest te halen. Ik probeerde me te herinneren waar we het over hadden gehad, wat hij had gezegd, hoe wij elkaar waren tegengekomen, waar wij elkaar waren tegengekomen, alles...
Eerst was ik boos. Heel erg boos. En teleurgesteld. Ik had hem toch aardig gevonden, ja, ik had me ook wel een beetje gevleid gevoeld door zijn belangstelling, en ik was blij geweest dat hij een volwassene was die ervoor zorgde dat ik me ook volwassen voelde.
Toen werd ik steeds nieuwsgieriger. Steeds meer detective. Mysterie. Aanwijzingen verzamelen, verbanden zoeken. Hannah Andersen, jonge sterke vrouw, lost het mysterie van de verdwenen leraar op. Toen werd ik bang. Een ijzige wind trok door mijn hart en maakte dat ik rilde. Stel je voor dat hij ziek is, stel je voor dat hij bezeten is door driften die het verstand ver te boven gaan. Hij heeft tegenover mij gezeten, wij hebben gepraat en gelachen, wij vonden het leuk om met elkaar te praten en te lachen. En toch heeft hij hiernaartoe gebeld en hij heeft hiernaartoe gebeld om mij bang te maken. Hij wilde mij angst aanjagen. Misschien vindt hij het wel lekker om zich voor te stellen dat ik bang ben. Of misschien wil hij wraak nemen, misschien heb ik hem teleurgesteld, misschien heb ik iets kleins gezegd of gedaan dat verkeerd was. En misschien gaat hij nu andere manieren bedenken om mij bang te maken. Misschien wil hij mij kwaad doen.
Stel je voor dat zo'n psychopaat, zo'n gek, zo'n berekenende, gevoelloze moordenaar als je zo vaak op tv en in films ziet, stel je voor dat zo iemand in het echt zou kunnen bestaan. In de werkelijke werkelijkheid. Een enkele keer. Een enkele keer zou een keer te veel zijn.

Brrr. Een ijzige wind in mijn hart.
Nee. Nee, toch niet.
Het was hem nog niet gelukt, alleen een paar nachten voor kerst was het hem gelukt om mij boze dromen te bezorgen. Maar daarna niet meer. Nee.
En van zijn beeld, van de herinnering aan zijn vriendelijke ogen en zijn lachrimpeltjes begon ik niet te trillen. Nee. Slanke vingers, zachte, gevoelige handen, geen handen om tot vuisten te ballen, om mee te slaan, om vast te houden, om te dwingen...
Nee. Dat niet. Hij niet. Zijn ogen en zijn handen konden mij niet bang maken.
Maar ik wilde het weten.
En ik ging verder met graven in mijn herinneringen. Daar ergens lag een verklaring verborgen, dat wist ik.

Toen de wekker ging, om kwart over zeven, had ik maar drie uur geslapen. Toch kroop ik meteen uit mijn bed en liep ik op onvaste benen van de slaap naar de telefoon.
'Milena. Hallo. Ben je wakker?'
Ja, ze was wakker. En we spraken af dat we elkaar zouden ontmoeten als zij klaar was met school. Hoewel ze erg nieuwsgierig was, vertelde ik haar niets.
'Tot straks,' zei ik alleen en ik hing op.
Daarna probeerde ik opnieuw het telefoonnummer te bellen dat Per Nosslin mij had gegeven de laatste keer dat wij elkaar hadden gesproken, die keer dat hij hiernaartoe had gebeld tijdens de voorjaarsvakantie.
'Het abonneenummer is afgesloten.'
Iets anders kreeg ik niet te horen.
Ik zette de wekker op twaalf uur, kroop weer in mijn zachte, warme bed en viel bijna meteen weer in slaap.

Dit was mijn detectivevrijdag. Dit was Hannah de privé-detective. Dit was Hannah de onderzoeksjournaliste, dit was Hannah de snuffelaar.
Hannah en de jacht op de verdwenen man.
Hannah de scholiere bestond vandaag niet. Afwezig met een geldige reden.
Voordat ik haastig vertrok om Milena te ontmoeten, had ik bijna twee uur lang aan de telefoon gezeten om alle middelbare scholen in Malmö te bellen. En in alle andere plaatsen in een straal van vijftig kilometer. Nergens werkte een leraar die Per Nosslin heette. Niemand had ooit gehoord van een leraar die zo heette.
Ik at een bord pasta en rende naar de bus.

Milena stond me op te wachten voor haar school. Haar schoolrugzak bungelde op haar rug.
'Hallo, wat is er, waarom wil je met Moa praten, wat is er gebeurd, ken je haar moeder of zo?'
'Ik ken haar vader,' zei ik.
Milena werd ernstig en schudde haar hoofd.
'Moa heeft geen vader.'
'Je bedoelt dat haar vader daar niet meer woont. Bij haar moeder...'
Milena schudde weer haar hoofd.
'Nee. Ik bedoel dat ze geen vader heeft.'
'Maar ze heeft er toch wel een gehad?' zei ik.
'Mm, ze heeft er wel een gehad,' zei Milena en ze knikte ernstig. 'Maar nu heeft ze er geen meer.'
Ze kletst maar wat, dacht ik. Nog even en ik zal het weten.
Ik keek rond. De school was een oud, massief bakstenen gebouw met een geasfalteerde speelplaats met een schuurtje en een paar fruitbomen in een van de hoeken.
'Waarom zit jij op deze school?' vroeg ik. 'Is het niet ver van huis?'
'Ik ga met de fiets,' zei Milena terwijl ze haar schouders ophaalde.

'Mijn ouders wilden dat ik hiernaartoe zou gaan. En Eldin wilde het ook.'
'Kijk, daar heb je David!'
David kwam aangelopen over het schoolplein, hij was druk in gesprek met een schoolvriendje dat naast hem liep. Toen hij Milena en mij zag, wuifde hij alleen even vluchtig en liep door zonder het gesprek met zijn vriendje te onderbreken. Jongens...
'Kijk, daar komt Moa. Daar.'
Milena wees naar een groepje meisjes.
'In het midden.'

Ik had het idee dat Moa Nosslin van het begin af aan wantrouwig was. Al toen ik hallo zei, zag ik een rimpeltje boven haar wipneusje, en toen ik haar probeerde uit te leggen wat ik wilde, dat ik haar vader zocht, staarde ze mij aan met ogen die ze tot spleetjes kneep. Haar blikken en haar zwijgzaamheid maakten mij onzeker en ik raakte verstrikt in een onsamenhangend, ingewikkeld verhaal.
'Ik heb geen vader.'
Dat was alles wat ze zei toen ik was uitgepraat. Toen draaide ze zich om en ging weg. Ze keerde me gewoon de rug toe.
'Wacht even!' riep ik haar achterna. 'Is je moeder thuis?'
Ze gaf geen antwoord, ze liep gewoon door.
'Ik zei het toch,' zei Milena.
'Kom,' zei ik.
Ik beende weg. Milena aarzelde even, daarna kwam ze achter mij aan gerend.
'En mijn fiets dan?'
'Die halen we later wel op,' besliste ik. 'Kom nou. Je moet mij wijzen waar Moa woont, ik weet de weg niet meer.'
Het was niet ver. Toen we er waren, herkende ik de flat weer waar ik voor de kerst een keer naar had staan staren, toen de engelen en de sterren en de kaarsen straalden in het winterse donker.

Terwijl ik stond te aarzelen, met mijn vinger al op de deurbel, zag ik een vrouw voorbijschieten door de keuken en voordat ik had kunnen aanbellen, ging de deur open. Ja, zij was het. De moeder. Anna Nosslin. Trots en moedermooi, zoals ik me haar herinnerde, maar nu was haar vriendelijkheid verborgen achter streng wantrouwen. Toen ze Milena achter mij zag staan, gleed er even een schaduw van een glimlach over haar gezicht. Ze groette haar met een knikje voordat ze zich weer tot mij wendde.

'Wat wil je? Wie ben je? Heb jij daarnet met Moa gepraat?'

'Ik... ik heet Hannah. Ja, ik heb net met Moa gepraat. Ik... ik zoek Per. Per Nosslin.'

'Er bestaat geen Per Nosslin,' antwoordde ze snel.

In de hal achter haar kon ik twee kleine, nieuwsgierige meisjes onderscheiden. Anna Nosslin zag mijn blik, deed een stapje naar voren en deed de deur achter zich dicht. Dezelfde tot spleetjes geknepen ogen die ik bij haar dochter had gezien.

Ik vertelde. Zij zweeg en haar blik bleef strak op mij rusten terwijl ik vertelde over de man die ik had ontmoet en wat hij over zichzelf had verteld en dat hij was verdwenen en dat ik dacht dat zij zijn ex-vrouw was.

Ik vertelde niets over de telefoontjes.

Haar ogen stonden iets milder, iets van haar wantrouwen was verdwenen, maar ze was nog steeds heel ernstig toen ze knikte en zei:

'Ik weet daar helemaal niets van. Mijn man heette Ulf Nosslin. Hij is dood. Hij is twee jaar, een maand en zes dagen geleden overleden aan kanker. Wij hebben hem zien sterven, de meisjes en ik. Moa en Elin hebben gezien hoe het leven uit hun vader wegvloeide en hoe hij doodging.'

'Sorry, ik wist...' begon ik, maar zij gebaarde met haar hand dat ik stil moest zijn en ze ging verder:

'Er zijn niet meer mensen die Nosslin heten. Het is een aangenomen naam, Ulfs vader heeft die naam aangenomen. Je kunt mis-

schien zelf wel bedenken hoe hij eerst heette. En Ulf had geen broers of zusters. Wij drieën zijn de enigen die Nosslin heten.'
Ze knikte in de richting van de deur en de zusjes daarachter.
'Sorry,' zei ik nog eens.
Wij zwegen.
'Hij heeft tegen je gelogen, die man,' zei ze.
Ik knikte.
'Dan ga ik maar,' zei ik.
'Wacht even,' zei Anna Nosslin precies op het moment dat ik me wilde omdraaien. 'Heeft hij jou kwaad gedaan? Die man.'
Ik schudde mijn hoofd. Nee. Nog niet.
'Ben je bang voor hem?'
Ik schudde mijn hoofd. Nee. Niet bang. Ik wil alleen een verklaring.
Nu was zij moeder. Nu was zij een vrouw die zich ongerust maakte en die het beste voor mij wilde.
Ik zei nog eens sorry, zij accepteerde mijn excuses en wij namen afscheid. Ze bleef voor de deur staan toen wij weggingen en op dat moment herinnerde ik me iets. Ik bleef staan en draaide me om.
'Jij bent zeker geen bibliothecaresse hè?'
Ze schudde zachtjes haar hoofd.
'Lerares ritmiek.'

'Ik begrijp er niets van,' zei Milena toen wij terugliepen om haar fiets te halen. 'Wat ben je nou allemaal aan het doen?'
'Ik zoek iemand,' zei ik. 'Een man.'
'Dat had ik wel begrepen,' zei Milena.
Maar ik wilde het haar niet vertellen, dat kon ik niet.
Voor de school namen we afscheid, Milena fietste naar huis en ik nam de bus naar de stad.

APRIL

Nu zijn we hier
Er staat nog veel te gebeuren,
veel dat wij niet weten
Maar wij weten hoe het afloopt:
Twee mensen zullen elkaar tegenkomen; een van hen zal sterven.

1

De telefoontjes hielden op. De woeste dreigementen van Andreas hadden effect gehad. Toch voelde ik me nog niet helemaal tevreden; een licht gevoel van zorg, een beetje een slecht geweten knaagden aan mijn hart.

Toen Andreas die avond in de telefoon had staan bulderen, had dat heerlijk bevrijdend gevoeld. O, Andreas, mijn held, mijn verlosser. Logisch. Maar dat was voordat ik had begrepen dat Per de zwijgzame nachtelijke beller was. Nu was het ineens Per die het gevloek en de dreigementen over castratie over zich heen kreeg. En dat klopte ergens niet. Dat was niet goed. Waarschijnlijk was hij gewoon ontzettend eenzaam. Per bedoel ik. Eenzaam en onzeker en laf. Wist hij niet hoe hij mij moest benaderen. Ik begon steeds meer zo te denken.

En dan nog iets: ik had Andreas nooit iets verteld over Per Nosslin. Ik had niet verteld dat ik dacht dat ik wist wie mij gebeld had en ik had ook nooit iets verteld over mijn ontmoetingen met Per, de afgelopen winter. Of over zijn leugens. Ik wilde niet over Per praten met Andreas. Ik weet niet waarom.

Misschien omdat ik een beetje werd geplaagd door een slecht geweten.
En de dagen gingen voorbij.
En Pasen kwam steeds dichterbij.
En ik zag Andreas bijna elke dag.
We hadden een flyer gemaakt. We hadden hem samen gemaakt en Andreas had hem tweeduizend keer gekopieerd.
'Ik ken een van de codes van de kopieermachine op school,' lachte hij. 'Nu moet een van de Engelse leraren uitleggen waarom hij zoveel heeft gekopieerd dit semester. Ha ha.'
Ik was tevreden over de flyer. Nu stonden er twee kartonnen dozen met flyers onder mijn bed. Elke nacht sliep ik boven de volgende tekst:

VROLIJK PASEN
maar niet voor iedereen

'Er was eens een kuikentje dat Donsje heette.' En dat moest sterven.
Als het een jongetjeskuikentje was tenminste. In de pluimveehouderij worden de kuikentjes direct bij hun geboorte gesorteerd. Alle haantjes worden levend vermalen of vergast. Dan wordt er katten- of hondenvoer van gemaakt.

Elk jaar worden er 64,5 miljoen kuikentjes geslacht in Zweden. De snelgroeiende braadkuikens worden geslacht als ze vijf tot zes weken oud zijn. Tijdens hun korte leven zien ze niet één keer de zon of de maan, ze leven opgesloten en met de elektrische verlichting 22 uur per etmaal aan om maximaal te groeien. Tegen het einde zitten ze zo dicht op elkaar dat ze zich niet kunnen bewegen.

Als het tijd is om geslacht te worden, worden ze met z'n twintigen tegelijk in een doos gepakt. In de slachterij worden ze levend ondersteboven aan hun poten gehangen.
Ze worden gedood met een stroomstoot of hun hals wordt doorgesneden.

'Mamma, mamma, gaan we vandaag kip eten?'
'Ja hoor lieverd!'

En natuurlijk eieren met Pasen!
Batterijkippen brengen hun leven (1-2 jaar) door in kleine kooitjes met drie of vier kippen bij elkaar, waarin het oppervlak per kip niet groter is dan dit velletje papier. De onderkant loopt schuin af en is van gaas. Vaak zitten ze in enorme legbatterijen met minstens 5000 kippen.
Daar komen de eieren vandaan.
En scharrelkippen, dat betekent niet dat ze in een landelijke omgeving met rode huisjes en een gezellig kippenhok leven, zoals in een prentenboek. Scharrelkippen, dat betekent nog steeds eierindustrie. De kippen leven dicht op elkaar, ook al zitten ze niet in kooitjes. Ze leven een onnatuurlijk leven en na 1-2 jaar worden ze geslacht.

Toon respect voor het leven!
Elk levend wezen is een individu en heeft recht op een natuurlijk leven!
Omwille van je eigen gezondheid, omwille van het fatsoen, omwille van de aarde en de rechtvaardigheid:
Boycot de dierindustrie!
Elke gegrilde kip is een schattig levend kuikentje geweest!
Elk ei komt van een kip die lijdt en die een onnatuurlijk leven heeft.

Over het eigenlijke doden van de kuikentjes had ik niets durven vragen, maar nu kon ik er niet langer omheen.
'Ik heb een klein aquarium,' vertelde Andreas. 'Daar doen we de kuikentjes in. Ik heb een houten deksel gemaakt die precies even groot is als de bodem van het aquarium. Ik ga een constructie maken met een paar steunen waar de deksel op rust en als ik die steunen eronder vandaan trek, valt de deksel. Ik leg er ook nog iets zwaars op.'
'En de kuikentjes worden verpletterd.'
'Ja. Ze zijn meteen dood.'
Ik zuchtte diep. Nee. Nee, ik kon het niet, nee, ik wilde niet meedoen.
Andreas keek mij ernstig aan.
'We offeren drie kuikentjes op om er duizenden te redden. Iedereen die dit heeft gezien, zal het onthouden. Sommige mensen zullen gaan nadenken.'
'De mensen zullen boos op ons zijn,' zei ik.
'Waarschijnlijk.'
'Ze zullen ons te pakken willen nemen,' zei ik.
'Dat is mogelijk,' zei Andreas.
'De kinderen zullen ontroostbaar zijn,' zei ik. 'De kinderen zullen huilen.'
'Het is beter dat kinderen huilen dan dat ze gegrilde kip eten,' zei Andreas.
Ik zuchtte. Ik kon nu niet meer terug.
'Ik wil die kuikentjes niet zien voor de dag voor Pasen,' zei ik.
'Je krijgt ze ook niet te zien,' zei Andreas.
Hij wilde niet vertellen waar hij de kuikentjes vandaan zou halen. Hij zei alleen:
'Ze zouden toch doodgaan. Nu krijgen ze een pijnloze dood. En ze dienen een goede zaak.'

2 (Een velletje papier aan de muur)

Witte Donderdag

Mensen
Deze mensen
Deze lachende mensen
Deze lachende, ontspannen mensen
Deze lachende, ontspannen en mooie mensen
Deze lachende, ontspannen en mooie mensen die
hun gezicht opheffen naar de hemel, hun wangen warmen
in de voorjaarszon
en praten met rustige stemmen
De stad is er vol mee
Een ervan was ik
Veilig tussen al die mensen
Niemand wilde een ander
kwaad doen

3

Ik begreep mezelf niet.
Het was een gelukkige, zonnige Witte Donderdag en ik liep door de stad en ik lachte alleen maar. Alle mensen waren zo mooi en zo vriendelijk, ja.
Ik zat onder aan het standbeeld van Karl Gustav X op het Grote Plein, samen met gezinnetjes met kinderen en tieners en macho's en bejaarden en alle gesprekken waren vriendelijk en rustig, sommige mensen zeiden niets en zaten met hun ogen dicht en hun

gezicht naar de zon, veel mensen lachten, maar geen onbeheerst geschater, nee, parelend, mooi voorjaarsgelach, en de voorjaarszon verwarmde onze harten en wij trokken onze jassen uit en genoten ervan om weer herinnerd te worden aan het licht en de warmte en... het leven.
Sentimenteel, ja natuurlijk. Maar wel eerlijk. En heerlijk.
Maar ik wist wel dat dat niet het enige was. Het was niet alleen voorjaarsvreugde wat daar onder mijn huid bruiste. Trouwens, het voorjaar maakte mij meestal een beetje verdrietig. De herfst is mijn jaargetijde.
Natuurlijk wist ik het. Ik begreep het heus wel. Ik voerde gesprekken met mijzelf, ik liep door de Söderstraat en voerde een gesprek in mijn hoofd.

Ja, Hannah.
Houd maar op met tegen jezelf liegen,
je weet best dat hij je iets doet, dat hij jou stoort
dat hij jou stoort met zijn vrolijkheid en zijn moed
Nee, Hannah.
Laat je niet voor de gek houden
je weet dat je jezelf zult verliezen
alles waarin je gelooft, wil je opofferen
voor een dwaze poprefrein-meisjesverliefdheid
Jawel, Hannah.
Je moet eerlijk zijn
je kunt niet als een toeschouwer leven in de wereld
als iemand die altijd overal buiten staat en toekijkt
soms moet je een stap vooruit durven doen
en niet altijd alleen maar zeggen: Nee. Ik niet. Anderen wel,
maar ik niet.
Nee, Hannah.
Alles wat je hebt opgebouwd, zal ineenstorten

en het is geen gevangenis die jij om je heen hebt gebouwd
je hebt geen stenen op elkaar gestapeld
je hebt vrijheid en trots gebouwd
je eigen vrijheid en trots moet je loslaten
als je je overgeeft aan een kinderlijk jubelend 'ja!'
Jawel, Hannah.
Hij verwarmt jou
zijn stem en zijn woorden verwarmen jou
en je weet dat hij jou weer laat openstaan voor de wereld
dat hij maakt dat jij weer meedoet
Nee, Hannah.
Jij bent niets voor hem
slechts een acteur in een spel dat hij speelt
slechts een van de vele acteurs in zijn toneelwereld
jij bent slechts een van de vele
op dit moment spelen jij en hij samen
maar na Pasen zal hij zich meteen weer
in nieuwe avonturen storten
Jawel, Hannah.
Wees eerlijk, lieg niet tegen jezelf
je wilt hem
je wilt hem beter leren kennen
als de telefoon gaat, wil je dat hij het is
je denkt na over dingen die je tegen hem wilt zeggen
je wilt hem alles laten zien wat jij mooi en belangrijk vindt
heus, het is echt zo, Hannah
Nee, Hannah.
Het is te simpel
het is zo'n cliché:
'meisje dat de weg kwijt is ontmoet sterke jongen,
zij verandert en leert iets over de wereld en het leven'
jij bent geen onnozel wicht uit een Amerikaanse serie, Hannah,

niemand anders kan ervoor zorgen dat jij groeit
alleen jijzelf

De hele dag voerde ik een gesprek met mijzelf. In mijn hoofd werd een strijd gevoerd tussen Ja en Nee.
Kon het misschien allebei? Kon ik mezelf geven zonder mezelf te verliezen? En kon ik gewoon mijn plattegrond weggooien zonder het risico te lopen dat ik zou verdwalen?
Vragen, vragen en nog eens vragen, en geen antwoorden. Ik was al een schoolmeisje dat de weg kwijt was.

4

Thuis bij mijn ouders voor een etentje op Goede Vrijdag. Of nee trouwens, niet thuis. Er was toch iets gebeurd. Thuis was nu thuis, thuis was mijn flat in Malmö. Misschien was dat door het feestje voor mijn achttiende verjaardag gekomen, maar misschien was het ook iets anders.
Ik zat in mijn voormalige thuis. De hele familie bij elkaar, mijn vader, mijn moeder, mijn broers en hun vrouwen.
'We horen zo weinig van je de laatste tijd,' klaagde mijn moeder.
'Ik heb het druk. Ik moet hard werken voor school,' zei ik.
Waar en niet waar. Druk, ja. Hard werken voor school, nee.
Geklets over koetjes en kalfjes en eten en ik had een Andreas in mijn hoofd. Ook al had ik nog geen ja of nee tegen mezelf gezegd, hij had zich in mijn hoofd genesteld. Een hele skinhead in mijn kleine hoofdje.
Ik zat aan tafel, ik zat op de bank en na de koffie doezelde ik een beetje weg door de slaperige warmte in huis. Daarna zocht ik een oud fotoalbum om door te bladeren. Vroeger vond ik het heel leuk

om foto's te zien van mijzelf als kind, maar nu keek ik alleen maar naar de foto's van mijn vader en moeder. Wat waren zij voor mensen? Hoe waren ze vijftien jaar geleden, of twintig of dertig jaar geleden? Waarom kende ik mijn ouders zo slecht?
Midden in een gesprek over vakantieplannen vroeg ik:
'Waar hebben jullie elkaar ontmoet? Wat gebeurde er toen jullie elkaar voor de eerste keer zagen?'
Het werd stil. Mijn vader en moeder keken elkaar aan, de anderen keken mij aan.
'De eerste keer...' begon mijn moeder terwijl ze mijn gezicht bestudeerde om te kijken of er iets achter mijn vraag zat. 'De eerste keer was op een dansavond op school; in die tijd had je dansavonden op school en je vader was nieuw op school. Hij praatte met mij en wij dansten met elkaar en toen maakten we een afspraakje en toen, ja, toen is het gegaan zoals het is gegaan.'
O. Was dat alles? Dat stelde ook niet veel voor. Ik had meer verwacht. Dramatiek. Gevoelens.
'Maar mijn moeder, oma dus, vond het raar dat ik een Deens vriendje had,' ging mijn moeder verder. '"Zijn er niet genoeg jongens in Zweden?" vroeg ze.'
'Maar toen heb ik haar veroverd met mijn charme,' lachte mijn vader.
Mijn moeder knikte en even maakten de herinneringen haar gezicht jong. Dat korte moment was genoeg voor mij. Dank je, mamma. Jij hebt iets in je, wat je nog nooit had laten zien. Er is een mogelijkheid voor ons om tot elkaar te komen.

Mijn vader bracht me naar huis. Ik zei niet veel tijdens de autorit, hoewel hij ontzettend zijn best deed om een gesprek op gang te houden. Ik had iets anders in mijn hoofd nu.
Toen ik mijn flat binnenkwam, voelde ik opeens paniek opkomen. Het was morgen al! Morgen in Caroli City. Ik was het vergeten, nee,

ik had het weggestopt, onder het kleed geveegd en het laten verdringen door mijn meisjesverliefdheidsoverpeinzingen. Morgen zou ik drie kuikentjes doodmaken. Samen met Andreas. Nee! Nee, ik kon het niet. Het zou niet gaan, het was een krankzinnig plan. Nee.
Ik kreeg het ijskoud en ik begon te trillen. Ik rende naar de telefoon. Moeder Bodil nam op en zei dat Andreas helaas niet thuis was en dat hij waarschijnlijk pas laat zou terugkomen.
'Wilt u vragen of hij mij belt?' vroeg ik. 'Wilt u hem vragen of hij Hannah belt, ook als hij laat is.'
'Hannah, oké,' zei Bodil Stegemyr en ik hoorde aan haar stem hoe wanhopig ik had geklonken.
Kan mij het schelen. Ik heb niets te verliezen. Beslist geen kuikenvoorstelling morgen. Nee. Beslist niet.
Moeder Stegemyr beloofde dat ze een briefje voor haar zoon zou neerleggen.

Hij belde niet.
Ik lag wakker en ik wachtte en wachtte, maar de telefoon ging niet.
Ik dacht: Nee. Ik dacht: Bel nou, dan kan ik nee zeggen.
Hij belde niet.
Ik bibberde alsof ik koorts had en lag te rillen van de kou, hoewel ik met kleren aan in bed lag en een extra deken over mijn dekbed had gedaan.
Ik viel niet in slaap. Pas toen het begon te schemeren, na een eeuwigdurende nacht, doezelde ik weg.
Het belsignaal werd onderdeel van een verwarde droom waarin ik verstrikt was geraakt. Er werd aan mijn deur gebeld en toen ik langzaam naar de oppervlakte van mijn bewustzijn was gezwommen, nadat ik had geworsteld om weer terug te komen naar de wereld van de wakkeren, begreep ik het. Ik struikelde naar de deur en slaagde erin om hem te openen.
Hij was het. Andreas.

5

'Nee,' zei ik.
Hij keek me kalm aan.
'Nee,' zei ik. 'Ik doe het niet. Ik kan het niet. Nee.'
'Heb ik je wakker gemaakt?' vroeg hij.
Ik zuchtte en deed mijn ogen dicht.
Hij wurmde zich langs mij heen de flat binnen en ging midden in de kamer staan.
'Kom,' zei hij.
Ik trok de deur dicht en ging tegenover hem staan. Ik wilde alleen maar slapen. Ik had het koud en voelde dat ik stond te zwaaien op mijn benen, ik moest vechten om mijn lichaam overeind te houden.
'Nee,' zei ik. 'Het gaat niet. Nee, het spijt me.'
'Mag ik je aanraken?' vroeg hij.
'Ik wil naar bed,' zei ik. 'Ik heb het koud. Ik wil slapen.'
'Mag ik je aanraken?' vroeg hij nog eens.
Ik deed mijn ogen dicht. Ik wilde alleen maar slapen.
'Ik wil graag een oefening met je doen. Die doen we soms in onze toneelgroep. Mag ik je aanraken? Ik zal je voorkant niet aanraken. En jij hoeft alleen maar te staan, met je ogen dicht, precies zoals je nu doet.'
Ik zuchtte. Waarom gaf hij het niet op? Oké dan, als het maar snel ging, als ik daarna maar naar bed mocht, me in bed laten vallen en er niet meer uitkomen voordat deze dag voorbij was. Ik zuchtte en ik knikte.
'Mooi,' zei Andreas.

Al toen ik zijn handen op mijn schedel voelde, begon zich een warmte door mijn lichaam te verspreiden. Heel langzaam liet hij zijn handen omlaag gaan; langs mijn oren, mijn wangen, mijn

hals, mijn schouders, heel langzaam, mijn armen, mijn vingers, mijn heupen, mijn dijen, mijn onderbenen, mijn voeten, mijn tenen, heel langzaam mat hij de ruimte op die ik innam in de kamer, hij gaf me mijn eigen lichaam met zijn handen, ik voelde mijn ademhaling en het kloppen van mijn hart. Nee. Niet stoppen, ga door. Ah. Ja, hij ging door, hij moest nu achter me staan, nu lagen zijn handen weer op mijn hoofd, langs mijn nek, mijn hals, mijn rug, mijn middel, langs mijn billen naar beneden, voorzichtig, mijn dijen, mijn kuiten, mijn hielen. Nee. Niet stoppen. Hij ging door. Mijn linkerzij. Mijn rechterzij. Ik was warm. Ik voelde mijn bloed kloppen, ik voelde de lucht in mijn longen, ik ademde langzaam en regelmatig. Nu waren zijn handen gestopt bij mijn rechtervoet, ik voelde zijn veilige warmte daar en ik schrok op toen hij fluisterde:
'Zo, nu mag je je ogen opendoen.'
Ik fronste mijn voorhoofd. Andreas stond voor mij. Maar ik voelde nog steeds zijn handen op mijn rechtervoet. Ik moest wel naar de grond kijken. Nee. Niets.
'Ik dacht... Ik had het gevoel dat...'
Hij knikte.
'Ik weet het. Ik had dat ook.'
Ik was warm. Ik was wakker. Ik voelde me een mens. Een compleet mens. Hij had mij opgemeten, hij had mij de ruimte laten zien die ik innam op aarde.
We stonden zwijgend tegenover elkaar.
'Ik geloof dat het een tai-chi oefening is,' zei Andreas tenslotte. 'Wij doen hem soms 's morgens. Op school. Ik vind het een heel mooie manier om de dag te beginnen.'
Ik knikte. Weer stonden we zonder iets te zeggen.
'Bedankt,' zei ik. En ik meende het.
'Nu mag je beslissen,' zei Andreas een uur later toen we thee hadden gedronken en wat hadden gegeten in de keuken.

Ik was het vergeten. Misschien had ik gehoopt dat hij het ook zou zijn vergeten.
Ik dacht na. Ik voelde.
Er was geen ijzige kou meer in mijn lichaam. Er was geen stem meer binnen in mij die mij riep. Dus ik knikte langzaam.
'Zeker weten?' vroeg Andreas.
Ik knikte nog eens.
'Kom op dan,' zei hij.
En toen gingen we samen weg. Ik vroeg niet waarom hij niet had gebeld. Ik vroeg niet waar hij die nacht was geweest.

6

Vandaag was hij geen skinhead. Hij had een versleten blauwe spijkerbroek aan en een tweedjasje.
'Ik heb me verkleed als kale jongeman,' lachte Andreas. 'Een aardige kale jongeman.'
We hadden elk een doos flyers door de stad gesjouwd en nu zat ik samen met twee alcoholisten op een bankje in het winkelcentrum. Ik wachtte op Andreas. Hij was weggegaan om de rest te halen.
'Ik ben maar vijf minuutjes weg,' zei hij. 'Of tien.'
De rest. Ik wist wat de rest was. Een aquarium. Een houten deksel. Zware bakstenen. En drie kuikentjes. Ik rilde en las de flyer om mezelf moed te geven. Ja, het was toch waar. Het is toch zo. Achter elk gekookt ei, achter elke gegrilde kip, zit een schaamteloos lijden. Wij zouden de mensen daaraan herinneren.
Ik keek rond, het was druk hier. Paasdrukte voor de supermarkt, ouders met kinderen en jongeren en ouderen. Gemengd publiek.
'Zullen we beginnen?'
Hij stond voor me. Met lege handen. Heel even dacht ik: Hij heeft

zijn kuikenplannetje opgegeven, nu gaat hij zeggen dat de flyers genoeg zijn, mooi, fijn, dan kunnen wij Pasen vieren zonder dode kuikentjes op ons geweten en...
'Daarginds,' zei Andreas met een knikje. 'Ik heb daar een geschikt plekje voor ons gevonden.'
Ik stond op en volgde hem.

Op een deken stond het kleine aquarium. Daarin hipten drie kuikentjes rond, ze waren niet geel maar grijsbruin gespikkeld. Ik wilde niet naar ze kijken, ik wilde ze niet zien, niet weten dat ze er waren, maar hun gepiep trok mijn blik steeds weer naar ze toe. Er hadden zich al wat kinderen om de deken heen verzameld; een klein meisje praatte met een ah-gottegottegot-stemmetje met de kuikentjes en een moeder met een buggy ging op haar hurken naast haar dochtertje zitten en wees:
'Kijk Frida, heb je die lieve kleine kuikentjes gezien? Kijk.'
Een van de meisjes die op hun knieën bij het aquarium zaten, draaide zich naar mij om:
'Zijn die van jou? Mag ik ze aaien?'
Ik keek naar Andreas. Nee. Nee, dit ging niet.
'Ik blijf wel hier, dan kun jij de flyers uitdelen,' zei hij.
Zijn stem klonk kalm, maar misschien, heel misschien hoorde ik wat ongerustheid, een heel klein beetje onzekerheid en aarzeling. Nee eigenlijk niet. Misschien wilde ik alleen maar dat ik dat hoorde. Ik knikte en pakte een stapeltje flyers.
Alles ging goed. Een uur lang ging alles heel goed. Ik deelde flyers uit, er kwamen steeds nieuwe mensen, ik kon in de buurt van Andreas blijven en de meeste mensen pakten mijn flyer aan. Sommige mensen bleven bij het kuikenaquarium staan en begonnen te lezen, sommigen stopten hem vlug in hun zak of tas. Sommigen wendden zich natuurlijk ook af of stopten hun handen in hun zakken als ik ze het papiertje voorhield, maar niemand maakte pro-

blemen of ging in discussie. Politie zagen wij niet. Er kwamen geen beveiligingsmensen of winkeliers die probeerden ons weg te jagen. Alles ging goed. Als ik een stapeltje flyers kwijt was, ging ik nieuwe halen bij Andreas. Die zat bij het aquarium en praatte met de kinderen, liet ze de kuikentjes oppakken en voorzichtig aaien, een oude dame bleef een hele tijd staan en vertelde hem dingen die ze zich herinnerde van het kippenhok dat ze thuis hadden toen ze nog klein was en hij was vriendelijk en aardig en charmant en vrolijk.

Alles ging goed. Een uur lang ging alles heel goed.

'Dit zijn de laatste,' zei ik toen ik de laatste flyers uit de doos viste.

'Nu al?' zei Andreas terwijl hij zijn voorhoofd fronste.

Ik knikte. Ja. Nu had ik alles uitgedeeld.

'Laat die hier maar liggen,' zei Andreas. 'Leg ze maar voor het aquarium.'

Mijn hart begon te bonken. Wat? Was het nu al tijd? Konden we niet gewoon weggaan? Lieve Andreas, lieve, lieve...

Hij hoorde mijn stille smeekbeden niet. Vriendelijk en rustig pratend, liet hij de kinderen de kuikentjes weer in het aquarium zetten, daarna haalde hij vier gebogen stukjes ijzer tevoorschijn. Die hing hij aan de hoeken van het aquarium. Toen haalde hij de houten deksel en legde die voorzichtig neer zodat hij op de ijzers rustte. In elk van de ijzers had hij een gaatje geboord en daar een touwtje aan vastgemaakt.

'Gaan jullie weg?' vroeg een meisje.

Andreas schudde zijn hoofd en begon bakstenen op het deksel te stapelen.

'Waarom doe je dat?' vroeg het meisje.

'Je moet nu gaan,' zei Andreas.

Merkwaardig genoeg gehoorzaamde het meisje, ze stond op, veegde haar jurkje schoon en zei dag. Niet tegen Andreas of mij, ze zei het tegen de kuikentjes.

Andreas nam de vier touwtjes in zijn hand en ging naast het aquarium staan zodat de touwtjes strak stonden. Nu hoefde hij alleen maar een kort rukje te geven om de ijzers los te laten gaan en het deksel met de bakstenen te laten vallen en... Nee.
De laatste paar minuten was ik toeschouwer geweest, ik had als een standbeeld staan kijken naar alle voorbereidingen, ik had niet langer het gevoel dat ik er deel van uitmaakte, ik was versteend en verlamd, vanbinnen en vanbuiten, ik kon niet ingrijpen, het was net of ik iets zag gebeuren op televisie, ik was er niet, ik was hier niet. Ik stond alleen maar toe te kijken.

Het duurde even voordat het publiek het begreep. Er begon zich een groepje mensen te verzamelen. De aanblik van de zwijgende Andreas die doodstil stond, met de touwtjes in zijn rechterhand, maakte het publiek stil. En door die stilte kwamen er meer mensen bij, ze verdrongen zich en rekten zich uit om wat te kunnen zien. Wat gebeurde er? Was het iets leuks, was het iets spannends?
Het duurde even voordat de mensen het begrepen.
'Hé zeg, wat ben jij van plan?'
Het was een man van een jaar of dertig die de stilte verbrak. Ik zag hem. Hij deed zelfs een stap in de richting van Andreas, maar toen Andreas zijn hand ophief bleef hij staan.
'Lees de flyer maar,' zei hij alleen en hij knikte naar de blaadjes die voor het aquarium waren uitgespreid.
'Je bent niet goed wijs, joh,' mompelde de man voordat hij zich omdraaide en zich een weg tussen de mensen door baande.
Nu begrepen de mensen het.
Er ging een gemompel door het publiek, iedereen begon het te begrijpen, die vent daar, die kale en zij daar, zijn van plan om die lieve kuikentjes dood te maken. Als het deksel valt, zullen die paaskuikentjes worden verpletterd in dat aquarium. Iedereen begreep

het. Het geroezemoes werd luider, mensen draaiden zich naar elkaar toe en begonnen fluisterend, met verontwaardigde stemmen met elkaar te praten, militante veganisten, ja, dat soort dingen lees je wel eens in de krant. Sommige ouders trokken hun kinderen mee en de kinderen protesteerden en zeurden en wilden blijven. De kinderen hadden het niet begrepen.
Een orkaan van woedende stemmen ging door Caroli City, maar merkwaardig genoeg richtte niemand zich rechtstreeks tot ons, of tot Andreas. Niemand riep iets, niemand schold ons uit, niemand stormde naar voren om de kuikens te redden.
Andreas keek mij aan. Zijn ogen zeiden: Je mag nu weggaan, je kunt er nu stilletjes vandoor gaan, het is goed, ik regel dit wel.
Mijn hart bonkte, ik beet hard op mijn lip, nee, nee, ik kon het niet, ik kon me niet meer van mijn plek verroeren, alle energie en alle wilskracht waren uit mij weggevloeid. Nee. Het kon me niet langer iets schelen, dit was niet de werkelijkheid, nee, ik was hier ook gewoon een toeschouwer.
Toen Andreas zijn linkerhand ophief, werd het onmiddellijk stil. In zijn rechterhand hield hij de touwtjes strak gespannen.
'Lees het maar in de flyers,' zei hij alleen.
Zijn stem klonk zacht, bijna fluisterend. Iedereen hoorde hem.
Ik deed mijn ogen dicht. Ik wilde dat ik mijn oren ook kon afsluiten voor het gepiep van de kuikens in het aquarium. Ik slikte en ik begreep dat het nu...

'Ach, wat een lieve kuikentjes. Malin, kom eens hier, kom eens kijken.'
Ik deed mijn ogen weer open. Een klein meisje had de betovering verbroken, een klein donker meisje met pikzwart haar in twee prachtige vlechten was naar voren gerend en op haar buik voor het aquarium gaan liggen. In onvervalst Malmös riep ze ongeduldig naar haar vriendinnetje:

'Malin! Kom nou. Schiet op nou, kom eens kijken. Ahhh, wat schattig...'
Andreas wierp een blik in mijn richting en liet zijn hoofd bijna onmerkbaar omlaag gaan in een knikje. Nee, hij kon het niet.
Toen gebeurde het. Ik had niet eens de tijd om uit te ademen, ik had niet eens de tijd om iets te denken, want nu de betovering was verbroken, gebeurde alles binnen een paar seconden, alle woede en verontwaardiging kwamen als een stormvloed over Andreas heen, mensen drongen zich naar voren, schreeuwden en bedreigden hem, ik zag dat hij de touwtjes losliet en zijn handen ophief en probeerde met mensen te praten, ik wilde daar naast hem staan maar de mensen verdrongen zich nu rond het aquarium, bezorgde ouders trokken hun kinderen weg zodat ze niet in de verdrukking zouden komen of onder de voet zouden worden gelopen en toen...
Ik zag het gebeuren. Iemand stootte in het gedrang tegen het aquarium aan. Een voet, een been. De hoekijzers schoten los en met een klap viel het deksel naar beneden.
Een harde klap en daarna een verlammende stilte. En toen een wanhopige kinderstem die schreeuwde:
'Mamma! Mamma mamma, de kui... de kuik... Mamma! Ze zijn doo... dood.'
Gehuil. Het gehuil van een ontroostbaar kind vulde het winkelcentrum.
Wat volgde, was een complete chaos.

7

De minuten die daarop volgden, zijn leeg. Mijn geheugen is volkomen blanco.
Een wirwar van lichamen, gedrang, stemmen, geroep. Ik herinner

me niets. Ik was er en toch ook niet. Ik zonk weg, ik worstelde niet eens om te blijven drijven, ik liet me gewoon wegduwen en dringen door de zee van verontwaardigde mensen en stemmen, ik liet me voortstuwen als een hulpeloos jolletje op een door storm opgezweepte zee, ik weet niet hoe ik op straat ben beland, maar ik weet dat ik begon te rennen en dat ik wanhopig en met mijn ogen vol tranen wegrende. Weg. Het maakte niet uit waarnaartoe. Zo ver weg als ik maar kon.

Voor het Centraal Station bleef ik staan. Ik stond daar gewoon maar, ik verborg mijn gezicht in mijn handen en stond daar maar. Ik trilde hevig terwijl mijn bewustzijn langzamerhand weer terugkwam.

'Gaat het een beetje, kind?'

Een vriendelijke meneer legde zijn hand op mijn schouder, ik kon hem vaag onderscheiden door een waas van tranen, maar ik schudde alleen mijn hoofd en liep door.

Stommeling. Ik was een grote stommeling. Hoe kon ik, hoe had ik mezelf zo voor de gek kunnen laten houden? Door hem. Hij was een idioot. Hij had mij die ochtend verleid met zijn handen. Hij had mij verleid met zijn stem en zijn woorden. Hij wist de hele tijd dat het zo zou zijn, hij had mij erin laten lopen, hij wist dat ik het niet wilde, dat ik het eigenlijk niet kon.

Wij hadden gedood. Moord. Geen doodslag, maar moord met voorbedachten rade. Volkomen onnodig, alleen voor een voorstelling. Een show.

Idioot. Ik haatte hem. Ik haatte mijzelf.

Waarom had ik niet geluisterd naar die wijze stem binnen in mij, die stem die nee had gezegd. Ik was een dwaas meisje, en een moordenaar. Ik haatte hem omdat hij dat van mij had gemaakt.

En nu? Ik keek rond, ik stond voor het oude postkantoor en daartegenover... Ja. Ja natuurlijk, hoe had ik dat kunnen vergeten. De draagvleugelboten. Naar mijn oma in Kopenhagen. Maar wacht

eens... Ik zou toch, zij zou toch... Ik had toch een cadeau van haar gekregen, ik mocht haar huis gebruiken, zij zou op reis gaan met een meneer, maar misschien, ik hoop het, ik hoop het, ik hoop het, was ze nog niet weg. Oma, wacht op mij, ik kom er nu aan...
Ik rende de weg over, sprong over het hek en struikelde de terminal van de draagvleugelboten binnen. De laatste passagiers gingen net aan boord van een van de boten. Toen ik wilde betalen, vond ik twee kaartjes voor de snelboot in mijn portemonnee, o ja, dat was ook zo, nog een verjaarscadeautje, ik rende naar de man toe die net de glazen deur naar de boten dicht wilde doen.
'Het spijt me,' zei hij terwijl hij naar mijn kaartje keek. `Hij is vol. Alleen gereserveerde plaatsen. Alles zit vol vandaag. Paasweekend, hè. Dus het spijt me...'
'Alstublieft, alstublieft, alstublieft,' smeekte ik, 'ik moet, het is... Ik moet gewoon. Mijn oma... ik moet naar mijn oma...'
Hij bekeek mij, glimlachte om mijn verwarring en het wonder gebeurde:
'Oké dan,' zei hij en hij stempelde mijn kaartje af. 'Als het moet. Maar ik kan je niet beloven dat je kunt zitten.'
Ik wilde hem omhelzen, maar hij gebaarde met een knikje dat ik moest opschieten nu de loopbrug nog uitlag, dus ik rende naar buiten en ging aan boord van de ferry.

Ik kon wel zitten. En daar zat ik dan. Gedurende de hele reis spookten er twee gedachten door mijn hoofd.
De eerste gedachte: Oma, wil je alsjeblieft thuis zijn, lieve oma, doe open als ik bij jou aanbel, oma, ik heb je nodig, wil je alsjeblieft thuis zijn en nog even met mij praten voordat je op reis gaat met die meneer, dan zal ik daarna in jouw flat blijven met de katten en mijn wonden likken, me verbergen daar in jouw doorgerookte flat, lieve oma, wil je alsjeblieft thuis zijn.
De tweede gedachte: Ik haat hem, ik haat hem, ik haat hem, ik laat

me nooit meer door hem voor de gek houden, nooit meer, hij noch iemand anders zal mij er ooit weer in laten lopen, ik haat hem, ik haat hem, ik haat hem omdat hij ervoor heeft gezorgd dat ik mijzelf haat.

Kwam aan. Ging aan land. Kopenhagen. Ik had nog maar één gedachte in mijn hoofd toen ik half rende naar het plein, Kongens Nytorv. Nu dacht ik alleen nog de eerste gedachte. Ongeduldig wachtte ik op de bus, ik liep als een gekooid dier heen en weer, ik sprong op en neer en eindelijk kwam hij. De chauffeur was natuurlijk boos toen ik alleen maar Zweeds geld had, maar ik sprak vriendelijk tegen hem in het Deens en tenslotte had hij geen zin meer om naar al mijn verklaringen te luisteren en gebaarde hij met een hoofdknik dat ik maar achter in de bus moest gaan zitten, terwijl hij een of ander commentaar voor zich uit mompelde en wegreed. Kopenhagen was vol mensen, dat zag ik toen ik in de overvolle bus door de stad hobbelde. Langs Tivoli, door de Vesterbrostraat, ja, nu nog één halte. Ik kom eraan oma, wacht op mij.
Natuurlijk was ze thuis, ze moest gewoon thuis zijn, ze zou toch pas morgen weggaan, misschien ging de hele reis trouwens wel niet door, misschien was die meneer wel zo'n oplichter die oudere dames met mooie woorden hun centjes aftroggelde, ha, niemand kon mijn wijze oude oma voor de gek houden, ze had hem natuurlijk doorgekregen en was thuisgebleven voor het paasweekend, natuurlijk, zo was het vast gegaan.
Toen ik voor mijn oma's deur stond in het mooie oude huis met de gestucte plafonds en de bloeiende planten in de erker, was ik ervan overtuigd dat ze thuis was. Ik had mezelf ervan weten te overtuigen. Daarom was ik zo verbaasd toen ze niet opendeed.
Ik klopte en klopte. Er gebeurde niets. Waarom deed ze niet open? Misschien deed ze een middagdutje. Ik klopte en klopte. Word nou wakker oma. Ik ben het, Hannah.

Toen ik daar vijf minuten had staan kloppen, ging de deur naast die van oma open. Een knorrige oude buurman staarde mij nijdig aan.
'Houd daar toch mee op! Mevrouw Andersen is niet thuis!'
Hij deed zijn deur weer dicht.
En daar stond ik dan.
De lucht liep uit mij weg en ik zakte in elkaar op de trap.
Mijn oma was niet thuis.
Eindelijk begreep ik het. Oma is er niet.
Oma, mijn laatste hoop. Wat moest ik nu? De dag voor Pasen in Kopenhagen. Eenzaam. Verdrietig, voor de gek gehouden en alleen op de wereld.
Ik kon niet nadenken. Mijn plan had niet verder gereikt dan tot aan deze deur, tot in deze flat.
Wat moest ik doen?

8

Het werd een ellendige wandeling terug naar het centrum.
Waar moest ik naartoe gaan, wat moest ik nu doen?
Diepe zuchten, ellende, tranen, haat. Daar liep ik, vol zwarte gedachten en met gebogen hoofd. Ik stootte mensen aan, botste tegen mensen op en zei 'sorry', en probeerde alles wat er was gebeurd te begrijpen, probeerde een uitweg te vinden uit mijn eenzame ellende. Wat moest ik doen?
Ik haat hem. Haat hem, haat hem, haat hem. Nooit meer. Oma, waar ben je? Waar moet ik naartoe? De kuikentjes zijn dood, verpletterd. De kinderen huilen nog steeds. Ik haat hem. En ik ben zelf ook een eenzaam, verlaten kuikentje, en er is geen veilige kippenmoeder onder wier vleugels ik mij kan verbergen en er is geen

trotse hanenvader die mij kan beschermen tegen de gemene, boze wereld. Toch zat er niets anders op. Naar huis, naar mijn vader en moeder. Ik had geen alternatief.
De gedachten tolden door mijn hoofd en ik wankelde over het Rådhusplein, samen met dronken Zweedse tieners die voor het paasweekend in Denemarken waren, waar ze bier mogen kopen. Ik werd plotseling zo moe, de vermoeidheid trof me als een mokerslag, mijn slapeloze nacht en alles wat er was gebeurd begonnen mij op te breken en binnen een seconde was alle kracht weg uit mijn lijf. Ik zakte in elkaar op de trap voor McDonald's en ik begreep dat ik nooit genoeg energie zou hebben voor de wandeling terug naar de haven. Had ik geld voor een taxi? O, ik wilde alleen maar slapen, ik wilde alleen maar dood. Terwijl ik daar zat en mijn portemonnee zocht, hoorde ik een stem boven mijn hoofd.
'Hé hallo! Dat is lang geleden zeg.'
Een stem die Zweeds sprak, een stem die blij en verrast klonk, een stem die ik herkende. Wantrouwig keek ik op. Ja hoor, daar stond hij. Per Nosslin, mijn verdwenen schoolmeester.
'Hallo Hannah. Hoe gaat het ermee?'
Hij ging op zijn hurken voor mij zitten en keek mij ongerust aan. Ik had niet genoeg energie om hem te antwoorden, ik kon niet meer nadenken. Ik deed mijn ogen dicht en leunde met mijn hoofd tegen de muur achter mij.
'Kom,' zei hij. 'Kom, dan gaan we ergens zitten.'
Ik liet mij door hem omhoogtrekken, als een willoze lappenpop liet ik mij door hem wegslepen, hij schoof me een deur binnen en duwde me neer op een stoel aan een ronde tafel in een lawaaiig, rokerig café.
'Koffie?'
Ik haalde mijn schouders op.
'Blijf hier maar zitten,' zei hij en hij keek mij ernstig aan.

Wat dacht hij? Dat ik zou wegrennen? Ik kon me nog geen meter verplaatsen; als er daarbinnen brand was uitgebroken, was ik blijven zitten en was ik geroosterd.
Hij kwam snel terug met twee koffiekoppen en een roestvrijstalen koffiekannetje op een blad. Hij schonk in en wist mij zover te krijgen dat ik een half kopje dronk.
'Ik dacht eerst dat je te veel gedronken had,' zei hij. 'Maar er is iets anders hè? Er is iets gebeurd.'
Hij klonk nadenkend.
Ik zei niets, hij hield op met vragen stellen. Hij kletste alleen wat over koetjes en kalfjes, vulde mijn kopje bij en kreeg me zover dat ik nog wat koffie dronk.
Misschien kwam het door de koffie dat mijn gedachten weer op gang kwamen. Ineens herinnerde ik mij alles weer.
'Wie ben jij?' zei ik midden in een zin van hem en ik staarde hem aan.
'Dat weet je toch, Hannah,' lachte hij. 'Per Nosslin.'
Toen werd hij ongerust en serieus.
'Herken je mij niet? Hannah, bedoel je dat je mij niet herkent?'
'Waar woon je?' vroeg ik. 'Waar werk je?'
Hij lachte en knikte.
'Nu begrijp ik het,' zei hij. 'Je hebt mij gezocht. Je hebt mij gezocht in Malmö en je hebt mij niet gevonden en toen vond je het een beetje verdacht. Of niet?'
Ik gaf geen antwoord. Ik wachtte gewoon zijn verklaring af.
'Er is niets mysterieus aan,' zei Per terwijl hij zijn hoofd schudde. 'Wij hebben elkaar gewoon niet vaak genoeg gezien om alles te kunnen bespreken. Ik woon hier. In Kopenhagen. In Hvidovre, even buiten de stad. Ik werk daar op een particuliere school.'
Zijn glimlach was nog steeds groenbruin.
'Ik heb je toch verteld dat ik van Kopenhagen houd,' zei hij. 'Net als jij.'

Ik dacht na. Of probeerde na te denken. Klopte het? Werd ik weer besodemieterd? Wat had hij gezegd de keren dat wij elkaar hadden ontmoet? Ik kon niet denken, mijn hersenen waren opgebrand en leeg. Maar toen schoot mij iets te binnen:
'En je vrouw dan?' zei ik. 'Je ex-vrouw. En je dochters. Waar wonen die?'
Hij glimlachte alleen maar. Hij knikte alleen maar en zei:
'Aan de andere kant van de stad. In Ishøj. Waar Arken is, je weet wel. Het museum voor moderne kunst. Daar wonen mijn exvrouw Merete en onze kinderen Stine en Maria. Maar de meisjes wonen om de week bij mij. Bijna om de week. Ik heb ze trouwens net teruggebracht naar hun moeder; ze gaan naar Meretes familie voor de paasdagen.'
Ik probeerde weer na te denken. Kon dit kloppen?
'Je ziet er wantrouwig uit,' zei hij en hij lachte. 'Maar alles wat ik heb verteld, is waar. Ik heb nooit geprobeerd om jou voor de gek te houden. Waarom zou ik?'
Nee, waarom zou hij? Ik had alleen mezelf voor de gek gehouden, ik had mezelf de hele tijd voor de gek gehouden, ik had de verkeerde mensen gewantrouwd en de verkeerde mensen vertrouwd.
Per Nosslin had mij nooit voor de gek gehouden. Die ogen en die handen konden niet liegen, dat had ik van het begin af aan al gezien.
'Ik ben zo moe,' zei ik en ik steunde mijn hoofd in mijn handen.

Ik geloof haast dat ik in slaap viel aan dat tafeltje in dat café en ik schrok op toen ik een hand op mijn schouder voelde. Ik deed mijn ogen open.
Ja hoor, meester Per.
'Hannah, je kunt hier niet gaan zitten slapen,' zei hij.
Ik haalde mijn schouders op.
'Wil je naar huis, zal ik een taxi voor je bellen zodat je terug kunt naar de veerboten?'

Ik haalde mijn schouders op.
'Ik wil alleen maar slapen,' zei ik.
Hij dacht even na, toen zei hij:
'Ik heb een idee. Luister. Ik boek een kamer voor je in een hotel. Hotel Neptunus, dat is een gezellig hotel, het ligt bij Nyhavn. We nemen een taxi ernaartoe. Ik zorg voor een kamer en een bed waarin je kunt slapen. En ik blijf wel even bij je, om te kijken of alles goed gaat, ik heb vandaag niets anders te doen, ik hoef morgen pas naar een paaslunch. Als je weer een beetje uitgerust bent, als je wat hebt geslapen, kunnen we ergens wat gaan eten. Of je kunt teruggaan naar Malmö. Of je kunt tot morgen in je hotelkamer blijven. Dan ga ik naar mijn huis in Hvidovre. Wat vind je ervan?'
Ik kon niet helemaal volgen wat hij allemaal zei.
Maar slapen in een hotelbed, dat begreep ik wel. Ja. Ja!
Had ik achterdochtig moeten zijn, had ik beter moeten weten? Hoe had ik het beter moeten weten, mijn hersenen waren verlamd. En hij was aardig. Hij wilde lief voor mij zijn. Hij zorgde voor mij. Heel anders dan die moordenaar van een Andreas, die ik had vertrouwd.
'Ja,' zei ik.
In een hotelbed slapen, ja.
'Goed,' knikte Per en hij haalde zijn mobiele telefoon tevoorschijn en begon een hotelkamer en een taxi te regelen.
Hij sprak heel goed Deens. Hij sprak Deens als een Deen.
Hoe zou ik achterdochtig kunnen zijn?

9

Ik sliep.
Ik sliep in een zacht, keurig opgemaakt hotelbed, ik sliep met mijn kleren aan op schone witte lakens, onder een dik donzen dekbed. Ik was onderweg naar het hotel ook al bijna in slaap gevallen. Als in een waas liet ik me in een taxi zetten, een korte autorit, half slapend. Ik liet mij door Per het hotel binnenleiden, ik zat in een leunstoel in de lobby terwijl hij met de receptie sprak, we gingen naar boven met de lift, gingen een kamer binnen, ik zag nog net dat het een soort appartementje was; er waren twee kamers met bedden, ik liet me op een ervan vallen en viel in slaap op het moment dat mijn hoofd het zachte kussen raakte. Ik was binnen een seconde vertrokken.
Ik sliep. Ik werd wakker, ik keek slaperig om me heen en begreep er niets van. Waar was ik? O ja, natuurlijk. Kopenhagen. Per. Een hotelbed.
Toen herinnerde ik me wat er eerder die dag was gebeurd en ik rilde.
Ik wilde nog meer slapen, dat had ik nodig. O, wat een heerlijk zacht bed. Waardoor was ik wakker geworden? Ik moest nog veel meer slapen, tot morgenochtend. Maar eerst moest ik plassen, o, wat moest ik nodig plassen.
Ik rukte me los uit de heerlijke warmte van het bed, ik gaapte hartgrondig en wankelde op onvaste benen naar de badkamer. O jee. Aha. Daardoor was ik wakker geworden. Ik was wakker geworden van het geluid van stromend water; Per stond onder de douche, ja, hij was nog steeds in ons hotelappartementje. Nu stond hij onder de douche. Ik moest mijn plas ophouden. Ik trok een gezicht. Het geluid van stromend water maakte dat ik nog nodiger moest.
Niets aan te doen. Ik moest maar weer in bed kruipen en wachten tot hij klaar was, daarna zou ik naar de badkamer sluipen en plassen en dan slapen, slapen, slapen.

Op dat moment wierp ik een blik in de andere slaapkamer. Op het bed daarbinnen lagen Pers kleren. Maar er lag ook nog iets anders. Een zwart schrift met een harde kaft. Mijn schrift.

Ik was meteen klaarwakker. Ik slikte en keek naar de deur van de badkamer. De douche liep nog.
Mijn schrift. Waarom had hij dat? Wat gebeurde er eigenlijk?
Na nog een blik op de badkamerdeur, deed ik vlug een paar stappen de kamer in, liep naar het bed toe en griste het schrift weg. Ja hoor, het was het mijne. Het schrift dat ik voor mijn verjaardag had gekregen.
Nee. Toen ik de eerste bladzijde opsloeg, ontdekte ik dat ik het mis had. Het was niet mijn schrift, maar wel precies hetzelfde schrift. Op de eerste bladzijde las ik:

Een nacht in april
Daar komt de een.
Daar komt de ander.
Ze komen het beeld inlopen, van opzij.
Ze zullen elkaar tegenkomen.
Een van hen zal sterven.
Het regent, een beetje.

Aha. Dit was Pers schrift. Wat dat stukje tekst betekende, begreep ik niet. En ik had er natuurlijk niets mee te maken, het was zijn schrift. Misschien droomde hij er stiekem van om schrijver te worden, misschien vond hij het gewoon leuk om te schrijven, om woorden op papier te schrijven, net als ik.
Als ik niet nieuwsgierig was geweest, als ik niet had gehoord dat de douche nog steeds liep, als ik niet had doorgebladerd in zijn schrift, dan was er niets gebeurd.
Of liever gezegd: ik weet niet wat er was gebeurd als ik niet had

doorgebladerd. Misschien was het allerverschrikkelijkste gebeurd, het onvoorstelbaar erge.
Ja, ik bladerde door het schrift. Het was bijna volgeschreven in een dicht, vloeiend, moeilijk te lezen handschrift. Ik knikte met een glimlach. Zwarte inkt, dat gebruikte ik ook het liefst. Het was een gedicht dat ervoor zorgde dat ik stopte met bladeren.
Toen het mij was gelukt om het handschrift te ontcijferen, hield ik mijn adem in.

Milena, Milena
ogen als zwarte zonnen
haar als een glinsterende waterval
recht en trots als een boom aan de waterkant
zo dichtbij en toch zo ver weg
als een lied in de wind
als een zacht diertje
Milena

Dat was toch mijn gedicht! Ik vond mijn Milena-gedicht in Per Nosslins zwarte schrift. Hoe...? Waarom...? Hij was nog nooit bij mij thuis geweest, ik had hem dat gedicht nooit laten zien, dat wist ik zeker. Ik had nooit met hem over Milena gepraat.
Hoe kon mijn gedicht in Pers schrift staan?
Ik slikte en begon weer te ademen. Mijn hart bonkte terwijl ik verder bladerde in het zwarte schrift. Ik vond mijn naam. Heel vaak. Op iedere bladzijde lichtte het woord *Hannah* mij tegemoet vanuit de tekst. Op sommige bladzijden heel vaak.
Wat was dit, ik begreep het niet...
En wie was hij? Wat wilde hij van mij?
Nu hield de douche op.
Ik moest hier weg.
Gevaar. Ik ben in gevaar. Dat wist ik.

Ik had geen tijd om meer te lezen, het duurde lang om het handschrift te ontcijferen, het zat vol doorhalingen, pijltjes en vlekken, ik zag weer een paar keer mijn naam en ik zag nog net de allerlaatste zin:
Milena wordt bedreigd door een skinhead en
Dat was de laatste aantekening. Weer Milena.
Helemaal achterin, aan de binnenkant van de kaft, stond mijn telefoonnummer.
Gevaar. Ik begreep er niets van, wie was hij, wat wilde hij? De douche was stil, nu zal hij zo wel komen, ik moet hier vandaan, ik moet weg.

Het leek wel zo'n nachtmerrie waarin je probeert te vluchten voor een levensgevaarlijke dreiging en ontdekt dat je je benen niet kunt bewegen; je kunt alleen blijven staan, wanhopig, en wachten op het kwaad, je wilt weg, je probeert het, maar je komt nergens.
Vijf seconden duurde die nachtmerrieverlamming, toen ontdekte ik dat mijn benen mij konden dragen. Ik gooide het schrift op het bed, graaide in een kort moment van helderheid Pers broek mee en rende het halletje in. De deur. De deur was op slot, wacht, ja, ik draaide de verkeerde kant op, zo ja, naar buiten, weg nu, zonder te veel lawaai te maken, zo ja, zachtjes de deur weer dichtdoen, zo ja...
Op de gang, mijn benen trilden en mijn hart bonkte, maar ik was wakker nu, klaarwakker, wakkerder dan ik in lange tijd was geweest. Ik durfde niet op de lift te wachten, maar rende de trappen af. Ik propte Per Nosslins broek in een zwarte vuilniszak, die bijna vol zat met bouwafval. Ha. Dat zou hem toch wel even tegenhouden. Zonder broek in Kopenhagen. Ha.
Ik kreeg energie van mijn eigen vindingrijkheid toen ik langs de receptie de straat op rende. Maar toen ik daar stond, werd ik weer overvallen door paniek en angst. Ik moest daar weg. Snel, voordat hij kwam.

Gelukkig wist ik bijna meteen waar ik was en ik rende naar rechts, naar Nyhavn, over de brug, naar de draagvleugelboten.
Toen ik de terminal binnenrende, dacht ik: Hier gaat hij natuurlijk meteen naartoe. Hij weet dat ik hiernaartoe zal vluchten. Dit is de eerste plek waar hij zal zoeken. Ik keek rond. Een herhaling. Net als de eerste keer dat ik vluchtte, vanochtend. Het was een herhaling: er zou net een boot vertrekken, de laatste passagiers gingen aan boord, ik rende erheen met mijn kaartje, de man zei dat hij vol was, ik keek wanhopig en smeekte of ik mee mocht. Het was een herhaling. Maar dit keer werd de dialoog in het Deens gevoerd.
Toen zat ik in de boot. Ik beefde: Vertrek nou. Haal die loopbrug binnen. Gooi de trossen los. Ik keek steeds onrustig naar de terminal.
Nu. Nu ging hij vertrekken. Nu voer de boot weg van de kade. En nergens was een Per Nosslin in de achtervolging te bekennen. Ik liet mijn adem ontsnappen. Tot zover was het me gelukt. Ik kon zelfs even glimlachen toen ik voor me zag hoe hij in zijn onderbroek en overhemd door de hotelkamer rende om zijn broek te zoeken. Ha.

Maar ik hield algauw op met glimlachen.
Wat was er eigenlijk gebeurd? Wie was hij en wat wilde hij van mij? Natuurlijk was hij degene die had gebeld, ja. Waar was hij mee bezig, wat voor spelletje speelde hij? Wat wist hij van Milena? Wat wist hij van mij? Wat betekende alles wat ik in zijn schrift had zien staan?
Ik werd overvallen door een kil, donker gevoel van angst. Nu wist hij dat ik het wist. Hij wist niet wát ik wist, maar hij wist dat ik halsoverkop was weggerend uit die hotelkamer. Waarschijnlijk begreep hij wel dat ik in zijn zwarte schrift had gelezen.
Hij weet waar ik woon, dacht ik. Als een dreigende repliek uit een

gangsterfilm: 'Ik weet waar je woont!' Ik zou daar niet meer veilig zijn. Nooit meer, niet voordat ik een verklaring voor dit alles had gekregen.
Ik verborg mijn gezicht in mijn handen en probeerde na te denken. Wat zou er voor verklaring kunnen zijn?
Nee. Zucht. Ik kon het niet begrijpen, ik kon niet langer nadenken. Nu meerde de boot af in de haven van Malmö.
Waar moet ik heen? dacht ik toen ik in de dringende en duwende rij stond om aan land te gaan. Een eenzaam klein meisje in een dreigende wereld die ze niet begrijpt.
Eenzaam, klein en bang.
Wie kan haar helpen?

10

De avond voor Pasen. De hal van het Centraal Station was bijna verlaten. Ik liet me vallen op een bankje tegenover de kaarttelefoons.
Ik had mijn ouders gebeld. Niemand thuis.
Ik had Anna gebeld. Niemand thuis.
Ik had Cat gebeld. Die was wel thuis. Ze zei:
'We waren net van plan om weg te gaan... Mattias en ik.'
Ze klonk giechelig en verliefd en ik begreep dat ze geen logé zou willen hebben die nacht, dus ik had haar prettige paasdagen gewenst en opgehangen.
En nu? Wat moest ik nu doen? Waar moest ik heen?
Alleen in een wereld waar iedereen mij voor de gek houdt en spelletjes met mij speelt. Alles was zo moeilijk geworden, en zo raar. De trotse, sterke engel Liv was weggefladderd als een vlinder en had een eenzame, verwarde kleine Hannah achtergelaten.

'Hallo meisje, heb je zin om mee te gaan naar Lund, we gaan naar een disco en daarna is er nog een feest bij een paar vrienden van me, ga je mee?'
De geur van wodka kwam me tegemoet toen een goed uitziende student met een verfomfaaid jasje en een half openstaand wit shirt zich naast mij op het bankje liet vallen. Hij ging veel te dichtbij zitten. Twee vrienden van hem stonden een paar meter verderop te grijnzen.
'Kom nou, Rasmus, schiet op man, ze heeft geen belangstelling, kom op nou,' riep de ene.
'Nou, ik vraag het alleen maar, hoor,' zei Rasmus met een vriendelijke dronkemansglimlach. 'Ik doe toch niks, ik vraag alleen maar of je zin hebt om mee te gaan, je zit hier maar en je ziet eruit alsof je eenzaam bent...'
Hij was heel leuk, Rasmus. Zijn haar zat door de war en hij zag er vrolijk uit. Even dacht ik: als ik het eens deed. Misschien is dat de oplossing. Een feest in Lund. Maar toen schudde ik mijn hoofd. Nee. Van de regen in de drup. Nee, dank je.
'Nee, dank je,' zei ik.
'Zeker weten?' vroeg de student.
'Zeker weten,' zei ik terwijl ik opstond.
'Vrolijk Pasen dan maar,' zei hij en hij stond ook op.
Bedankt, dacht ik en ik keek hem na terwijl hij samen met zijn vrienden op onvaste benen naar de trein wankelde. Hartelijk bedankt, Rasmus. Jij hebt ervoor gezorgd dat ik een besluit heb genomen. Ik neem de bus naar huis. Naar mijn eigen huis. Ik doe mijn deur op slot. Ik ga slapen. Vannacht zal er niets ergs met mij gebeuren. Als hij weer belt, geef ik hem aan bij de politie. Dat moet dan maar.

Dat gevoel van vertrouwen dat ik daar op het Centraal Station en gedurende de busreis naar huis had, verdween op het moment dat ik mijn sleutel in het slot had gestoken. Toen de zware voordeur achter mij dichtviel, begon ik zo erg te trillen en te beven dat ik er nauwelijks in slaagde om het knopje van het licht in te drukken. Ik raakte in paniek van het donkere trappenhuis. Tenslotte wist ik mijn vinger op het rood-glanzende knopje te krijgen en ik leunde er met allebei mijn handen uitgestrekt tegenaan zodat het licht met een klik aanging.

En nu? Stel je voor dat hij voor de deur van mijn flat stond te wachten. Stel je voor dat hij op mijn bank zat. Niets leek meer onmogelijk. Nee. Nee, hij had nooit vanuit Kopenhagen hier kunnen gekomen, zelfs hij niet. Maar dan zou ik daar zitten en me voelen als een opgejaagd dier in het bos, gewoon zitten wachten op de jager, ik wist dat hij wist waar hij mij kon vinden, vroeg of laat zou hij komen en...

Aarzelend liep ik de trappen op. Ik strekte mijn hals uit en tuurde naar boven, ik spitste mijn oren en luisterde naar de stilte tussen mijn eigen voetstappen. Nee, hier was niemand behalve ikzelf. Toch? Nee.

Nee, er stond niemand te wachten voor mijn deur, ik deed open, stapte naar binnen, deed alle lichten aan en doorzocht de hele flat. Het bonzen van mijn hart echode door de stilte toen ik de deuren van mijn klerenkast en van de badkamer opendeed, ik keek zelfs in de ijskast, nee, alles was net als anders. Ik hing twee dekens voor het raam in de kamer en dekte het keukenraam af met een dekbedovertrek. Pas toen ik terugliep naar het halletje om het nachtslot op de deur te doen, ontdekte ik het briefje dat daar op de grond lag.

Een klein briefje. Een kort berichtje.

Eerst draaide ik de sleutel van het nachtslot om, daarna ging ik op mijn hurken zitten en las:

Hannah!
Bel me! Alsjeblieft, Hannah, bel me! Ik ben thuis.
Andreas

Andreas, wie is dat? dacht ik. Jou ben ik vergeten. Jou bellen? Ha. Nooit. Vergeet het maar, man. Twee keer kun je mij voor de gek houden, twee keer heb je mij voor gek gezet, heb je mij veranderd in iemand die ik niet ben. Maar dat lukt je geen derde keer. No way.

Ik had zijn briefje net verfrommeld en in de prullenbak gegooid, toen de telefoon ging.

Eerst was ik versteend door het belsignaal. Toen sloop ik naar de telefoon, voorzichtig, alsof het een bloeddorstig roofdier was. 'Geheim nummer' las ik op de display. Ik deinsde achteruit. Ineengedoken in een hoek stond ik te staren naar de telefoon die bleef overgaan. Niet opnemen. Niet de stekker eruit trekken, dan weet hij dat ik thuis ben. Dus ik bleef staan en voelde de belsignalen als slagen op mijn lichaam neerkomen, als minachtende klodders spuug, en ik kon me niet verdedigen.

Toen de telefoon eindelijk zweeg, rende ik ernaartoe en belde Andreas.

'Hannah?'

Hij antwoordde met mijn naam.

'Ben jij het?' vroeg hij voordat ik ook maar iets had kunnen zeggen. 'Hoe is het, is alles goed met je, waar ben je, ben je thuis?'

'Wil je hiernaartoe komen,' vroeg ik zonder zijn vragen te beantwoorden.

'Hoe is het, is er iets gebeurd?' vroeg hij. Hij klonk ongerust.

'Wil je hiernaartoe komen,' herhaalde ik.

'Ik kom,' zei hij snel. 'Ik ga nu weg. Je moet nergens heen gaan. Niets doen. Ik kom eraan.'

Ik hoorde hoe hij de hoorn op de telefoon smeet terwijl ik nog met de mijne tegen mijn oor aangedrukt stond. Hoezo 'niets doen'? Wat bedoelde hij daarmee? Dacht hij soms dat ik hier met een handvol slaappillen stond?

En toch. Iemand gaf om mij. Iemand was ongerust over mij. Dat was wat ik nodig had. Ik had iemand nodig. Ik had het gevoel dat ik ten onder zou gaan als ik alleen was. En toen er tien minuten later bij mij werd aangebeld en ik mij ervan had verzekerd dat het Andreas was, en de deur had opengedaan en hem had binnengelaten, moest ik mezelf ervan weerhouden om me in zijn armen te storten en hem stevig en dankbaar te omhelzen.

Hij was gekomen. Zijn aanwezigheid in mijn flat zorgde ervoor dat al het kwade werd weggeblazen. Niemand kon mij meer kwaad doen nu.
Maar nee, ik toonde hem niet hoe blij ik was, ik liet me alleen maar in mijn leunstoel vallen en op het moment dat ik dat deed, stroomde alle lucht uit mij weg. Deze dag had een eeuwigheid geduurd. Nu pas voelde ik in mijn hoofd en in mijn lichaam hoe lang hij was geweest.
'Alsjeblieft Hannah, vergeef mij,' zei Andreas terwijl hij zich op zijn knieën voor mij liet vallen, 'het was dom, ik had niet begrepen dat het zou gaan zoals het is gegaan, ik had niet aan de kinderen gedacht, ik bedoel... ik had het niet begrepen. Vergeef mij. Ik ben de hele dag zo ongerust over jou geweest, ik had niet gezien waar je naartoe ging, ik heb je gebeld en ik ben hier geweest om op je te wachten, ik was zo bang dat er iets met je was gebeurd of dat je... Ja, dat er iets was gebeurd.'
Het duurde even voordat ik begreep waar hij het over had. O ja. Drie kuikentjes waren dood, maar dat kon mij niets meer schelen, nu niet, het ging nu om mij, om mijn leven, maar ik had geen energie meer om het te vertellen of uit te leggen. Alle lucht was uit mij weggestroomd.
'Wat is er gebeurd?' vroeg Andreas terwijl hij mij ernstig aankeek.
'Alsjeblieft,' vroeg ik hem gapend, 'wil je hier blijven? Wil je vannacht bij me blijven? Kan dat?'

'Natuurlijk,' zei hij snel. 'Natuurlijk wil ik dat. Ik kan hier op de bank slapen. Kun je niet...'
'Nee,' zei ik. 'Ik wil dat je in mijn bed slaapt. Samen met mij.'
'Goed,' zei hij.
'Nu,' zei ik.
'Goed,' zei hij.
Het lukte mij om op te staan en naar de badkamer te lopen.
'Wil je een tandenborstel lenen?' riep ik een paar minuten later met mijn mond vol schuim.
'Graag,' zei Andreas.

Terwijl hij in de badkamer was, kleedde ik mij uit, zocht een oud nachthemd uit mijn kast en kroop in bed. Net toen ik het dekbed tot aan mijn kin had opgetrokken, stond Andreas in de deuropening.
'Zal ik het licht uitdoen?' vroeg hij.
'Mm,' gaapte ik. 'En kijk nog even of de deur op slot is.'
Toen hij terugkwam in de slaapkamer en zich begon uit te kleden, kwam ik overeind. Ik steunde op een elleboog en zei tegen hem: 'Nee.'
Hij stopte, met zijn hoofd in zijn T-shirt, trok het weer naar beneden en keek mij aan.
'Wat bedoel je?'
'Je mag je niet uitkleden,' zei ik. 'Niet helemaal. Je moet je T-shirt en je onderbroek aanhouden. Geen seks. Oké?'
'Dat was ik ook niet van plan,' zei hij.
'Ik wil alleen maar dat je hier ligt,' zei ik en ik wees op de plek naast mij in bed. 'Je mag me niet aanraken. Je moet hier alleen maar zijn. Ik heb je nodig. Morgen zal ik het uitleggen.'
Toen gaapte ik nog eens en kroop ik onder het dekbed.
'Ik snurk soms,' zei Andreas. 'Dan moet je me gewoon een duwtje geven.'
'Goed,' zei ik en ik deed het nachtlampje uit.

Ik hoorde hoe hij zijn broek uittrok, toen liep hij naar het bed toe.
'Lig jij altijd rechts of links?'
'In het midden,' zei ik. 'Of dwars. Of schuin.'
Precies. Ik lag altijd alleen in bed. Niemand aan mijn rechterkant, niemand aan mijn linkerkant. Ik schoof een beetje naar de muur en hij kroop onder het dekbed. Toen zijn voeten per ongeluk mijn benen raakten, zei hij gauw sorry.
Wij lagen naast elkaar, op onze rug. Ik hoorde zijn ademhaling. Al mijn angst was verdwenen.
'Maar je mag wel mijn hand vasthouden,' zei ik.
'Goed,' zei Andreas.
En we draaiden naar elkaar toe en ik pakte zijn hand en hield hem vast. Onze handen lagen tussen ons in op het kussen en ik voelde zijn adem als een zacht zomerbriesje op mijn knokkels.
Ik sliep als een baby.

11

Ben ik jarig?
Dat was mijn eerste gedachte toen ik wakker werd. O, ik gaapte en keek rond, o, ik had zo heerlijk vast geslapen, o, wat heerlijk, hoe laat is het en... Langzaam kwamen mijn herinneringen terug. Gisteren, die lange, verschrikkelijke dag die ik gisteren had gehad, voelde zo ver weg, dankzij... Andreas, ja. De plek naast mij was leeg, maar ik zag de sporen van mijn bedgenoot nog, ik zag een kuil in het kussen naast mij, mmm, ja, ik had het niet gedroomd, zijn geur was er nog, mmm...
'Goedemorgen.'
Aha, het kwam door het geluid van gescharrel in de keuken en het gerinkel van aardewerk dat ik aan jarig zijn had gedacht. Nu stond

hij in de deuropening met een blad met ontbijt, nu liep hij naar mijn bed toe en zette het voorzichtig naast mij neer.
'Ben je wakker?'
Ik knikte en ging zitten in bed.
'Zal ik het rolgordijn omhoogdoen?'
Ik knikte en het rolgordijn ging met een klap omhoog.
'Heb ik je wakker gemaakt?'
Ik schudde mijn hoofd en kneep mijn ogen halfdicht voor de aprilzon.
'Heb je goed geslapen?'
Ik knikte.
'Ik heb een ontbijtje klaargemaakt voor ons. En ik ben onder de douche geweest. Ik hoop dat ik je niet wakker heb gemaakt.'
Mm, hij rook inderdaad fris gedoucht. Ineens begon ik te giechelen.
'Heb je mijn shampoo gebruikt?' giechelde ik.
Hij schudde zijn hoofd en streek over zijn kale schedel.
'Zal ik eens iets grappigs vertellen?' giechelde ik. 'Er waren eens drie mannen die op een boot zaten. Ze wilden gaan zwemmen en sprongen in het water, maar er waren er maar twee die nat haar hadden. Waarom was de derde niet nat?'
'Ik ken hem al,' glimlachte Andreas en hij ging op de rand van het bed zitten.

We aten boterhammen en dronken thee. We spraken niet veel, we keken naar elkaar en glimlachten af en toe, we zeiden niets over wat er gisteren was gebeurd en mmm ik voelde me lekker, ik was een nieuw mens, ik was weer thuis en toch... voelde alles nieuw.
Jij bent de eerste met wie ik mijn bed heb gedeeld, dacht ik en ik bekeek Andreas stiekem terwijl hij de broodkruimels van zijn mond veegde. Maar dat mag jij nooit weten.
'Heb ik gesnurkt?'

'Dat weet ik niet,' antwoordde ik. 'Ik sliep. Als een baby.'
'Mm,' knikte Andreas. Jij hebt wél gesnurkt, als een klein varkentje.'
'Nee!' zei ik beslist.
'Jawel,' knikte Andreas. 'Maar het was maar een beetje. Een schattig klein snurkje. Het klonk ongeveer zo...'
En toen deed hij mijn gesnurk na. Ha! Dus ik had gesnurkt? Neehee... Hoewel, hoe moest ik weten of ik wel of niet snurkte?
'Dankjewel, James,' zei ik en ik kroop weer onder het dekbed. 'Zou je zo vriendelijk willen zijn om het ontbijt weer af te ruimen, James?'
'Natuurlijk,' zei Andreas en hij gehoorzaamde onmiddellijk.

Daarna vertelde ik alles aan Andreas.
Ik lag met het dekbed opgetrokken tot aan mijn kin en hij zat naast mij op het bed met zijn rug tegen de muur geleund terwijl ik vertelde over Per Nosslin. Over onze ontmoetingen, over onze gesprekken, dat ik dacht dat hij degene was die mij belde, over het verjaarscadeau en over wat er gisteren in Kopenhagen was gebeurd.
Andreas zweeg en luisterde. Pas toen ik klaar was met vertellen, vroeg hij:
'Wat stond er in dat schrift? Hoezo een gedicht dat jij hebt geschreven, ik snap het niet helemaal.'
'Ik had niet veel tijd om te lezen,' zei ik. 'Het was iets van: Een nacht in april. Twee mensen zullen elkaar tegen... Nee, wacht even, het ging zo: Een nacht in april. Daar komt de een. Daar komt de ander. Ze zullen elkaar tegenkomen. Een van hen zal sterven. Het regent.'
'Hm,' zei Andreas.
Ik kwam uit bed, haalde mijn Milena-gedicht van de muur en liep terug naar Andreas.

'En het leek wel of het over mij ging, wat hij had geschreven. Overal stond mijn naam; op een heleboel plaatsen. En dit gedicht stond ook in het schrift,' zei ik en ik gaf Andreas het velletje papier terwijl ik weer in bed kroop. 'Ik heb dat gedicht geschreven. En Per is hier nooit geweest. Niet tegelijk met mij in elk geval.'
'Hm,' zei Andreas terwijl hij las. 'Milena. Dat lieve meisje. Dat een grote broer heeft.'
'Mm,' zei ik.
'Hm,' zei Andreas.
'En dit stond er ook: Milena wordt bedreigd door een skinhead. Dat was de laatste aantekening. En mijn telefoonnummer stond erin. Aan de binnenkant van de kaft.'
De fijne, vriendelijke stemming van die ochtend verdween terwijl ik vertelde. Maar het voelde toch niet meer zo erg als eerst; we waren nu met z'n tweeën.
'Vreemd,' zei Andreas, zijn kin in zijn handen gesteund. 'Ik vraag me af wat hij eigenlijk wil. Het kan toch nauwelijks toeval zijn dat jullie elkaar gisteren tegenkwamen.'
Ik haalde mijn schouders op.
'Denk je dat hij wilde dat je zijn schrift zou zien, denk je dat hij wilde dat je het zou lezen?'
Ik dacht na.
'Nee,' antwoordde ik toen. 'Dat denk ik niet. Ik sliep toch. Hij wist niet dat ik wakker zou worden. Toch...? Nee.'
'Hm,' zei Andreas. 'Misschien moet je Milena eens bellen.'
Ik dacht na. Toen knikte ik.

Eldin nam op.
'Hallo, met mij,' zei ik. 'Met Hannah. Vrolijk Pasen. Hoe is het?'
'Gaat wel,' zei Eldin.
Er klonk ernst in zijn stem, een zorgelijke, verbeten ernst. Ik merkte het meteen. Toen vertelde hij. Milena was eergisteren naar de

stad geweest en toen ze in haar eentje bij de bushalte stond te wachten op de bus naar huis, was er een skinhead naar haar toegekomen en een gesprek met haar begonnen, hij had gezegd dat er te veel waren zoals zij in Malmö, dat Malmö niet genoeg geld had om al die mensen zoals zij te verzorgen en dat ze weer terug moest gaan naar Kosovo, want daar was het vrede nu, had hij gezegd. En Milena had gezegd dat zij niet uit Kosovo kwam, ze had gezegd dat ze in Zweden was geboren en dat haar ouders uit Bosnië kwamen en toen was die skinhead kwaad geworden en... en hij had haar bedreigd.
Eldin kon niet verder praten.
'Was ze bang?' vroeg ik. 'Was Milena bang?'
Het duurde even voordat Eldin antwoord gaf.
'Ze was verdrietig,' zei hij tenslotte. 'Maar ze zal het wel vergeten, ze is nog maar een kind, zij zal het wel vergeten. Maar ik niet. Begrijp je dat? Als ik die laffe racist vind, zal ik hem... zal ik hem vermoorden. Begrijp je dat?'
'Nee, Eldin,' zei ik.
Hij zei niets meer. En Milena was niet thuis, dus ik zei dat ik nog wel zou bellen en toen namen we afscheid. Ik had nog nooit zo'n ernst in zijn stem gehoord.
Ik zuchtte.
Milena. Kleine Milena met ogen als twee zwarte zonnen. Waarom jij? Waarom mocht jij niet in een veilige, gelukkige kinderwereld leven?
De tranen sprongen in mijn ogen toen ik dat dacht en Andreas begreep wat Eldin had verteld.
'Vreemd,' zei hij.
Daarna praatten we nog wat. We hadden het vooral over Milena en wat Per met haar te maken zou kunnen hebben.
'Heb je Milena gevraagd of zij Per kent?' vroeg Andreas.
Ik schudde mijn hoofd. Waarom zou ik dat hebben gedaan?

'Wacht eens,' zei Andreas. 'Je hebt Milena toch ontmoet toen je voor het huis stond waar Pers ex-vrouw woont. Die vrouw waarvan je dacht dat het Pers ex-vrouw was. En dat meisje zit bij Milena in de klas. Misschien heeft zíj wel gelogen, die vrouw bedoel ik.'
Ik probeerde na te denken. Het ging niet. Mijn hersenen wilden niet meer. Ik kon alleen nog maar mijn schouders ophalen en zuchten.

Toen zei Andreas dat hij wat moest doen en hij vroeg of ik me even alleen kon redden en ik zei ja hoor, maar toen hij in het halletje stond en zijn leren jack had aangetrokken, voelde ik hoe de angst weer in mij begon te groeien.
'Hé,' zei ik terwijl ik mijn hand op zijn arm legde.
Hij draaide zich om en keek mij aan.
'Wil je dat ik blijf?' vroeg hij.
Ja, laat me niet alleen, schreeuwde een stem binnen in mij, maar ik schudde mijn hoofd en zei:
'Nee, dat hoeft niet. Maar je mag me niet voor de gek houden. Dat moet je beloven. Ik ben nu zo vaak belazerd. Ik kan er niet meer tegen. Beloof het. Ik moet je kunnen vertrouwen.'
Toen deed hij een stap naar voren, legde zijn handen op mijn wangen en kuste mij op mijn voorhoofd. De kus van een grote broer. Van een neef.
'Ik zal jou nooit belazeren,' zei hij. 'Dat beloof ik. En je hoeft nooit meer bang te zijn. Vertrouw mij maar.'
Toen ging hij weg.

12

Ik zong. Ik trok de dekens die voor de ramen hingen eraf, ik liet het felle zonlicht naar binnen en ik zong in mezelf.

Het was eerste paasdag en ik was weer opgestaan. Opgestaan uit de dood en de wanhoop en de eenzaamheid. Het mysterie bestond nog steeds en als ik aan Milena dacht, die kleine Milena, ging de zon schuil achter een wolk, maar alles was nu anders.
Daarom zong ik. Ik zong toen ik het bed ging opmaken. Maar eerst duwde ik mijn neus in het kussen en snuffelde nog een keer, snuffelde en snoof zoals een hond die achter een konijn aanzit; daarna veegde ik de kruimels van het laken en maakte ik het bed op. Ik zong terwijl ik douchte. Ik zong terwijl ik me aankleedde.
Toen de telefoon ging, liep ik er meteen naartoe en nam op. 'Nothing's gonna hurt me now...', zong ik terwijl ik de hoorn oppakte. Het was oma. Mijn lieve oma uit Kopenhagen.
Nu was ze thuis, nee, die meneer was een saaie vent gebleken en ze was gisteren ook thuis geweest, ze was alleen even de stad in gegaan precies op het moment dat ik kwam, ja, haar buurman had verteld dat ik bij haar aan de deur was geweest. Als ik vijf minuten later was gekomen, was ze thuis geweest.
Ik kon nu wel komen, stelde oma voor. Maar ik zei nee, ik zei een andere keer graag, ik zei ik kom over een paar weken, ik zei vrolijk Pasen en hing op.
Vijf minuten, dacht ik. Vijf minuten en alles was anders geweest.
'Zo is het leven...', zong ik en ik danste de keuken in.
Ik was net klaar met de afwas toen er weer werd gebeld. 'Ring, ring, why don't you give me a call...', zong ik terwijl ik terugdanste naar de telefoon.
'Hallo, met Hannah,' zei ik.
'Hallo, Hannah,' zei de stem in de hoorn. 'Met Per.'
Ik viel neer op de bank, drukte de hoorn tegen mijn oor en wachtte.
'Ik wilde alleen even horen hoe het met je is. Je was ineens verdwenen gisteren. Uit het hotel. Ik wilde alleen even horen of alles goed is.'

Zijn gewone, onschuldige stem. Een bezorgde vader, een goede, betrouwbare vriend. Ik begon me bijna te schamen voor al mijn wantrouwige gedachten.
'Eh... ja hoor,' mompelde ik.
Hannah, kijk uit. Hannah, wees op je hoede. Hannah, laat je niet wéér voor de gek houden.
'Ik ga vanavond met de kinderen bij de familie van Merete eten en dan ga ik naar Malmö, naar mijn ouders. Ik wilde alleen weten of alles goed met je is.'
Hannah, denk nou na. Pas op wat je zegt, Hannah.
Nee, hoewel de stem in mijn hoofd mij waarschuwde, besloot ik: Nu moet het afgelopen zijn. Afgelopen met doen alsof je vriendelijk bent.
'Waarom heb jij mij gebeld?' vroeg ik. 'Waarom heb je mij steeds 's avonds en 's nachts gebeld? Zonder iets te zeggen. Wat wil je van mij? Waarom kwamen we elkaar gisteren tegen in Kopenhagen? Wie ben jij? Wat weet jij van mij? Ken jij Milena?'
Ik was heel kalm. Mijn stem klonk heel kalm.
'Dat waren een heleboel vragen,' zei Per. Hij lachte.
Zijn stem klonk ook heel kalm.
Maar toen werd het stil. Hij begon mijn vragen niet te beantwoorden.
Met elke stille seconde groeide mijn irritatie en ik begon me al mijn angst en verwarring te herinneren en mijn woede kwam terug en nu kon ik het niet meer opbrengen om tactisch en slim te zijn. Wie dacht hij wel dat hij was?
'Heb je je broek gevonden gisteren?' vroeg ik en ik hoorde dat ik klonk als een plagerig meisje op het schoolplein.
Nog steeds geen antwoord.
'Ik bel de politie,' zei ik. 'Als je het niet vertelt, als je de waarheid niet vertelt, dan bel ik de politie. Ik zal ze vertellen dat jij je bezig hebt gehouden met telefoonterreur. Ik zal ze vertellen dat je mij

bespioneert en dat je mij bent gevolgd. Ik zal ze vertellen dat je gisteren in Kopenhagen hebt geprobeerd mij te verkrachten in een hotelkamer.'
Dat laatste bedacht ik ter plekke.
'Maar meisje toch...' begon Per.
'En als je mij nog één keer meisje noemt, dan... dan...'
'Ik wilde je alleen maar beter leren kennen,' zei Per.

'Hannah,' ging hij na een poosje verder, 'ik heb jou nooit kwaad willen doen. Dat weet je. Integendeel. Je weet best dat het klikte tussen ons als we elkaar tegenkwamen. Ik wilde je alleen maar beter leren kennen, dat is alles.'
Hij zweeg. Ik wachtte.
'En toen zijn er dingen gebeurd die ik niet had gepland,' zei hij met een lichte zucht en een lachje.
Toen was hij weer stil. Ik wachtte.
'Maar jij kunt het einde niet veranderen,' zei hij.
Stilte. Wachten.
'Het einde ligt al vanaf het begin vast,' zei hij. 'Dat kun jij niet veranderen. En over een tijdje zul je erachter komen dat ik jou nooit kwaad heb willen doen.'
Stilte. Een korte stilte, voordat hij verderging:
'Er komt geen gelukkig einde, ik heb genoeg van gelukkige eindes, in de werkelijkheid is er nooit een gelukkig einde.'
Ik kon mijn mond niet langer houden, ik kon niet langer afwachten.
'Ik snap niet waar je het over hebt,' zei ik. 'Hoezo einde? Hoezo gelukkig einde? In de werkelijkheid is er toch helemaal geen einde. Alleen boeken en films hebben een einde.'
'Hannah, Hannah, slimme kleine Hannah,' lachte Per in mijn oor. 'Maar één einde is er wel, toch?'
Ik dacht na.

‘Gaat er iemand dood?’ vroeg ik. ‘Wie gaat er dood?’
‘Iedereen gaat dood,’ zei Per en hij snoof even. ‘Alle mensen gaan dood. Zo is het leven.’
‘Wie ben jij?’ vroeg ik. ‘Wie denk jij dat je bent? Denk je dat je God bent, denk je dat jij bepaalt wie er zal sterven en wie er zal leven? Nou?’
Hij gaf geen antwoord.
‘Almachtige en alwetende Per Nosslin, hè?’ zei ik honend. ‘Is dat wat jij denkt? Plan jij het leven voor mensen? Wie ben jij eigenlijk? En waar ben je mee bezig?’
Hij gaf geen antwoord.
Het bleef zo lang stil dat ik dacht dat het gesprek was afgelopen, maar tenslotte hoorde ik zijn stem weer in de hoorn. Hij klonk nu anders, hij had een andere toon, alsof hij verder weg was, niet zo dichtbij.
‘De wereld is een toneel en het leven is een toneelstuk. Misschien had hij toch gelijk, die goeie ouwe AnarKaj. Maar hij zei ook: Kies je eigen rol en speel hem zo goed je kunt. Daarbij vergat hij één ding. In het theater kiezen we onze rollen niet zelf. Iemand anders bepaalt welke rol je krijgt.’
‘Waar heb je het over?’ vroeg ik.
‘Het leven,’ zei hij.
‘Je hebt niet één van mijn vragen beantwoord,’ zei ik en ik voelde hoe een grote vermoeidheid en matheid over mij heen kwam.
‘Ik heb al jouw vragen beantwoord,’ zei hij.
Ik zuchtte.
‘Ik wil niet meer met je praten. Ik wil niet dat je hier nog naartoe belt. Je mag hier nooit meer naartoe bellen. Ik wil niet dat jij je met mijn leven bemoeit, ik wil niets meer met je te maken hebben. Begrijp je dat?’
Het bleef weer stil.
‘Sorry,’ zei hij toen, de stilte verbrekend. ‘Ik wilde je echt niet bang

maken. Ik wilde je alleen beter leren kennen. Maar dat heb ik al gezegd. Ik heb alles al gezegd. Nee, ik zal je nooit meer bellen. We zullen elkaar niet meer tegenkomen. Alles is al gezegd. Vaarwel, lieve Hannah. Eens zul je het begrijpen. En na verloop van tijd zul je mij vergeven.'
Hij hing op voordat ik nog iets had kunnen zeggen.
Loop naar de hel, dacht ik en ik legde neer.

13

Ik was niet bang meer. Het was alsof mijn angst van gisteren was weggeblazen. Ik kon niet begrijpen waarom hij mij bang had kunnen maken. Hoe had ik kunnen denken dat Per Nosslin een soort duivel was? Hij was gewoon in de war.
Misschien was hij een man die in de war was en van jonge vrouwen hield. En hij was een leugenaar, hij was een leugenaar, ondanks zijn mooie ogen en zijn mooie handen en zijn vriendelijke stem. Een leugenaar en een verleider.
Maar mij bang maken, dat zou hem niet meer lukken.
Wat had hij gezegd? Niets.
Niet één van mijn vragen had hij beantwoord. Hij had gezegd dat hij mij beter wilde leren kennen en dat ik het einde niet kon veranderen. Hij was in de war. Hij had niets over Milena gezegd, of over het schrift. Maar op het laatst had hij het gehad over het leven als toneelstuk, wacht even, hij had het over AnarKaj gehad, waar had ik die naam eerder gehoord, wacht even, ja, dat had Andreas immers verteld, hij was rondreizend jongleur geweest en had zichzelf AnarKaj genoemd...
Stop.
Denk na, Hannah.

Gebruik je domme kleine hersentjes, Hannah.
Herinner je je Superman? Weet je nog hoe je je altijd ergerde aan dat domme, aanstellerige kind Lois Lane, die nooit doorhad dat haar vriend Clark Kent Superman was, hoewel Clark Kent altijd toevallig weg was als Superman ergens opdook.
Waarom was Andreas hier niet toen Per belde? Andreas had zich binnengedrongen in mijn leven; was hij in werkelijkheid misschien Pers spion? Andreas had de gedichten aan mijn muren gelezen, stel je voor dat hij de hele tijd...
Nee.
Ik ging voor het raam staan. Daar beneden zag ik hem aankomen, hij stak schuin de straat over, hij had een plastic tas van de supermarkt in zijn hand. Hij zag er vrolijk uit, er was iets in zijn manier van lopen, zijn manier van bewegen. Een vrolijke skinhead was op weg naar mijn flatje.
Nu belde hij aan. Ik deed niet open.
Hoe kon ik het weten?
Hij belde nog eens, en hij klopte. Ik deed niet open, ik bleef bij het raam staan en keek alleen maar naar het halletje.
Wie kan ik vertrouwen?
Wie kan ik in godsnaam vertrouwen?
Ben ik alleen tegen de rest van de wereld, speelt iedereen mee in een spel en ben ik de enige die het niet kent?
Hij klopte en nu hoorde ik zijn stem door de brievenbus. Hij riep mijn naam. Hij klonk ongerust. Ik gaf geen antwoord, ik deed de deur niet open. In plaats daarvan draaide ik me om naar het raam.
Wie zou er huilen als ik sprong?
Wie zou het iets kunnen schelen?
Wat zou het uitmaken?
Het werd stil bij de deur. Was hij weggegaan?
Ik deed een paar stappen in de richting van het halletje. Nee, hij was er nog, nu belde hij weer aan, nu bonkte hij op de deur, nu

riep hij mijn naam weer door de brievenbus. Ja, zijn stem klonk ongerust.
'Ik ben hier,' zei ik.
Hij hoorde mij, hij hoorde mijn zwakke stemmetje en hij praatte met mij door de brievenbus en hij vroeg wat er was gebeurd en hij klonk ongerust en hij zei laat me binnen.
'Ik ben gek aan het worden,' zei ik.
Het werd weer stil voor de deur. Ik liet me in het halletje op de grond zakken, leunde tegen de muur en staarde naar de zwijgende deur. Nu ging de brievenbus weer op een kier, nu hoorde ik zijn stem weer, ik hoorde een ander soort ongerustheid in zijn stem nu. Hij fluisterde bijna en hij zei lieve Hannah, en lieverd en dat ik hem moest vertrouwen en dat hij mij nooit kwaad zou doen, doe de deur nou open, smeekte hij, hij had boodschappen gedaan, hij zou eten voor ons maken, zei hij, laat me binnen, smeekte hij, je hoeft nooit meer bang of eenzaam of verdrietig te zijn, zei hij.
Weer. Hij zei het weer. Hij had het al eerder gezegd, en mij een kus op mijn voorhoofd gegeven.
Ik zat op de grond in het halletje en voelde zachtjes met mijn vingertoppen aan mijn voorhoofd, alsof ik een spoor zocht van zijn kus.
Was dat een judaskus geweest, het valse teken van een verrader?
Lieve, lieve Hannah, doe nou open, hoorde ik zijn stem door de brievenbus en ik stond op en deed de deur open.
'Als je mij belazert, dan vermoord ik je,' zei ik.
Hij keek me aan. Kalm en beheerst. Er lag een ongerustheid in zijn blik, niet vanwege mijn kinderlijke dreigement natuurlijk, nee, een ongerustheid alsof het hem echt iets kon schelen, ja.
'Ik zal jou nooit belazeren,' zei hij.
Ik zat aan de keukentafel, koppig en achterdochtig en ik keek toe hoe Andreas de boodschappen uit de tas viste en begon te koken.

Ik had hem verteld van het telefoongesprek met Per; nu was Andreas degene die praatte. Hij praatte aan één stuk door.
'Dat die vent jou heeft belazerd en een soort spelletje met je heeft gespeeld, hoeft toch niet te betekenen dat iedereen jou wil belazeren?' zei Andreas.
'Heb je een rasp?' vroeg Andreas.
'Er moet dus een verband zijn tussen Per en AnarKaj en Milena,' zei Andreas. 'Vreemd.'
'Waar is de bloem?' vroeg Andreas.
'Wat zei hij nou ook weer, zei je?' vroeg Andreas. 'Zei hij dat je het einde niet kon veranderen? Merkwaardig.'
'Kun je even een taartvorm pakken als je daar toch alleen maar gaat zitten staren,' zei Andreas.
'Ik vraag me af hoe het kan dat hij AnarKaj kent,' zei Andreas. 'En hoe kon hij weten dat AnarKaj dat heeft gezegd, dat van het leven als toneelstuk. Dat is immers waar. Dat ik dat altijd zei, bedoel ik. Of dat AnarKaj dat altijd zei.'
'Heb je nog meer sojamelk?' vroeg Andreas.

Tegen de tijd dat de worteltaart bijna klaar was, had ik een enorme honger gekregen. Hij rook zo heerlijk en aanlokkelijk toen hij in de oven stond. En hij was lekker, hij was heerlijk. Ik at en genoot. En mijn oren genoten van de stilte; pas toen hij zijn mond vol eten had, zweeg Andreas. En ja, mijn ogen vonden het fijn om hem daar aan mijn keukentafel te zien zitten eten.
'Als jij mij belazert, spring ik uit het raam,' zei ik in de pauze tussen mijn eerste en mijn tweede portie.
'Ik zal jou nooit belazeren,' zei Andreas.
Hij legde zijn linkerhand op mijn rechter. Mijn rechterhand vond het prettig om zijn hand boven op zich te voelen, mijn rechterhand voelde zich veilig, als een kuikentje wanneer de kippenmoeder is teruggekomen op het nest. En toch piepte ik:

‘Laat me los! Ik wil nog wat eten pakken.’
Hij lachte.

Dat was waar ook. Gisteren had ik meegewerkt aan het doodmaken van drie kuikentjes. Dat was ik vergeten.
Ik had vandaag niet één keer het woord ‘kuikentjes’ of het woord ‘moordenaar’ gedacht. Niet één gedachte had ik gewijd aan wat er gisterochtend was gebeurd. Ik was zelf verbaasd toen ik dat ontdekte.
En toen, nadat hij eindelijk genoeg had gegeten, begon Andreas natuurlijk te praten over wat er gisteren was gebeurd.
Het was stom, zei hij, hij had niet aan de kinderen gedacht, zei hij, niet begrepen dat de kinderen het zo... het zich zo zouden aantrekken, zei hij, dat was niet de bedoeling geweest, hij was van plan geweest om de hele voorstelling af te breken, dat het was gegaan zoals het was gegaan, was een ongeluk, zei hij.
‘Ja,’ zei ik.
En dan had ik de ergste chaos nog niet eens meegemaakt, zei hij, de kinderen brulden en minstens drie boze vaders wilden mij tot moes slaan, zei hij, ik ben nog nooit zo blij geweest om een politieman te zien als gisteren in Caroli City, zei hij, ik moest mee naar het politiebureau maar ik was nog het meest ongerust over jou en ik vroeg me af waar je heen was gegaan, zei hij.
‘Mm,’ zei ik.
Daarna zeiden wij een poosje niets.
‘Maar het was niet echt een ramp,’ zei Andreas met een lach. ‘Ons voorstellinkje, bedoel ik.’
‘Jawel, voor de kuikens wel,’ zei ik.
‘Misschien hebben we het leven van duizenden kuikens gered,’ zei Andreas.
‘Schrale troost voor die drie,’ zei ik.
‘Ja, dat is natuurlijk zo,’ zei hij.

En toen ruimde hij af en begon het toetje klaar te maken. Tien minuten later kreeg ik een portie fruitsalade met soja-ijs voorgeschoteld.
'Jammie,' zei ik.

'Maar één ding is vreemd,' zei Andreas toen wij thee dronken na het eten. 'Dat van die skinhead die Milena heeft bedreigd. Racisten vallen toch geen buitenlanders meer lastig. Daar zijn ze te laf voor, die smerige racisten; ze kwamen erachter dat buitenlandse jongens net zo sterk zijn als zijzelf en net zo goed bewapend en bovendien met een paar honderd keer zoveel, dus nu vallen ze politici en journalisten lastig. Daar hebben Yasmin en ik het over gehad. Ons voorstellinkje klopt eigenlijk ook niet, maar wij vinden dat het toch goed is om het te doen...'
'Ik moet Milena bellen,' zei ik en ik liep naar de telefoon.
Ja, nu was ze thuis, en ja, ze klonk ernstig, zo volwassen-ernstig als kleine meisjes soms kunnen klinken, zodat je er bijna tranen van in je ogen krijgt, maar ze zei niets over een skinhead of over dreigementen, nee, ze had problemen met haar vriendje David, hij had duidelijk iets over haar gezegd tegen de jongens van hun klas, hoewel hij tegen Milena zei dat hij niets had gezegd, of tenminste niet had bedoeld wat zij dacht dat hij bedoelde en...
Ze praatte lang en zonder onderbreking. Echt meisjespraat. Ik begreep er niets van.
'Houdt de liefde altijd op?' vroeg ze tenslotte.
Milena, Milena, wat weet ik van liefde en hoe lang die duurt?
'Je... moet elkaar niet als vanzelfsprekend beschouwen,' zei ik. 'Je... je moet blij zijn dat je iemand hebt. En...'
Ik kreeg een kleur van mijn eigen clichés, maar ik wist dat ik iets moest zeggen, Milena had nu een grote zus nodig, een oudere vriendin tot wie ze zich kon wenden en bij wie ze ervaring en wijsheid kon halen.

'Liefde is nooit makkelijk,' zei ik.
Milena luisterde en wachtte.
'Je moet elkaar vertrouwen,' zei ik. 'Je moet eerlijk tegen elkaar zijn.'
Wat moest ik zeggen, wat wilde zij horen, wat wist ik ervan?
Ik deed mijn best, we praatten nog een poosje en ze klonk iets vrolijker toen we tenslotte afscheid namen.
'Ze zei niets over een skinhead. We hadden het over de liefde,' zei ik terwijl ik op de bank ging zitten.
'Ik heb het gehoord,' zei hij. 'Maar je bent vergeten om haar te vragen of ze Per kende...'
'Het is niet netjes om andermans telefoongesprekken af te luisteren,' zei ik terwijl ik weer opstond.
Dus ik belde Milena nog eens. Nee, zij kende geen Per Nosslin. Ja, Moa en Elin heten Nosslin, maar hun vader is dood. Ja, dat wist ze zeker. Meer wist ze niet.

We bleven in de woonkamer zitten, we praatten over de mysterieuze Meester Per, we probeerden de puzzel te maken, maar we konden de goede stukjes niet vinden. Of liever gezegd, we hadden het gevoel dat we te weinig stukjes hadden om ons een beeld te kunnen vormen.
De dag ging voorbij, de middag ging over in de avond en ik stak een paar waxinelichtjes aan die op het tafeltje tussen ons in stonden te branden.
Toen kwam er een moment dat het stil was, een moment waarop het gesprek was afgelopen en ik bekeek de jonge man die daar tegenover mij zat, en hij ving mijn blik op, maar ik keek niet weg, ik begon ook niet te giechelen, het was geen wie-knippert-er-het-eerst-of-kijkt-het-eerst-weg-spelletje, nee, ik wilde bij hem naar binnen kijken, maar dat kon ik niet, dat was nou net wat ik niet kon.
'Hoe moet ik weten dat je geen toneel speelt?' vroeg ik.

'Je moet elkaar vertrouwen,' antwoordde hij vlug, mijn Milena-gesprek van eerder die dag citerend.
'Idioot,' zei ik. 'Even serieus. Als jij vindt dat de wereld een toneel is en dat het leven draait om het zo goed mogelijk spelen van je rol, hoe moet ik dan weten wie je bent? En wat je wilt...'
'Ik...'
Andreas aarzelde. Hij die altijd zo snel een antwoord klaar had, koos zijn woorden nu zorgvuldig.
'Wat moet ik zeggen... Ik heb geen plan of bedoeling als ik hier bij jou zit, in dat opzicht speel ik geen toneel, ik ben mezelf, ik wil jou niet voor de gek houden, wat ik nog het allerliefst wil, is dat jij mij vertrouwt, omdat... ja...'
Hm. Hij was een stamelend schooljongetje geworden. Interessant. Maar het was niet genoeg.
'Wat moet ik doen om te zorgen dat je mij vertrouwt?' vroeg hij.
Ik dacht na.
Ik dacht lang na. Tenslotte zei ik:
'Je moet mij iets vertellen wat je nog nooit aan iemand anders hebt verteld. Iets over jezelf.'
Nu was hij degene die nadacht. Maar niet lang, het duurde maar even, toen glimlachte hij en hij knikte.
'Ja,' zei hij en hij bleef glimlachen en knikken. 'Dat is goed. Ik zal je iets vertellen wat nog nooit iemand anders heeft gehoord. Ik zal je vertellen over de keer dat ik de smaak van het leven heb geproefd.'

14

'Toen ik klein was, hadden wij een vakantiehuisje in Åhus. Ik was daar iedere zomer. Ik had daar een vakantievriendje dat Tobias

heette. Wij waren altijd samen, iedere dag, van 's morgens vroeg tot 's avonds laat. We zwommen, we visten, we bouwden hutten in het bos en leefden een heerlijk vakantieleventje.
Wat ik je ga vertellen, gebeurde in de zomer dat ik elf was. Dat was de zomer dat wij slopen, Tobias en ik. We slopen en spioneerden de hele zomer. We beslopen mysterieuze mannen en de kampeerders op de camping en mensen die 's avonds laat gingen zwemmen en kleine kinderen en... Soms verzonnen we detectiveverhalen over de mensen die wij beslopen. Op een keer zaten we bijvoorbeeld een hele dag in een boom naar een huisje te gluren, alleen omdat we daar een man met een bijl naar binnen hadden zien gaan. Maar meestal slopen we omdat we blote meisjes wilden zien. Alleen zeiden we dat nooit tegen elkaar. Soms hadden we geluk. Soms zagen we blote meisjes die 's avonds gingen zwemmen. En er kwam een keer een groepje jongens en meisjes uit Kristianstad, het waren van die jongens met vetkuiven en grote Amerikaanse auto's. Die gingen kamperen in het bos langs het strand, dat was spannend, toen hebben wij geleerd wat jongens en meisjes zoal met elkaar kunnen doen. Maar ze kregen ruzie en toen kwam de politie. Seks en geweld op één avond, het leek wel commerciële televisie...
Nou, in elk geval, het was die zomer dat ik de smaak van het leven proefde.
Het ging zo: Op een avond liep ik alleen terug door het bos en toen zag ik een jongen en een meisje die kwamen aanlopen op het pad voor mij. Ze waren een jaar of zeventien, achttien en de jongen had zijn arm om het meisje heen geslagen. Ik sprong snel het pad af en verstopte me achter een groot rotsblok. Toen keek ik voorzichtig. Nee, het paartje op het pad had mij niet ontdekt. Nu kwamen ze dichterbij. Ze zeiden niets. Ik hurkte achter mijn rotsblok en hoorde hun voetstappen dichterbij komen. Precies toen ze bij mijn verstopplek waren, bleven ze staan.

Het meisje zei dat ze moest plassen en ik hoorde hoe de jongen grinnikte en zei dat hij haar wel even wilde helpen en het meisje giechelde en zei nee dank je en dat hij zich moest omdraaien en van de natuur genieten.
Toen hoorde ik de voetstappen van het meisje tussen de bosbessenstruiken, ze kwam recht op mij af. Ik lag nu plat op mijn buik, drukte me tegen de grond en durfde nauwelijks te ademen.
Twee meter van mij vandaan bleef ze staan; als ze zich had omgedraaid, had ze mij gezien. Maar dat deed ze niet. Nee, met haar rug naar mij toe trok ze haar spijkerbroek en haar slipje omlaag tot op haar knieën en hurkte neer. Haar witte billen lichtten op in de schemering. Ik hoorde hoe ze plaste, de droge bladeren van het vorige jaar die tussen de struiken lagen, ritselden in haar straal. Ze moest echt nodig, ze plaste heel lang, daarna schudde ze even met haar billen, stond op en trok haar broek weer omhoog. Zzziiip. Ik hoorde hoe ze haar gulp dichtdeed terwijl ze terugliep naar de jongen die op het pad stond te wachten. Daarna hoorde ik hun voetstappen wegsterven.
Toen de jongen en het meisje buiten gehoorsafstand waren, ging ik weer zitten. Ik leunde tegen de steen. Mijn hart bonkte en mijn wangen gloeiden. Zo bleef ik een paar minuten zitten. Daarna stond ik op en liep met trillende benen naar de plek... naar de plek waar het meisje had geplast. Je kon precies zien waar het was, de plek was platgetrapt en er glinsterden nog een paar druppels op de struiken. Ik ging op mijn hurken zitten en ontdekte een bosbes die een beetje nat was. En nog een en nog een. Ik plukte drie vochtige bosbessen die avond.
Ik droeg de bosbessen in mijn geopende hand alsof het drie tere vogeleitjes waren. Ik liep door het bos naar het strand. Daar ging ik in het zand zitten.
Het water was spiegelglad, ver weg aan de horizon glinsterde een strook maanlicht en een vogel zong zo prachtig in het bosje ach-

ter mij. Waarschijnlijk een nachtegaal. In mijn hand had ik drie bosbessen.
Voorzichtig pakte ik er een tussen mijn duim en wijsvinger en stopte hem in mijn mond. En nog een en nog een. De bosbessen smaakten zoals bosbessen meestal smaken, maar... maar toch niet helemaal.
De maan scheen over de baai, de nachtegaal zong en ik zat op het zand en kauwde op drie bosbessen die naar vrouw smaakten. Die naar het leven smaakten.
Ik dacht precies die woorden. Ik dacht, dit is de smaak van het leven.
Ik bleef heel lang zitten. Mijn moeder was razend omdat ik zo laat thuiskwam.'

'Ja,' zei Andreas en hij vouwde zijn handen achter zijn nek, 'zo was het. Zo ging het toen ik de smaak van het leven proefde. En ik heb dit nog nooit aan iemand verteld.'
'Getver,' zei ik.
'Ík vond het mooi,' zei Andreas. 'Prachtig. Ik was een onschuldig jongetje met sproeten en pleisters op zijn knieën.'
Oké, dacht ik. Ik vertrouw je. Nooit meer een andere gedachte. But it was a kinky story.
'Nu is het jouw beurt,' zei Andreas.
'Wat bedoel je?'
'Nu is het jouw beurt om te vertellen. Iets wat nog nooit iemand heeft gehoord.'
Hm. Daar had ik niet bij stilgestaan. Maar inderdaad. Dat was eerlijk. Gelijk oversteken. Ik begon na te denken. Wat had ik voor geheimen?
Ja, er was natuurlijk één groot geheim, dat wat niemand mocht weten. Het ging niet over seks of plas of poep. Het ging over de dood. En over schuld.

15

'Toen ik vijftien was, was ik punker,' begon ik. 'Dat weet je trouwens al. Wat ik nu ga vertellen, gebeurde toen ik een keer met mijn vrienden naar huis ging met de veerboot uit Kopenhagen. We waren naar een concert geweest...'
Ik zweeg en aarzelde.
'Misschien heb ik toen een jongen gedood. Ik weet het niet...'
Andreas zei niets en wachtte, ik keek naar mijn eigen knieën in plaats van naar hem.
'Hij heette Markus,' ging ik tenslotte verder. 'Wij zaten al vanaf de basisschool bij elkaar in de klas. Hij was altijd de baas van de klas. Hij was degene die alles bedacht wat de jongens met de meisjes uithaalden. Tijdens een klassenfeest in de brugklas had hij mij kunnen verkrachten, stel je voor, in de brugklas, ik keek nog naar de kinderprogramma's op tv. Maar later, toen ik punker werd, liet hij me met rust, hij siste alleen "communistenhoer" tegen me als ik in zijn buurt kwam.
Die nacht, toen wij met de veerboot vanuit Denemarken naar huis voeren, ging ik aan dek terwijl de anderen binnen in het zelfbedieningsrestaurant bier zaten te drinken. Het was volle maan, een heldere sterrennacht en koud. Het was februari. Ik stond in mijn eentje te staren naar de lichtjes van Kopenhagen en ik keek hoe de vliegtuigen opstegen en landden vanaf het vliegveld Kastrup, toen ik hem zag, Markus, mijn plaaggeest, de martelkampioen. Eerst zag ik niet dat hij het was, ik zag alleen dat er iemand over de reling gebogen stond en ik hoorde kokhals- en kotsgeluiden. Het was een jongen. Toen hij met lege, starende ogen om zich heen keek, herkende ik hem. Maar hij zag mij niet.
Ik hoop dat je je flink beroerd voelt, klootzak, dacht ik. En dat deed hij. Hij was straalbezopen, hij liet zijn handen los, viel voorover en bleef dubbelgevouwen over de reling hangen. Daar hing hij, totaal

levenloos. Ik bleef een hele tijd naar hem staan staren voordat ik tenslotte voorzichtig naar hem toe liep.
Ik liep tot vlak bij hem en ging naast hem staan. Hij bewoog niet en hij maakte geen geluid. Toen ik me over de reling boog, zag ik dat zijn ogen open waren, maar zijn blik was leeg, zijn hoofd bungelde daar, met de ene wang tegen de witte romp van de boot en zijn open ogen zagen niets. Maar hij leefde. Ik kon zien dat hij ademde.
Ik deed een stap naar achteren en keek naar hem. Zijn jack was een beetje omhooggeschoven en een stukje van zijn blote rug lichtte wit op in de nacht. Zijn broek was een beetje afgezakt zodat ik zijn onderbroek zag en het begin van zijn bilspleet.
Ik stond daar en werd vervuld van haatgevoelens. Ik dacht aan alles wat hij had gezegd en gedaan. Tegen mij en tegen anderen. Ik werd vervuld van een enorme woede, een enorme, inktzwarte woede en hij hing daar maar en ik stapte naar hem toe en pakte zijn riem en ik dacht: nu kan ik je vermoorden. Ik ga je vermoorden.
Het zou heel makkelijk zijn. Een klein rukje zou genoeg zijn, dan val je met je hoofd naar beneden in de ijzige Sont. Niemand zal je missen. Iedereen zal denken dat het een ongeluk was, gebeurd in dronkenschap, een vergissing.
De wereld zal een betere plaats worden om in te leven. Onze klas en onze school zullen er beter van worden. Hier heb ik van gedroomd, hier heb ik over gefantaseerd. Zo'n kans krijg ik nooit meer.
Ik trok zachtjes aan zijn riem, ik voelde dat ik hem zou kunnen optillen.
Maar ik deed het niet.
Ik liet hem daar gewoon achter en ging terug naar mijn vrienden. En toen kwamen we aan in Limhamn.'

Andreas keek me aan en knikte.
'En toen je maandag op school kwam, stond hij daar weer en noemde je een communistenhoer?'
'Nee,' zei ik. 'Want toen wij maandag op school kwamen, kregen wij te horen dat Markus dood was, dat hij van de veerboot uit Kopenhagen was gevallen en verdronken.'
'Jemig,' zei Andreas.
'Het is echt waar,' zei ik. 'Hij is nooit van de veerboot gekomen. En zijn lichaam is nooit gevonden.'
'Jemig.'
'Maar ik heb het niet gedaan. Ik had het kunnen doen, maar ik heb het niet gedaan. Soms denk ik dat ik het toch heb gedaan. Dat het mijn schuld was, dat ik hem toch heb gedood. Dat ik hem van die reling af had moeten trekken, op het dek, dat ik hem had moeten redden. Ik denk wel eens dat God mij misschien op de proef heeft gesteld. Ik heb dit nog nooit aan iemand verteld. Dat durfde ik niet.'
'God bestaat niet,' zei Andreas en hij schudde zijn hoofd.
'Nou, dat was het,' zei ik.
'Jemig,' zei Andreas nog eens.

16

Je wordt er een beetje dom van. Je wordt zoveel jonger. Een kind. Een dom kind word je. En je wacht. Je verlangt. Je hoopt. Je houdt jezelf voor de gek. Je zingt de refreinen van oude smartlappen mee en je hebt het gevoel dat de teksten kloppen en waar zijn. Ja, je wordt dom. Jong en dom.
Vraag: Welke ziekte wordt hierboven beschreven?
Antwoord: Verliefdheid.

Of anders dit: Wat verandert een trotse, min of meer zelfstandige jonge vrouw in een blozende tiener die een hele schooldag kan besteden aan het steeds opnieuw in haar hoofd formuleren van zinnen, zinnen die ze tegen hem wil zeggen, tegen de jongen die vanavond komt?
Antwoord: Hetzelfde als hierboven.
Zo was het en ik schaamde me niet. Geen moment, geen seconde. Verliefd. Vrolijk. Durf ik het woord gelukkig te gebruiken?
Twee weken in april, zo licht en luchtig en zo vol blijdschap. Het was heerlijk fris en de hemel was hoog en de zon verwarmde alles zo vriendelijk. Ik had het gevoel dat het leven opnieuw begon, alsof ik opgesloten had gezeten in een bedompte cel of lange tijd had rondgewaad in een donker, zompig moeras en plotseling in open zee was gekomen waar de wind met mijn haren speelde. Of dat ik op mijn rug in het groene gras lag, onder de blauwe lucht terwijl de witte wattenwolken daarboven een voorstelling gaven voor mij. Zucht. Zo dom word je. Maar wel vrolijk.
Ja, ik was vrolijk. En ik schaamde me er niet voor.
Ik bedoel: Wij hadden niets met elkaar, die skinhead en ik. Nee. Dat was zeker niet wat ik dacht. Wij waren geen stelletje. Wij kusten niet en knuffelden niet met elkaar, hoewel, ja, wij raakten elkaar wel graag aan, zachtjes, als toevallig, streken we langs elkaar heen, legden onze hand op de hand of de arm van de ander, maar verder niets, nee. 's Avonds ging hij naar huis. Ik sliep alleen in mijn bed.
Ik dacht nooit aan ons als een stelletje. Ik dacht: Hij heeft zoveel andere dingen. Hij heeft nog een heel leven buiten mijn flat. Zo kan het zijn. Het is goed.
Ik was verliefd. Ik was vrolijk. Dit was precies genoeg voor mij. Ik verwachtte niets anders van hem dan eerlijkheid.
Niet één keer dacht ik dat hij ook verliefd was.

Maar mijn gedichten werden slechter. Geluk is niet goed voor de poëzie. Daar is pijn voor nodig. Of tenminste een zekere mate van somberheid.
Anders worden het populaire meezingliedjes.

Te weinig pijn, te weinig smart
Geen eenzame gedachten in eenzame oorden
Te veel blijdschap in mijn hart
Leven in mijn leven, maar levenloze woorden

De duistere pijn maakt een beter gedicht
Beter dan een voldane dichter, is een die honger heeft
De zorgeloze vrolijkheid mist het juiste gewicht
Omdat het liefdesgeluk onvoldoende diepgang geeft

Maar hier ben ik, en hier ben jij
Hier en nu is waar wij zijn
En worden jij en ik ooit wij
Wordt het leven zelf een refrein

Zucht. Sorry. Je ziet het.
Maar zo is het.
Zwarte woorden op papier worden beter. Lichte woorden zie je niet, die hechten zich niet vast.

17

Twee lichte voorjaarsweken.
Ik vergat wat er was geweest.
Wie was Per Nosslin en wat had hij van mij gewild?

Waarom zou ik me daar druk over maken? Hij was weg nu, en hij zou niet terugkomen.
Ik had drie kuikentjes gedood. Ja. Maar dat was een ongeluk. Ongelukken gebeuren. Er gebeuren veel ergere ongelukken en moorden en wrede slachtingen. Iedere dag. Nee, ik hoefde geen heilige te zijn, ik hoefde niet perfect te zijn. Ik moest mijzelf niet opgeven, niet iemand anders worden, of ván iemand anders, dát was belangrijk.
Dat wat er was geweest, werd als het ware weggeblazen. De telefoon bleef 's nachts stil en als hij ging, dan hoorde ik de stem van Andreas als ik opnam.
Of die van Milena. Zij was weer vrolijk nu. Het was weer goed met David. Ze bedankte mij omdat ik haar een paar belangrijke, beslissende adviezen, of goede raad had gegeven. O, Milena. Als ik aan jou denk, doet mijn hart pijn van liefde.
Maar Eldin was niet vrolijk. Hij was een regenwolk aan mijn lichte voorjaarshemel. Bitterheid, verdriet en haat hadden zich in zijn geest genesteld. Hij probeerde het te verbergen als wij elkaar spraken door de telefoon, maar achter zijn verhalen over school die bijna afgelopen was en de cijfers die hij hoopte te halen en het toelatingsexamen voor de technische universiteit waarop hij zich voorbereidde, hoorde ik dat hij nog steeds liep te broeden op wat er met Milena was gebeurd. De bedreiging van zijn geliefde zusje. De haat voor degene die haar had bedreigd.

Wij zagen elkaar elke dag, Andreas en ik, 's avonds na school. We aten vaak samen bij mij thuis. Soms had hij wat anders 's avonds, zijn toneelgroepje of zoiets, maar dan spraken we toch af, voor of na zijn afspraak.
Op een zonnige woensdag spijbelden wij allebei van school, we namen de trein naar Helsingborg en de veerboot naar Denemarken, naar Helsingør. We renden samen met Deense schoolklassen

en gepensioneerden rond door Kasteel Kronborg. Hamlet was niet thuis. Er was nu geen tijd voor tragedie, nu speelde er een banale gelukskomedie.
Twee zonnige weken.
Twee vrolijke, lieve kinderen die het goed met elkaar voorhadden.
Een nieuwe tijd was aangebroken. De oude tijd was voorbij.
Ik was vrolijk. Ik lachte heel veel.

Wij hadden het niet over ons.
Wij hadden het niet over wij.
Maar op een donderdag vroeg ik:
'Kun je jezelf geven zonder jezelf te verliezen?'
Hij begreep niet wat ik bedoelde, dus ik moest het uitleggen:
'Als je jezelf aan iemand anders wilt geven, als je het beste van jezelf, het beste dat je kunt zijn, aan iemand anders wilt geven, kun je dat doen zonder jezelf te verliezen, zonder op te geven waar je in gelooft?'
'Absoluut,' zei hij.
Hij aarzelde geen seconde.
Misschien had hij niet begrepen wat ik bedoelde.
'Als ik jou zou vragen of jij je haar wilde laten groeien,' zei ik, 'als dat iets voor mij zou betekenen, zou je het dan doen?'
'Natuurlijk,' zei hij.
Hij aarzelde geen seconde.
'Vanaf nu scheer ik mijn hoofd niet meer,' zei hij en hij haalde zijn schouders op.
'Ik bedoelde niet...' zei ik.
'Maar ik wel,' zei hij.
Ik dacht na. Was het echt zo eenvoudig?
'Is het zo eenvoudig?' vroeg ik.
'Dat weet ik niet,' zei hij en hij haalde nog eens zijn schouders op.
'Maar als jij zegt dat je het belangrijk vindt als ik geen skinhead

meer ben, dan is dat belangrijker voor mij dan dat ik een skinhead blijf. Op dit moment is dat belangrijker. Er zijn belangrijke dingen en er zijn onbelangrijke dingen. Wat gisteren belangrijk was, is vandaag misschien onbelangrijk. Maar het is natuurlijk wel zo, als je had gevonden dat... dat ik moest stoppen met toneelspelen, of dat ik nooit meer met iemand anders mocht omgaan dan met jou of dat ik iedere vrijdag naar IKEA zou moeten, dan had ik nee dank je gezegd.'
'IKEA?' zei ik en ik trok een gezicht.
'Of het winkelcentrum,' zei Andreas.
'Over my dead body,' zei ik.
'Precies,' zei hij.

En toen kwam die vrijdag. Het was de dag voor 30 april, de dag voor de dag voor de eerste mei.
De eerste mei viel op een zondag. Zo werd ons een vrije dag én een weekend door de neus geboord. Typisch iets voor die vuile kapitalisten, vond Andreas, typisch de dictatuur van de vrije markteconomie, typisch iets voor de klassenmaatschappij. Vond hij en hij lachte.
Er heerste een beetje een weekendstemming in de stad. Iets meer dan op een gewone vrijdag. Er waren veel mensen op straat, het tempo lag wat hoger, iedereen liep wat sneller dan normaal. Ik had eten gekocht, en fruit. Ik was van plan om lekker te koken voor de vrijdagavond, en om het gezellig te maken met kaarsen en zo. Ik had met Andreas afgesproken bij Södertull. We wandelden een eind, langs de bibliotheek, door het Kungspark helemaal tot aan Ribersborg en we keken naar de eendjes in de vijvers en de honden op het grasveld. Daarna liepen we naar de bushalte om naar mijn flat te gaan.
Zon en witte wolken en een warme voorjaarswind op onze wangen. Zo'n dag was het.

De bus was bijna vol, maar ik wrong me naar achteren en wist een zitplaats te veroveren naast een alcoholist met een stoppelbaard en bruine mondhoeken van de tabak. Andreas ging aan de andere kant van het gangpad zitten, naast een dame uit de betere kringen die haar hoofd afwendde toen ze zag hoe hij eruitzag en het uitzicht buiten het raam begon te bestuderen.

Veel mensen. Een groepje meisjes van dertien op de bank helemaal achterin giechelde en lachte en had commentaar op mensen die ze zagen en dingen die op school waren gebeurd. Veel verkeer. De rit ging langzaam en schokkerig. Alle mensen die in het middenpad stonden, moesten zich vastgrijpen aan de stangen en de bagagerekken om hun evenwicht niet te verliezen. Ik draaide me om naar Andreas.

Ik moest in mezelf lachen. Hij was diep in gedachten en staarde met een lege blik voor zich uit.

'Hallo daar!' riep ik. 'Waar denk je aan?'

Hij schrok op uit zijn droomwereld en draaide zich naar mij toe.

'Raad maar,' zei hij met een glimlach.

'Seks?' zei ik vlug. 'Jongens denken meestal aan seks, heb ik gehoord.'

'O ja,' zei hij. 'Denken meisjes nooit aan seks dan? Ik heb gehoord dat die dat ook wel eens doen.'

'Ik niet,' zei ik.

'Vind je seks dan niet leuk?' vroeg hij.

'Dat weet ik niet,' zei ik. 'Ik ben er eigenlijk nog niet echt mee begonnen. Met seks. Dus ik weet het eigenlijk niet. Sommige mensen zeggen dat het leuk is. Dat heb ik gehoord. Maar sommige mensen zeggen dat het pijn doet. En je kunt er allerlei besmettelijke ziektes van krijgen.'

De man naast mij maakte opeens een gorgelend geluid.

Nu pas merkte ik dat het geroezemoes in de bus was verstomd. De meisjes op de achterbank zaten elkaar aan te kijken en knepen hun

lippen stijf op elkaar om niet in hevig gegiechel uit te barsten. De mevrouw naast Andreas keek ingespannen uit het raam, maar ik zag aan haar oren dat ze luisterde en dat ze geen woord wilde missen.
Nu pas merkte ik dat wij toneel speelden. Dat wij publiek hadden. Het was een... spannend gevoel.
'Aha,' zei Andreas. 'Dus jij bent zo'n onschuldige type, hè?'
'Ja, ik denk dat ik wacht,' zei ik. 'Ik denk dat ik mezelf bewaar. Totdat ik degene vind met wie ik de rest van mijn leven samen wil zijn. Degene met wie ik kinderen wil krijgen.'
'Dus jij denkt dat je je hele leven samen met één man zal zijn?'
'Ja, dat was ik wel van plan,' zei ik. 'En misschien een paar kindertjes ook. Later.'
'En seks?'
'Ja, natuurlijk,' zei ik. 'Anders komen er ook geen kindertjes. Toch?'
Nu gorgelde de man naast mij weer, ik keek hem aan en hij grijnsde breed naar mij.
'Hoe vind je die man dan?' vroeg Andreas. 'De man met wie je wilt leven. En met wie je seks wilt.'
'Die komt vanzelf wel,' zei ik.
'Misschien ben ik het wel,' zei Andreas.
Een van de meisjes achterin kon zich niet langer inhouden en liet een verheugd gegiechel ontsnappen, maar de anderen zeiden snel tegen haar dat ze stil moest zijn.
'Dat denk ik niet,' zei ik.
'Ik zou graag willen dat ik het was,' zei Andreas.
Verdomme. Nu kon ik merken dat hij een toneelspeler was. Nu had hij mij aan het twijfelen.
'Vraag je mij ten huwelijk?' vroeg ik en ik probeerde een stralende glimlach te produceren.
Maar hij was serieus. Hij was serieus toen hij knikte en zei:
'Ja. Wil je mij hebben? Wil je samen met mij verder leven?'

Nu barstte de man naast mij uit in een hinnikend
hahahaha,
en hij boog zich over mij heen en
goed zo, jongen, dat gaat de goede kant op
zei hij tegen Andreas en hahahaha
maar een van de meisjes op de achterbank
zei dat hij stil moest zijn,
zij wilde meer horen, ze wilde horen hoe het verderging,
en ik zei: 'Ik weet het niet. Ik weet het nog niet.'
Andreas knikte en trok een pruilgezicht. Ja, ik moest toegeven, hij was een goede toneelspeler.
'Maar we zouden natuurlijk wel wat seks kunnen proberen,' zei ik. Alsof ik hem een beetje wilde troosten.
Ai. Nu bolden de wangen van de meisjes achterin op van het giechelen. Er kwamen geluidjes uit hun richting, het klonk als zacht gejank, een zacht fluitend geluid.
'Als jij het wilt,' zei ik. 'Als jij er zin in hebt.'
'Ja,' zei Andreas. 'Dat kunnen we wel doen. Bedoel je nu? Hier?'
Nu kwam het gegiechel met een sissend geluid naar buiten bij twee van de meisjes, nu konden ze zich niet langer inhouden, maar de anderen maanden hen tot stilte, ssst, de voorstelling is nog niet afgelopen.
Ik wachtte tot het weer stil was.
'Nee, vanavond,' zei ik. 'Na het eten.'
'Oké,' zei hij.
'Want jij weet toch hoe het moet,' zei ik. 'Want ik ben eigenlijk een... beginner.'
'Mm,' zei Andreas. 'Ik denk dat ik het nog wel weet. Hoewel het best een tijd geleden is. Ik bedoel, ik ben niet echt een expert. Ik bedoel, ik heb het geen duizend keer gedaan. Ook geen honderd keer.'
'Hoe vaak dan?' vroeg ik vlug.

'Dat hangt ervan af hoe je telt,' zei hij. 'Wat er meetelt.'
'Er moet sprake zijn geweest van penetratie,' zei ik. 'Anders telt het niet.'
'Ja, natuurlijk,' zei Andreas. 'Ik bedoel... Ik heb een vriendinnetje gehad. In Kristianstad. Dan heb je natuurlijk best wel... meer seks. Vaker.'
'Elke dag?' vroeg ik.
'Tja,' zei Andreas terwijl hij zijn schouders ophaalde. 'Bijna wel.'
'Was het leuk?' vroeg ik.
'Meestal was het leuk,' zei Andreas. 'Maar je wordt er wel zweterig van.'
'We kunnen het raam openzetten,' zei ik.

Nu konden de meisjes achterin zich niet langer inhouden. Nu kwam de giechel-explosie. En de man naast mij hinnikte en proestte en boog zich weer voorover om naar Andreas te knipogen en veel mensen lachten naar ons, sommigen draaiden zich af, maar de meesten glimlachten, en ik had het gevoel alsof we het toneel verlieten, ik hoorde applaus hoewel iedereen stil bleef zitten of staan en we stapten het trottoir op en toen de bus was weggereden, hield Andreas mij tegen. Hij pakte mij voorzichtig bij mijn schouder en zei:
'Ik speelde geen toneel.'
'Ik wel,' zei ik.
We zeiden niets.
'Maar daarom hoef je er nog niet als een geslagen hond uit te zien,' zei ik. 'Ik meende ieder woord dat ik zei.'
We zeiden niets.
Andreas gaf een kusje op zijn rechterwijsvinger, daarna legde hij de vinger voorzichtig op mijn lippen en liet de kus daar achter.
'Zullen we dan maar eens gaan koken,' zei hij.
Ik knikte en wij liepen naar de voordeur van mijn huis.

Over voorspel gesproken.
We maakten samen het eten klaar. We aten samen. We wasten samen af. We zeiden niet veel, we zeiden bijna niets.
We glimlachten naar elkaar.
We dronken samen thee.
Ik stak waxinelichtjes aan in de slaapkamer en deed alle lichten in de flat uit.
We stonden samen te dringen in de badkamer en poetsten samen onze tanden.
'Ik geloof dat ik eigenlijk wel even wil douchen,' zei Andreas.
'Is het niet beter om erna te douchen?' grinnikte ik. 'Als je er zweterig van wordt, zoals jij zei.'
Ik fronste mijn voorhoofd toen ik mijn eigen woorden hoorde. Het was verkeerd. De toneelvoorstelling was voorbij. Maar Andreas begreep het, hij begreep waar mijn woorden vandaan kwamen.
'Je kunt het ervoor én erna doen.'
'Dan ga ik na jou onder de douche.'

Andreas lag te wachten in mijn bed toen ik uit de douche kwam met mijn zachte badjas om me heen geslagen. Hij had het dekbed opgetrokken tot aan zijn kin.
'Zeg?' zei hij.
'Ja?' zei ik terwijl ik op de rand van het bed ging zitten.
'Kun je hier zwanger van worden?' vroeg hij.
'Nee,' zei ik. 'Nee, "je" kunt niet zwanger worden. Vrouwen kunnen zwanger worden.'
Hij knikte.
'Dat heb ik in een boek gelezen,' zei ik. 'In een boek dat *De geur van Melisse* heet.'
Hij knikte.
'En?' zei hij toen.

'En als deze vrouw zwanger wordt, deze nacht bedoel ik, dan denk ik dat het een mooi en gelukkig kind zal worden,' zei ik.
'Dan denk ik ook,' zei hij.
Ik stond op, liet mijn badjas op de grond vallen en kroop bij hem in bed.

'Au, wat heb jij lange teennagels,' zei ik. 'Je hebt me gekrabd.'
'Sorry,' zei hij.

18

Het land heet Zweden.
De stad heet Malmö.
In die stad is een straat.
In die straat staat een huis.
In dat huis is een flatje.
In dat flatje is een slaapkamer.
In die slaapkamer staat een bed.
In dat bed lagen een naakt meisje en een naakte jongen.

Meer kan ik niet vertellen. Niet met woorden.
Als ik het met woorden probeer te vertellen, worden het alleen maar smartlappen of songteksten of popteksten.

Jij maakte dat ik zachtjes jammerde. Jij ontlokte mij geluiden en woorden.
Maar ik kan het niet met woorden vertellen.
Het bloed op mijn onderlaken moet het maar vertellen. De zoute zweetparels die ik van jouw handpalm likte moeten het maar vertellen. De tranen op mijn wangen moeten het maar vertellen.

Ik weet meer nu. Ik ben jonger nu. Meer vrouw, maar jonger. Ik weet meer maar ook minder.
Kom bij mij, kom nog eens bij mij. Op die manier.

Ik had het niet verkeerd, ik had gelijk.
Ik heb op jou gewacht.
Nou zie je het zelf. Het worden songteksten. Ik kan het niet met woorden vertellen.
Later, veel later zei hij:
'Ik wil hier blijven.'
'Bij mij?' vroeg ik.
'In jou,' antwoordde hij.
'Voor altijd?' vroeg ik. 'De hele tijd?'
'De hele tijd,' antwoordde hij. 'Altijd.'
'Zou dat er niet gek uitzien?' vroeg ik. 'Als we bijvoorbeeld boodschappen zouden gaan doen. Denk je niet dat de mensen in de winkel naar ons zouden kijken?'
'Ja, dat zou er inderdaad wel gek uitzien. Ja, ik denk dat de mensen wel zouden kijken,' zei hij en zijn witte lach verlichtte de slaapkamer.

Maar hij bleef niet. En ik hield hem niet tegen.
'Ik kom morgenochtend vroeg,' zei hij. 'Ik kom ontbijt voor je maken.'
Mm. Dat zou lekker zijn. Ik knikte. Ik hield hem niet tegen.
Ik wikkelde het dekbed om me heen en liep met hem mee naar het halletje.
'Je had gelijk,' zei ik. 'Je wordt er zweterig van.'
En je krijgt er plakkerige dijen van, ik voelde hoe het uit mij liep, hoe zijn liefde langs mijn dijen liep.
Hij zei dat hij van mij hield. We kusten elkaar met gevoelige lippen. Ik zei dat ik van hem hield. Ik meende het.

Verder was er niets te zeggen. Niet met woorden.
Toen ging hij weg en ik deed de deur achter hem op slot.

EEN NACHT IN APRIL

Daar komt de een.
Daar komt de ander.
Ze komen het beeld inlopen, van opzij.
Ze zullen elkaar tegenkomen.
Een van hen zal sterven.
Het regent, een beetje.

Daar komt de een.
Hij komt uit de schaduw en loopt het licht binnen.
Hij komt de hoek om; nu is hij in de goede straat.
Hier zullen ze elkaar tegenkomen. Verderop. Snel.
Iemand zal sterven.

Daar komt de ander.
Hij loopt de straat op; hij komt uit het huis waar zij woont.
De voordeur valt achter hem dicht.
Hij blijft staan en kijkt rond.
Iemand zal sterven.

Het is nacht in de stad, en donker.
De straat ligt in het duister gehuld; de meeste straatlantaarns zijn uit of kapot, alleen het licht van twee lantaarns weerspiegelt in het natte asfalt. Geen sterren aan de hemel en geen maan, zwarte slapende ramen in slapende huizen, er is maar één raam waarachter licht brandt, boven de voordeur, waar de ander staat. Langs de

stoeprand staan auto's dicht op elkaar geparkeerd. Aan de andere kant van de straat rusten de zware, oude fabrieksgebouwen van rode baksteen met hun kapotte ruitjes als gapende wonden.
Het is nacht in de stad en stil.
Hoewel het de nacht van vrijdag op zaterdag is, hoewel het centrum van de stad maar een paar wijken verder is, wordt de stilte slechts af en toe onderbroken door een geluid; het geluid van remmende autobanden op het wegdek, een verre roep, rustige muziek uit een huis. Ja, en het geluid van voetstappen op het trottoir. En het geluid van een zware deur die dichtvalt. De een hoort zijn eigen ademhaling. De ander hoort zijn eigen hartslag.
Het is nacht in de stad en het ruikt naar chocola.
De productie van snoepgoed in de grote fabriek is stopgezet in 1992; toch dringt in sommige nachten nog de bitterzoete geur van chocola en cacao door de dikke muren van de gebouwen heen. Als zweet, als een herinnering. De geur van chocola vermengt zich met alle andere geuren van de stad; zeewater en rottend zeewier en hondenpoep en benzine en bierpis en de vriendelijke geur van versgebakken brood uit de bakkerij.
Het is nacht in de stad en de regen smaakt naar voorjaar.
Dat merkt de persoon die daar over het trottoir loopt als hij zijn gezicht naar boven richt, zijn tong uitsteekt en de druppels proeft die hij opvangt.
Het is nacht in de stad en de wind is een beetje warm.
Dat merkt de persoon die bij de voordeur staat, hij voelt aan zijn wangen en zijn kaalgeschoren hoofd dat die wind een voorjaarswind is en dat die regen een voorjaarsregen is.

Het is nacht in de stad en daar komt de een.
Het is Eldin die daar aankomt.
Ja, de persoon die over het trottoir komt aanlopen, heet Eldin. Hij heeft een wit jack aan met een capuchon. Hij is lang en slank. Als je

hem ziet, denk je aan een sportman; je denkt aan een hoogspringer of een langeafstandsloper.
Misschien komt het door de platte, steile pony dat zijn gezicht er een beetje kinderlijk uitziet. Als je hem hebt ontmoet, blijven zijn ogen je bij. En zijn lach.
Maar nu is hij ernstig.

Het is nacht in de stad en daar komt de ander.
Het is Andreas die daar aankomt.
Ja, de persoon die nog even blijft staan bij de voordeur, heet Andreas. Hij heeft een zwart leren jack aan. Hij is groot. Dat is wat je denkt als je hem ziet: groot. En daarna denk je natuurlijk: kaal.
Precies. Een jongeman met een kaalgeschoren hoofd. En je draait je om, angstig of vol haat of verachting. Je kijkt niet lang genoeg naar hem om nog iets anders te zien.

Het is nacht in de stad.
Een straat. Aprilregen.
Twee jonge mannen zullen elkaar tegenkomen.
Het zijn Eldin en Andreas die elkaar zullen tegenkomen. Ze zullen elkaar in de ogen kijken. Ze zullen elkaar tegenkomen aan de overkant van straat, waar Eldin loopt. Andreas zal oversteken naar die kant, maar nu staat hij nog bij de voordeur. Hij houdt zijn rechterhand omhoog, alsof hij aan zijn eigen vingers ruikt. Nu legt hij die vingers op zijn lippen. Nu lacht hij. Nu denkt hij: De smaak van het leven.
Nu knikt hij nadenkend, nu wordt hij ernstig, nu begint hij te lopen, nu steekt hij de straat over.

Het is nacht in de stad en iemand zal sterven.
Eldin en Andreas lopen nu recht op elkaar af. Ze hebben elkaar gezien. Als je de lijn volgt die de randen van de stoeptegels vormen,

zie je dat ze over dezelfde rij lopen. Ze zullen elkaar tegenkomen, elkaar in de ogen kijken.
Ze komen dichter bij elkaar en ze weten dat ze elkaar zullen tegenkomen.
In de zak van Eldins jack zit een mes. Degene van wie het mes is, heet Mirsad. Mirsad weet niet dat zijn mes in Eldins jaszak zit.
In de zak van Andreas' jack zit een mes. Dat mes hoort bij het jack.

Het is nacht in de stad en niemand is bang.
In elk geval Eldin en Andreas niet.
Eldin is niet bang. Hij denkt aan zijn zusje.
Andreas is niet bang. Hij denkt aan de jonge vrouw van wie hij houdt.
Niet bang, maar wel ernstig allebei.
Een van hen zal sterven.

Het is nacht in de stad en twee jonge mannen zullen elkaar tegenkomen.
Degene die zal sterven, weet het nog niet.
Hij weet niet dat het pijn zal doen. Een pijn waarvan hij tijdens zijn leven nooit heeft kunnen vermoeden dat die bestaat. Hij weet niet dat zijn bloed zich daar op het trottoir zal vermengen met het regenwater.
Het zou een scène uit een film kunnen zijn, ja.
Een jongerenfilm. Of hedendaags realisme. De grote stad. Een nachtelijke ontmoeting tussen een buitenlander en een skinhead. Thema racisme en vreemdelingenhaat. Thema jongerengeweld. Typisch.
Laat je niet misleiden.
Er is nog zoveel meer dan wat je ziet. Onder de oppervlakte. Onder de huid. Achter het toneel. Zo is het altijd.
Je hebt niet genoeg aan je vijf zintuigen, zelfs niet aan je zesde zintuig... Je moet meer weten.

En het is ook geen platte filmscène; het is de echte, pikzwarte werkelijkheid. Het is het einde.

Het is nacht in de stad en nu komen Eldin en Andreas elkaar tegen. Ze zijn nog tien meter van elkaar vandaan. Bij iedere stap die ze zetten, wordt de afstand tussen hen verkleind met twee meter.
Wees maar niet bang, Milena, denkt Eldin. Jij hoeft nooit bang te zijn.
Acht meter.
Mijn liefste, denkt Andreas. Mijn allerliefste.
Zes meter.
Hij moet dood, denkt Eldin. Hij moet sterven, voor jou.
Vier meter.
Hij is het, denkt Andreas. Wij zijn het. Dat moet het zijn.
Twee meter.
Stop.

Ik ben aan de beurt, ik, Hannah.
Het is een nacht in april.
Het is nu. Toen is nu geworden.
Ik sta bij het raam, ik ben helemaal vol van liefde. Liefde loopt langs mijn dijen. En nog heb ik het niet begrepen. Nog ben ik zacht en warm van liefdesgeluk.
Het regent een beetje.
Ik kijk hoe de druppels op mijn raam een wedstrijdje doen, wie het eerst beneden is.
Die woorden maken dat ik het begrijp. Die woorden krijgen een betekenis.
Het regent een beetje.
Het regent, een beetje.
Wacht. Stop. Hannah, Hannah, denk na, Hannah, kom terug naar de werkelijkheid, wat stond er nog meer, Hannah?

Een nacht in april.
Ja, dat is het nu, morgen is het 30 april, dan wordt het mei. Het is nu nog april.
Twee mensen zullen elkaar tegenkomen. Een van hen zal sterven.
Ja. Dat stond er. Wie zullen elkaar tegenkomen, op een regenachtige nacht in april?
Denk na, Hannah, Hannah, Hannah, Hannah, wat stond er nog meer in het schrift, wat stond er geschreven, welke zwarte woorden stonden er op het witte papier? Wacht. Er stond:
Het zou een scène uit een film kunnen zijn. Een nachtelijke ontmoeting tussen een skinhead en een buitenlander.
Hannah. Begrijp je het nu? Hannah! Wat daar in dat schrift stond, ging over jou. Wie is dan die skinhead? Wie is dan die buitenlander? Hannah, dat zijn Andreas en Eldin. Hannah, Eldin denkt dat... dat Andreas degene is die Milena heeft bedreigd, Hannah...
Je kunt het einde niet veranderen.

Eindelijk begrijp ik het.
De gil komt niet over mijn lippen, een stom 'Nee!!!' vult mij van top tot teen, voordat ik het raam opentrek en naar buiten leun.
Ik beef, ik tril terwijl ik de straat door tuur.
Nee. Leeg. Er ligt niemand dood te bloeden op het trottoir, niet voor zover ik kan zien. Wat moet ik doen; misschien moesten ze elkaar niet hier tegenkomen, misschien niet in mijn straat.
Ik moet naar buiten, ik moet iets doen, ik moet Milena bellen, ik moet me aankleden, ik moet voorkomen dat dit vreselijke gebeurt, ik moet...
'Eldin!!!' roep ik door de nacht. Mijn stem echoot tussen de gevels van de huizen. 'Eldin, Eldin, Eldin!!!'
'Andreas!!!' roep ik. 'Andreas, Andreas, Andreas!!!'
De nacht geeft geen antwoord. De nacht is stil en zwart.
Je kunt het einde niet veranderen.

Ik kan me niet bewegen.
Ik blijf bij het open raam staan, ik kan niet van mijn plek komen.
Ik kan me niet aankleden, ik kan niet naar buiten rennen, de nacht in, ik kan niet eens naar de telefoon lopen om de politie te bellen, of Milena.
Ik kan me niet bewegen.
Dit is het einde.
Nee. Een stille schreeuw stuwt omhoog binnen in mij. Een groot 'Nee' stuwt in mij omhoog. Nee. Het is niet waar. Het kan niet zo zijn.
En ik weet met heel mijn lijf dat het waar is, dat dit het einde is, dat ik het einde niet kan veranderen, dat alles wat er is gebeurd sinds ik hem voor het eerst heb ontmoet, gewoon moest leiden tot dit hopeloze einde.
Nee!
Waarom, waarom, waarom?
Waarom ik? Waarom heb jij mij gekozen.
Waarom ik niet? Waarom laat je míj niet sterven?

Ik ben op. Mijn lijf is op. Alle kracht stroomt uit mij weg, ik zak in elkaar, ik glijd neer op de grond, ik blijf naakt bij het raam zitten, met het dekbed onder mij en mijn rug tegen de verwarming.
Mijn lijf is op. Ik ben een kwal. Een kwal die is aangespoeld op het strand.
Mijn gevoelens zijn op. Mijn wanhoop, mijn angst, mijn verwarring zijn weg. Ik ben een steen. Een zware steen op de bodem van een donker meer.
Mijn woorden zijn op. Ik kan geen enkele gedachte meer formuleren. Ik ben een dier. Een klein konijntje dat verstijfd van angst in de lichtbundel van een auto zit, of voor de loop van het geweer van de jager.

Mijn beelden zijn op. Leeg. Ik ben een wit vel papier, een wit doek. Ik ben er niet. Ik ben op.
Op.
De tijd is stil blijven staan. De tijd bestaat niet langer. Er is niets gebeurd, er zal niets gebeuren.
Een steen. Een leeg vel papier.
Nee. Toch niet helemaal. De muur om mij heen is niet helemaal dicht, de allerlaatste millimeter is nog niet gesloten, er is nog een klein kiertje over, een piepklein spleetje, en daar dringt een geluid doorheen. Een belsignaal.
Een belsignaal dat wordt herhaald. En een stem. En een woord. Een woord dat wordt herhaald. Een woord dat ik herken.
Hannah.
De stem zegt het woord. Hannah. Telkens weer zegt de stem het woord Hannah.
En het woord vindt zijn weg naar binnen bij mij, het maakt mij open, en ik ben er weer. Van een aangespoelde kwal, een steen, een doodsbang konijntje, een wit doek, verander ik weer in Hannah, ja, dat ben ik, ik kom terug, ik begin de weg terug te vinden, ik begin te begrijpen dat ik Hannah ben die tegen de verwarming zit geleund terwijl er daarbuiten iemand aan mijn deur belt en mijn naam roept, een stem, een stem die ik herken.
Zo ver. Maar niet verder. Niet opstaan en de deur opendoen, nee, daarvoor heb ik nog niet genoeg lijf. En niet proberen te begrijpen, nee, daarvoor heb ik nog niet genoeg hoofd.
Hannah, Hannah, Hannah, roept de stem daarbuiten.
En tring, tring, tring.
Ik hoor het en ik blijf zitten waar ik zit.

Ik ben een stukje van mijn leven kwijt. Er is een moment in mijn leven dat ik kwijt ben en dat ik nooit zal terugvinden.
Ik zat bij het raam. Ik hoorde dat iemand mijn naam riep. Nu zit

ik op de bank met mijn badjas aan, ik drink hete thee. Naast mij zit Andreas en tegenover mij zit Eldin. Ze praten met vriendelijke stemmen en kijken met vriendelijke, ongeruste ogen naar mij.
Maar daartussenin? Hoe ik hier ben terechtgekomen? Hoe Eldin en Andreas zijn binnengekomen in mijn flat? Ik weet het niet. Ik ben een stukje van mijn leven kwijt.
Maar nu ben ik terug. Ik drink thee en ik ben me weer bewust van mijn omgeving. Op de grond bij het raam ligt mijn dekbed.
Nu komt alles terug.
Het is een nacht in april.
Nu wil ik het weten.
Wat is er gebeurd?

Eerst vertelt Eldin.
Iemand had hem gebeld. Een man. Een man die zijn naam niet had gezegd, maar hij had verteld dat de skinhead die Milena had bedreigd, vannacht in deze straat zou zijn. Na enen, had de man gezegd. Dus Eldin was hiernaartoe gekomen, en had gewacht en gewacht en tenslotte had hij een skinhead uit mijn huis zien komen. Toen was Eldin recht op hem afgelopen.
'Ik had besloten dat hij moest sterven,' zegt Eldin. 'Het maakte niet uit, snap je, dat ik mijzelf en mijn plannen opofferde, hij moest gewoon dood.'
Eldin ziet bleek. Als hij zijn theekopje pakt, zie ik dat hij nog steeds trilt.
Daarna vertelt Andreas.
'Ik zag Eldin recht op mij afkomen, hoewel ik niet wist dat hij het was. En ik was niet bang, want ik liep aan... aan iets anders te denken...'
Hij kijkt naar mij. Ja, ik weet waar hij aan liep te denken. Nee, ik bloos niet.
'... maar toen opeens, toen ik Eldin dichterbij zag komen, moest ik

denken aan wat jij had gelezen in dat schrift, over twee mensen die elkaar zouden tegenkomen en dat een van hen zou sterven. Een nacht in april. En opeens begreep ik het, en ik begreep wie Eldin was, en ik bleef staan en ik zei zijn naam en jouw naam en Milena's naam en...'

'Maar ik had je tóch gestoken,' zegt Eldin met een matte glimlach, 'ik had mijn hand al op het mes in mijn zak, snap je. Als hij niet was gekomen, dan had ik jou gestoken, ik begreep niet waar je het over had...'

'Ik had ook mijn hand op mijn mes,' zegt Andreas met een zucht.

'Heb jij een mes?' zeg ik en ik frons mijn voorhoofd. 'Loop jij met een mes rond? Ben je niet goed snik?'

'Dat mes hoort bij het jack,' zegt Andreas. Hij klinkt vermoeid. 'Ik gooi het nu weg. Ik gooi het mes en het jack allebei weg.'

'Ga verder,' zucht ik. 'Wat gebeurde er toen?'

'Hij kwam,' zegt Andreas. 'Hij hield ons tegen. Het moet hem zijn geweest.'

'Per? Per Nosslin?' vraag ik.

Andreas knikt en Eldin kijkt hem vragend aan.

En dan vertelt Andreas
over een ontmoeting in een straat op een nacht in april
over hoe hij en Eldin daar tegenover elkaar stonden
en allebei een mes in de zak van hun jack omklemden
toen iemand hun namen riep
en mijn naam
en ze zagen een man op hen afkomen
en de man zei: 'Ik schenk jullie het leven'
en de man zei: 'Nee, eigenlijk schenkt Hannah jullie het leven,
haar liefde redt jullie'
en de man zei: 'Ga nu naar Hannah toe,
zij is ongerust en verdrietig,

jullie moeten haar troosten en bedanken voor je leven
en jullie moeten zeggen dat ik...'
maar toen zweeg hij, de man
hij zweeg en bleef nog even staan
alsof hij nog iets wilde zeggen
alsof hij zocht naar woorden om te zeggen
maar tenslotte zei hij alleen maar:
'Toe maar, mijn kuikentjes,
ga maar gauw naar Hannah toe'
en toen liep hij weg.

Ja, het moet Per Nosslin zijn geweest.
'Hoe zag hij eruit?' vraag ik.
'Lang. Gebogen rug. Hij had een zwarte jas aan. Maar het was donker, ik kon zijn gezicht niet zien.'
'Hoe oud was hij? Vijfendertig?'
'Eerder vijfenveertig,' zegt Andreas. 'Hij zag er oud en moe uit.'
'Hij kwam uit een deur hiertegenover,' zegt Eldin en hij knikt naar overkant van de straat. 'Ik heb het gezien. Hier precies tegenover.'
Andreas en ik kijken elkaar aan.

Daarna vertel ik hoe ik het ineens begreep.
Hoe ik werd overvallen door de angst.
Hoe ik verlamd was.
Hoe ik helemaal op was.
Hoe ik een stukje van mijn leven kwijt was.
'De deur was open toen wij hier kwamen,' zegt Andreas. 'Jij zat hier op de bank voor je uit te staren.'
Ik haalde mijn schouders op. Een kort moment van mijn leven is voor altijd verdwenen.
'Wat bedoelde hij toen hij zei dat wij jou moesten bedanken, dat wij jou moesten bedanken voor ons leven?' vraagt Eldin.

Ik geef geen antwoord. Maar ik weet het: Ja, ik heb het einde veranderd.
Hoewel hij had gezegd dat dat niet kon.
Ik geef mijn linkerhand aan Eldin en mijn rechterhand aan Andreas en ik houd hun handen stevig vast en zeg:
'Ik ben zo blij dat jullie leven. Ik ben zo blij dat jullie er zijn.'

Ik wil het liefst gewoon blijven zitten en hun handen in de mijne houden en gelukkig zijn dat wij alledrie leven, maar ik kan het niet laten om te denken, om me het hoofd te breken, om te proberen het te begrijpen, maar het gaat langzaam, mijn hersenen werken langzaam vannacht, ik kan mijn gedachten niet ordenen, ik kan alle stukjes niet bij elkaar krijgen.
Dus hij had al die tijd in de flat aan de overkant van de straat gezeten. Misschien kon hij mij daarvandaan wel zien, misschien belde hij daarom 's avonds, om mij naakt te zien. Misschien was de verklaring zo eenvoudig. Per Nosslin was een gluurder. En misschien was hij wel verliefd op mij geworden en toen jaloers geworden op Andreas en Eldin en had hij een plannetje bedacht waarbij een van hen de ander zou vermoorden.
Misschien was het wel zo.
Ik knik. Een simpele verklaring. Maar een beetje triest. Een beetje verachtelijk, een beetje onsmakelijk en een beetje triest.
Of misschien wilde hij mij iets leren, misschien was hij meester tot het bittere einde, misschien wilde hij mij een lesje leren, wacht eens, hij had Eldin en Andreas 'mijn kuikentjes' genoemd, misschien wilde hij mij leren dat een mensenleven belangrijker is dan het leven van een kuiken, misschien was deze hele voorstelling een bijdrage aan het debat over de rechten van het dier en de menselijke waarde?
Nee. Ik kan het niet laten om te lachen om mijn eigen gedachte. Als dat zo is, ben ik teleurgesteld in jou, meester Per. Natuurlijk is

een mens meer waard dan een kuikentje. Tenminste voor een mens. Maar daar gaat het toch niet om.
Nee, nu ben ik teleurgesteld in jou.
Als dat zo is, ben je een beetje dom, meester Nosslin.
Of wilde hij mij iets anders leren?
Wilde hij mij iets leren door mij het einde te laten veranderen? Hij had toch gezegd dat Eldin en Andreas hun leven aan mij te danken hadden.
Liefde is sterker dan de dood.
Was dat mijn les?
Houd op, meester! Nu begin je zielig te worden.
Maar misschien wilde hij helemaal geen meester zijn. Misschien wilde hij God zijn.
Misschien speelde hij een spel, misschien wilde hij gewoon voelen hoe het is om macht te hebben.
Misschien wilde hij een schepper zijn, een wereld creëren en hem vervolgens bevolken en dan aan de touwtjes trekken. Almachtig en alwetend. Maar dat was hij niet geweest. Geen van beide.
Ik pak de blocnote die bij de telefoon ligt en schrijf zijn naam op.
Per Nosslin.
Per Nosslin, wie ben jij? Wie was jij?
Gluurder of meester of God?

'Per Nilsson?'
Eldin buigt zich naar voren en leest ondersteboven wat ik op het blaadje schrijf.
'Per Nilsson,' zegt hij. 'Heette hij zo, die vent die we beneden zagen? Heeft hij mij ook gebeld?'
'Nilsson?' zeggen Andreas en ik tegelijkertijd en we kijken elkaar aan.
Ik draai het blaadje om.
Ik lees Nosslin achterstevoren.

'Eldin, je bent geniaal,' zeg ik. 'En ik ben een idioot.'
Ja, hoewel ik zelf een naam heb die hetzelfde blijft als je hem omdraait, heb ik het niet begrepen. Anna Nosslin had nog wel gezegd: 'Je kunt misschien zelf wel bedenken hoe de vader van Ulf van achteren heette voordat hij de naam Nosslin aannam.' Nee. Zoiets kon domme Hannah niet bedenken.
Klets. Ik sla mezelf op mijn voorhoofd.
Sufferd. Mega-idioot. Stommeling.

'Per Nilsson?'
En wie is dat dan?
Weten wij meer over Per Nilsson dan over Per Nosslin?
'Er is een schrijver die Per Nilsson heet,' zeg ik. 'Hij heeft dat boek geschreven waar ik het vanavond over had.'
'Welk boek?' zegt Andreas en hij fronst zijn voorhoofd.
'Het heet *De geur van Melisse*,' zeg ik. 'Ik heb ook nog een ander boek van hem gelezen, dat heette *Jij, jij en jij*. Dat heb ik twee jaar geleden van mijn ouders gekregen voor kerst.'
'Denk je dat hij het was?' vraagt Andreas.
Ik denk na. Heb ik niet ergens een foto van hem gezien op een boekomslag of zo?
Nu tollen de gedachten door mijn hoofd, nu krijgen de gedachten vaart, nu zoek ik nieuwe verbanden en probeer ik me alles te herinneren wat er is gebeurd en... En plotseling raken mijn gedachten volledig in de knoop.
'Is hij schrijver?' vraagt Eldin. 'Dan komen we misschien wel in een boek.'
'We hebben er gewoon maling aan,' besluit ik. 'Ik heb geen zin meer om me er druk over te maken. Ik wil niet meer. We hebben gewoon maling aan Per Nilsson en Per Nosslin. We hebben in ieder geval het einde veranderd. Hoewel hij zei dat dat niet kon.'

'Misschien wist hij dat wij het einde zouden veranderen,' zegt Andreas. 'Misschien wilde hij dat wel.'
'Het kan mij helemaal niets schelen,' zeg ik en ik haal mijn schouders op.
Ik maak me er niet langer druk over. Ik kom niet verder.
Het maakt mij niet uit of hij een geile gluurder van middelbare leeftijd is, of dat hij mij iets wilde leren, of dat hij God wilde spelen.
Of dat hij mij alleen maar beter wilde leren kennen, zoals hij zei.
Het kan mij niets schelen.
Ik wil alleen maar moe en blij zijn. Ik wil gelukkig zijn.

'Wat zullen we dan voor einde bedenken?' vraag ik en ik laat mijn blik heen en weer gaan tussen Eldin en Andreas.
'Een kus vind ik,' zegt Andreas. 'Dat is toch een klassiek einde. Een filmeinde met een slotkus. The End.'
Hij tuit zijn lippen.
'Bedoel je jij en ik?' vraag ik. 'Of bedoel je dat Eldin en ik elkaar een kusje moeten geven terwijl het beeld langzaam vervaagt en de aftiteling over het doek rolt?'
'Nee, ik bedoel dat Eldin en ik moeten kussen,' schatert Andreas, 'en dan vertellen we dat wij de hele winter een verhouding met elkaar hebben gehad.'
'Idioot!' lacht Eldin en hij gooit een kussen naar Andreas' hoofd.
'O jee! Ben je bang voor homo's of zo?'
Opeens worden we alledrie heel giechelig. De spanning is voorbij en we zijn moe en we giechelen en we worden heel melig en we verzinnen allerlei goede eindes.
Het is halfvier als Andreas en Eldin weggaan. Ik kruip weer in bed. Het bed ruikt naar liefde.

EEN NACHT IN APRIL

Het is nacht in de stad, en donker.
De straat ligt in het duister gehuld; de meeste straatlantaarns zijn uit of kapot, alleen het licht van twee lantaarns weerspiegelt in het natte asfalt. Geen sterren aan de hemel en geen maan, zwarte slapende ramen in slapende huizen, er is maar één raam waarachter licht brandt.
Drie mensen staan in die flat. Drie jonge mensen. Ze staan dicht, heel dicht bij elkaar, het lijkt wel of ze elkaar omhelzen. Alledrie.
Dan verlaten twee mensen de flat. Eén blijft.
Op hetzelfde moment dat het licht boven uitgaat, gaat de voordeur beneden open.
De twee lopen de straat op.
Ze lopen weg, samen.

Per Nilsson

Het lied van de raaf

De veertienjarige David en zijn zusje Tove reizen met hun vader door Zweden om op jaarmarkten worst te verkopen. Hun leven is avontuurlijk en vrolijk, maar onregelmatig; David krijgt weleens vrij van school om zijn vader op de markt te kunnen helpen.
Op een dag, als hij na twee weken marktleven weer op school komt, hoort hij tot zijn verbijstering dat een vriend van hem van een vijftig meter hoge landbouwsilo is gevallen: dood. Was het een ongeluk? David tracht erachter te komen wat Linus daar boven op die silo deed. Maar veel van zijn vragen blijven onbeantwoord.
Weken later ontdekt David dat Ritva, een meisje dat hij op de voorjaarsmarkt heeft ontmoet en op wie hij verliefd is, in het ziekenhuis ligt. Als hij haar opzoekt lijkt het wel alsof ze in de ban is van iets, van iets kwaads. Alle vrolijkheid is bij Ritva verdwenen. Hij probeert te achterhalen wat er gebeurd is, maar naarmate hij meer te weten komt stapelen de raadselachtige gebeurtenissen zich op.

Het was een gewone marktzomer geweest, met uitzondering van twee dingen. Het begon ermee dat iemand die Linus heette, sprong en doodging. In wanhoop. En toen vond ik een bleke en verdrietige Ritva in het ziekenhuis. En toen verdween ze.
Ik had niet meer aan Linus en Ritva gedacht.
Ik had er natuurlijk nooit over nagedacht dat er een verband zou kunnen bestaan tussen Linus en Ritva.
Vanaf dat moment heb ik nergens anders aan gedacht.

geb. 367 blz.
isbn 90 5637 021 9

Per Nilsson

De geur van Melisse

Als in een film trekken de gebeurtenissen van de afgelopen maanden aan hem voorbij. Bij elk voorwerp dat voor hem op tafel ligt, heeft hij herinneringen: buskaartje, grammaticaboek, briefkaart, plantje citroenmelisse, pakje condooms, een in elkaar gerold laken en een scheermesje.

Iedere dag gaat hij met de bus naar school en op een dag ziet hij haar. Sindsdien kijkt hij naar haar uit. Als ze uitstapt hangt er nog even een zweem van de geur van citroen, citroenmelisse ontdekt hij later. Na maanden spreekt ze hem onverwachts aan, en hij kan zijn geluk niet op.

Gek. Hij had het altijd moeilijk gevonden om te praten. Met haar was het makkelijk. Het ging als vanzelf. Hij hoefde niet naar woorden te zoeken, hij bedacht zijn antwoorden niet tien minuten te laat, zoals hij anders altijd deed en er was altijd wel iets om over te praten. Ontzettend veel om over te praten. De busreizen waren hopeloos kort.

Allerlei dingen uit die tijd bewaart hij zorgvuldig, ook het laken waarop ze één keer hebben gevreeën. Zijn verlangen naar haar groeit, maar zij kan zijn gevoelens niet beantwoorden. Nu gooit hij één voor één die voorwerpen weg en probeert weer grip te krijgen op zijn leven.

Per Nilsson won met dit boek de *Deutsche Jugend Literatur Preis;* in 1999 kreeg hij hiervoor een Zilveren Zoen.

geb. 149 blz.
ISBN 90 5637 150 9